P9-CQO-412

NOVELISTAS CONTEMPORÁNEOS HISPANOAMERICANOS

NOVELISTAS CONTEMPORÁNEOS HISPANOAMERICANOS

por
FERNANDO ALEGRÍA
University of California, Berkeley

Vocabulario y Notas por
CARLOS LOZANO
Saint Louis University

D. C. HEATH AND COMPANY
BOSTON

PRINTED IN THE UNITED STATES OF AMERICA

LIBRARY OF CONGRESS CATALOG CARD NUMBER: 64-10563

ÍNDICE

NOVELISTAS CONTEMPORÁNEOS HISPANOAMERICANOS

Introducción

A quienes siguen el desarrollo de la literatura hispanoamericana no se les escapa el hecho de que la gran tradición regionalista, tan importante en la novela de comienzos de siglo, parece haber entrado ya a un período de franca e irremediable decadencia. Esta decadencia comienza a notarse entre los años de 1930 y 1950. Nuevas generaciones de novelistas se rebelan contra los excesos del nacionalismo esencialmente local y se esfuerzan por dar universalidad a su expresión literaria, abandonando la literatura simplemente descriptiva y anecdótica para preocuparse, en cambio, de analizar la vida interior de sus personajes dentro del marco de sus conflictos sociales.

Los maestros del regionalismo hispanoamericano—Rómulo Gallegos, José Eustasio Rivera, Mariano Azuela, Benito Lynch, Ricardo Güiraldes, para nombrar a los más afamados—dieron excesiva importancia a la tarea de comprender las relaciones físicas del hombre con un ambiente que le es hostil, descuidando los nexos más trascendentes del espíritu. Al humanizar la pampa, la selva, las montañas y los ríos, en realidad, deshumanizaron al hombre. Para ellos el dualismo propuesto por Domingo Faustino Sarmiento en *Facundo*[1] debía tomarse literalmente: *la barbarie* es la naturaleza americana convertida en invencible fuerza destructiva, mientras que *la civilización* es la humanidad en constante batalla y eterna retirada. La naturaleza se encarna aun en el hombre para destruir mejor: es el caso de *Doña Bárbara.* Recordemos, asimismo, que Azuela no encuentra mejor símbolo de la Revolución Mexicana que la piedrecilla rodando por el monte convertida, muy pronto, en alud incontenible. El desierto se traga al hombre, las minas subterráneas le devoran, la selva le estrangula—y el explotador no es sino un tentáculo más de la selva en *La Vorágine*—el océano barre sus pequeños puertos, los terremotos destruyen sus ciudades, las sequías y las pestes acaban con sus campos. La novela regionalista crea la imagen de un hombre en eterna derrota frente a los poderes de la naturaleza.

Si leemos hoy esas novelas, con su colorismo recargado y sus abusos dialectales y, al mismo tiempo, recorremos la América Hispana en toda su extensión, advertimos que algo en ellas ha quedado definitivamente

[1] Civilización y barbarie: Vida de Juan Facundo Quiroga (*1845*).

fuera de foco: un nuevo mundo ha crecido velozmente transformando campos y ciudades; el complejo de factores culturales, sociales y económicos ha creado una forma de vivir que no es la descrita por esos novelistas del pasado; hay un lenguaje que nos es común a todos y que, en vez de ahondar las diferencias locales, tiende a ponernos en comunicación más estrecha con los pueblos del mundo contemporáneo.

No hace mucho me tocó participar en un debate en que se reunían escritores de las dos o tres últimas generaciones. La Universidad de Concepción, Chile, convocaba a estos escritores para que en un diálogo libre y espontáneo dilucidaran los problemas que encuentra el escritor en su labor creativa.[2]

Por encima de discusiones académicas pronto fue tomando cuerpo una idea que pareció unirnos a todos. Era una idea que no entrañaba solución ni podía, en consecuencia, tranquilizarnos; por el contrario, era más bien una señal de alarma que debía ponernos en acción, hasta cierto punto, desesperada. Los escritores hispanoamericanos que allí estaban decían: «Pertenecemos al Viejo Mundo tanto como al Nuevo Mundo. Hemos heredado una cultura europea, es cierto, pero vivimos con ella en un ambiente que la rechaza.»

Un novelista argentino, Ernesto Sabato, se preguntaba: «¿Estamos en una tierra de nadie? ¿Qué somos, la vanguardia o la retaguardia de la cultura occidental?» No hay escritor hispanoamericano de importancia hoy que no se preocupe, en una forma u otra, de esta dramática contradicción. En el fondo, nos planteamos la necesidad de entendernos a nosotros mismos, de resolver el dilema de Sarmiento no sólo sobre base geográfica, sino también en el mundo del espíritu. Llevamos una civilización y una barbarie que combaten como dos serpientes por el dominio de nuestro reino interior. El escritor joven de Hispanoamérica trata angustiosamente de convertir esta lucha en una razón de vivir, saliendo de su aislamiento espiritual y transformando su creación literaria en un factor dinámico dentro de la sociedad moderna.

A medida que esta concepción del arte literario echa raíces, las novelas de los nuevos escritores empiezan a mostrarnos dimensiones inesperadas en la vida de los pueblos hispanoamericanos. El paisaje, reducido a necesaria medida, se integra a la existencia diaria. Está en

[2] *Véase* Américas, *XII, Nº 6, junio de 1960, 9–12.*

la novela porque el hombre vive dentro de él, no porque el novelista se asome de vez en cuando a darle una mirada en busca de lo pintoresco o exótico. Desaparecen gradualmente las fronteras entre la ciudad y el campo. Han disminuido las distancias. El tractor invadió las tierras del caballo. Los descendientes de las viejas comunidades campesinas no vagan ya por las márgenes de un río sin fin o por una meseta sin orillas: encontraron el camino de la ciudad y comienzan a vivir el segundo acto de su drama. Rostros extraños invaden las calles de los pueblos provincianos. Son los refugiados de la Europa en guerra que tratan de rehacer su vida. Los inmigrantes no son ya la figura extravagante que el novelista de principios de siglo convertía en una caricatura. Forman parte de un nuevo mundo en dramática gestación; se hacen oír, dejan su marca en la nueva patria; muchas veces, la escriben con sangre. Las barreras sociales van cayendo una a una, inexorablemente. La aristocracia empobrecida cruza el dintel de la clase media y cede su lugar a una aristocracia del dinero. La clase media sufre más que otra el impacto de la decadencia económica pero, en cambio, asienta firmemente su dominio en el campo de la cultura y combate por conseguir el poder político. Las masas obreras, en fin, se organizan férreamente en sindicatos y uniones, llegan a los medios universitarios y empiezan a crear sus propias formas artísticas.

Los personajes que desfilan por esta antología—la sirvienta o el burócrata de Benedetti, el rebelde sin esperanzas de Marqués, los patéticos peones de Rulfo, el trágico oficinista de Droguett, el grotesco almacenero de Sinán, los jóvenes semi-coléricos de Martínez Moreno, los amantes de la épica ciudadana de Sabato—, así como los personajes todos de la nueva novelística hispanoamericana revelan un estado de angustia que, o asume significación filosófica dentro de un pensamiento existencialista, o bien se resuelve en vigorosa protesta social. No son arquetipos sino, por el contrario, individuos profundamente comprometidos en una crisis que afecta a toda la humanidad. Aun los aspectos más intrascendentes de la vida diaria son objeto de un análisis de clara intención social.

No es raro, por otra parte, que los novelistas de las más recientes generaciones hagan uso del símbolo y del mito para dar valor permanente a su mensaje. Algunos siguen la tradición joyceana, es decir, utilizan el mito clásico para encarnar en él la figura atribulada del hombre moderno. Otros buscan en la mitología indígena la forma artística en que despertará la subconsciencia de los pueblos hispanoamericanos de hoy.[3] El episodio novelesco, en consecuencia, se carga de contenido filosófico y metafísico. El estilo adquiere un movimiento onírico, a la manera de Joyce o de Faulkner, o un movimiento de parábola, como en Kafka o Camus, o un movimiento enciclopédico, como en Thomas Mann, o un *staccato* de voces y acciones, como en Hemingway, o una densidad espacial que es sello de la novela estática, llamada también *nouvelle vague.* A veces, el símbolo se aplica directamente a una preocupación inmediata del hombre: establecer su lugar de origen, valorar su condición humana, definirse en relación a las instituciones sociales. Novelistas como Thomas Wolfe, Camus, Steinbeck, Sartre o Hemingway, inspiran, entonces, a nuestros jóvenes escritores.[4]

No es mi propósito sugerir que la novela hispanoamericana contemporánea se haya ido forjando exclusivamente sobre modelos foráneos. La generación que sigue a la de los super-regionalistas incorpora ya técnicas nuevas y contribuye a establecer un tono trascendentalista en la novela, tono que los escritores de las generaciones del 40 y del 50 asimilan con innegable provecho. Entre novelistas como Alejo Carpentier, Miguel Ángel Asturias, Agustín Yáñez, Manuel Rojas, Ciro Alegría, Eduardo Mallea, Jorge Icaza, Alfredo Pareja, y los que ahora definimos existen nexos fundamentales. En la continuidad que se advierte a través de sus obras reside, precisamente, la base estética que

[3] *Miguel Ángel Asturias en* Hombres de maíz (*1949*) *y Alejo Carpentier en* El reino de este mundo (*1949*) *y* Los pasos perdidos (*1953*), *siguieron esta norma y dieron categoría estética y significación social a la mitología del Caribe y de Centro América, adelantándose así y asumiendo un papel precursor que los escritores de las nuevas generaciones les reconocen sin discusión.* [4] *Ha dicho el escritor puertorriqueño René Marqués: «Los espíritus más alertas de la nueva promoción se sienten decepcionados. Experimentan la necesidad de ir más allá de Quiroga, más allá del indigenismo, más allá de la* novela de la naturaleza, *a lo Juan Bosch. Se vuelven entonces hacia un campo asequible y virgen: la literatura norteamericana contemporánea. Abren en él generosa brecha que les conduce, por rodeo lógico, a las nuevas expresiones literarias de Inglaterra y Europa, estas últimas a través de traducciones al inglés publicadas en los Estados Unidos.»* (Cuentos puertorriqueños de hoy, *San Juan, 1959, pag. 17*). *Cf., asimismo, mi* Breve historia de la novela hispanoamericana, *México, 1959, cap. IV, pags. 207–273.*

nos permite hablar de un estilo característico de la novela hispanoamericana a mediados del siglo XX.[5]

Es posible comprobar también curiosas similitudes estéticas y sociales entre los novelistas hispanoamericanos y norteamericanos de generaciones recientes. Tanto unos como otros huyen de la retórica y, particularmente, de la novela-crónica, es decir, de la narración en un solo plano episódico. Preocupados por definir su posición en un mundo al que consideran en bancarrota, estos novelistas son rebeldes, aunque no necesariamente revolucionarios; marchan por encima de los convencionalismos y buscan en el pasado la lección de los grandes descontentos: Henry Miller, por ejemplo, cuya obra es tan conocida entre los jóvenes escritores hispanoamericanos como entre los norteamericanos y cuya actitud frente al mito sexual ha dejado honda huella en la novela y en la poesía. Son, asimismo, novelistas de acción, a veces desorientada, pero en todo caso intensa y decidida. Se mueven sin otra meta que la extensión infinita de la autopista; se detienen un instante para inquirir en el destino humano con angustiada insistencia y, luego, prosiguen su camino. Son goethianos y, en consecuencia, románticos, ya que el sentido de la vida parecen hallarlo en el acto mismo de vivir, en la acción de reconocer el camino, y no en alcanzar un ideal último. Por eso una obra como *On the Road* de Jack Kerouac despierta en ellos un eco familiar.

Esta experiencia de múltiples matices suele llegarnos en planos simultáneos en que el orden cronológico se ha perdido. Para seguir al héroe o al anti-héroe hemos de resolver el misterio del laberinto. Por otra parte, esa experiencia se narra en razón de su profundidad. No esperemos, entonces, muchos incidentes; más bien, aprendamos a sentir la vida en el secreto de unos pocos hechos trascendentales.

Estos novelistas sienten una responsabilidad individual ante los hechos que narran. Pudiera decirse que crean un estilo de novelar mien-

[5] *Falta aún un estudio analítico de la influencia que ejercen los novelistas norteamericanos de la Generación Perdida—además de Faulkner—, sobre la literatura hispanoamericana. Un buen comienzo es «La influencia de William Faulkner en cuatro narradores hispanoamericanos», tesis de James East Irby, presentada a la Universidad Autónoma de México en 1957, inédita. Los escritores a que se refiere el autor son: Lino Novas Calvo, Juan Carlos Onetti, José Revueltas y Juan Rulfo.*

tras descubren un estilo de vivir. Al expresar la realidad—*cualquiera realidad*—y al darle una forma estética, se definen a sí mismos y encuentran su lugar en el mundo contemporáneo. Insisto en que se trata de *cualquiera realidad* y no sólo de la realidad concreta e inmediata que constituyó el mundo de los escritores costumbristas y regionalistas. La novela hispanoamericana de hoy es, por lo tanto, *neorrealista*, pero es también *poética*. Su visión del mundo es angustiada y lleva un impulso a borrar las fronteras entre la vida y la muerte como, por ejemplo, en las obras de Juan Rulfo y Carlos Droguett; o puede ser caóticamente romántica, turbulenta con el movimiento de un grueso río, a la manera de Ernesto Sabato en su épica criolla titulada *Sobre héroes y tumbas;* y es trágica, de un modo a la vez primitivo y clásico, identificando extrañamente el amor a la tierra y el amor a la justicia en *Hijo de hombre* de Augusto Roa Bastos; o violenta y atada a asombrosas síntesis sociales en *La muerte de Artemio Cruz* de Carlos Fuentes; o sabia e irónica y hasta refinadamente perversa en las narraciones y fábulas de Marco Denevi; o antiheroica, como en los pequeños dramas de la desesperación burocrática de Mario Benedetti; o despiadadamente analítica en los cuadros de costumbres de Martínez Moreno; o bien lírica, con un resplandor que ciega y que resulta de la visión simultánea de zonas conscientes y subconscientes de individuos prisioneros en los crueles espejismos del trópico, como en los relatos de René Marqués; o ritual, dolorosa, rebelde, folklórica en Adalberto Ortiz; o simple y juguetonamente satírica como en las historias de Rogelio Sinán.

Violencia, angustia, raigambre poética, son factores comunes en la obra de estos novelistas. Puede señalarse en ellos, además, la misma voluntad de responder a una crisis en la historia de nuestros pueblos con un concepto dinámicamente agónico de la creación literaria; es decir, con obras que llevan la autenticidad de la confesión final y la violencia del propósito de sobrevivir, a pesar de todas las contradicciones y de todos los obstáculos que el hombre se impone a sí mismo.

¿Hace falta decir que este libro no es una antología de *novelas*, sino una antología de *novelistas?* Por ello se incluyen en ella cuentos y capítulos de novelas. Es decir que mi primerísima intención es presentar al novelista en su trabajo. Tomarle una instantánea que, desde uno o más ángulos, le revele en su acto de creación. Escritores como Sabato o Roa Bastos necesitan cauce ancho para expresarse. Otros, como Rulfo o Denevi, dejan su genio y figura en una sola página. De ahí las diversas medidas que se aplican en la selección. Mi segunda intención es interesar al lector para que, de suyo propio, complete después este brevísimo panorama de la novela hispanoamericana de mediados de siglo. Por cada uno de los autores aquí seleccionados pudiera nombrar tres o cuatro de igual talento y relieve, dignos todos de la atención del lector. Sirva, entonces, esta antología como punta de lanza para otras selecciones que contribuyan a difundir la obra de los novelistas de las generaciones del 40 y del 50.

Y una última palabra de agradecimiento para el profesor Carlos Lozano, autor del *Vocabulario* y de las *Notas* que acompañan este libro.

F. A.
Berkeley, 1964

CARLOS MARTÍNEZ MORENO

(URUGUAY 1917)

Corpulento, de frente alta—¡pelo negro, ay, yéndose!—ojos hundidos, afiebrados, abogado de profesión, orador vertiginoso, certero, imaginativo: he ahí Martínez Moreno a primera vista. Lleva consigo un aire de actividad frenética. No siempre palpable. Hay cosas a su alrededor que no han sucedido todavía, cosas que deben suceder inminentemente, dramáticas, sorpresivas, raras, cosas de novela: con ellas forma la médula de sus narraciones. Pero Martínez Moreno no se da tiempo para explayarse en novelas: su *tempo* perfecto es el de la novela corta o cuento largo. Por lo general, trabaja a base de una o dos semblanzas que analiza a fondo. Tiene mirada de piraña cuando se enfrenta a un personaje: en segundos lo desmenuza. La autopsia—brillante, sofisticada, ingeniosa, cruel—, suele llevarse a cabo en ambientes de noble evocación poética o en aposentos herméticos, como el de su cuento «El simulacro»; en ningún caso faltará la explosiva carga psicológica. Corre un cierto rumor de siglos, como una brisa mediterránea, por el fondo de sus pequeños dramas montevideanos. Ése es el atractivo de *Los aborígenes*. Sentimos que la tragedia de sus personajes es doblemente irreparable: primero, por la limitación de su destino ¡tan anónimo, tan oscuro!; y, luego, por la conciencia del pasado heroicamente clásico que da a esa tragedia un hálito de eternidad.

Martínez Moreno, así como Benedetti y otros escritores uruguayos de su generación, posee una ingeniosa y penetrante crueldad para verle la ropa interior—raída, ridícula, vergonzante—a la gente atildada del mundo contemporáneo. Se diría que ejercita la mirada en reuniones de oficina, de restaurant central, de piso de solteros o en casas de sólido mediopelo, y, en seguida, suelta la lengua con gozo para diagnosticar, caricaturizar, necrologizar . . . Pero, en medio de tanto agudo y, a veces, cínico análisis psicológico, se deja oír un acento poético y aparece la sutil herida de la amargura universal contemporánea: como una chaplinesca mueca de ternura, angustia, desamparo y aplastante desolación. Cuando esta nota suena ocurre un repentino cambio en los ambientes y empezamos a ver una ciudad hecha de grises hoteles, de frías residencias de cemento, de pequeños cerros muy verdes, cálidos, sofocados, de un mar que resuella como muriéndose sobre playas blancas, frente a hombres y mujeres silenciosos, preocupados. Entonces, se nos revela parte importante del drama de su propio pueblo: la desazón de vivir bajo el peso de grandezas físicas e intelectuales que le son extrañas y, más que extrañas, hostiles. Los personajes de Martínez Moreno, arrinconados en el pequeño país, parecen sobrevivientes de un naufragio europeo en costas muy remotas, muy cansadas, donde falta vida y sobra el tiempo.

La obra narrativa de este vigoroso escritor uruguayo recibió consagración internacional cuando *Los aborígenes*, una de sus mejores novelas cortas, obtuvo el Segundo Premio en el concurso organizado por la revista *Life* en 1960.

OBRAS

CUENTOS: *Los días por vivir*, Montevideo, 1960.

NOVELAS: *Los aborígenes* en *Ceremonia secreta*, New York, 1960. *Cordelia*, Montevideo, 1961.

EL SIMULACRO[1]

Racontez-moi cela
Comme si vous m'écriviez.[2] STENDHAL[3]

Viví en Buenos Aires del 907 al 916. Era—como veo que a ustedes les gusta decir ahora, cuando comentan una cinta o un libro—*la belle époque.*[4] Es claro que, con Perón, ya no queda ni sombra de todo aquello. Me dicen que del Jockey Club[5] sólo está en pie el
5 frontis, como un tabique, como una mampara contra el vacío. El frontis con sus bastidores para la venta de revistas, y hasta parece que—alguna que otra vez—un puesto de pescado ¡Eso!

La Semana Trágica[6] fue una barbaridad, estoy de acuerdo. Pero

[1] From *Los días por vivir* (*cuentos*). [2] *Racontez-moi cela . . . m'écriviez.* —Tell it to me as if you were writing to me. [3] Stendhal, pseudonym of Henri Beyle (1783–1842), French novelist. [4] *la belle époque.* —the good old days. [5] *Jockey Club*—famous and exclusive club in Buenos Aires. [6] *La Semana Trágica*—so called because of the repression by the police of the first manifestations of anarchism by the labor unions in Buenos Aires.

ya todos empezábamos a sentir en Buenos Aires ese brote de cosmopolitismo que trajo lo demás. Empezaba a ser una gran ciudad, decían algunos, y los lugares de siempre dejaban de ser nuestros, estrechamente propios. Nuestra generación ha usado el bergantín y la diligencia, y después ha llegado hasta el avión. Difícilmente otra podrá ver y probar tanto cambio. Pero ahora quieren que revisemos nuestras ideas sobre el mundo, y eso sí no podríamos hacerlo: no tanto revisar nuestras ideas sino renegar de todo lo que nos acostumbramos a tener por bueno en nuestro tiempo. Yo, por lo menos, me sentiría una *cocotte* si quisiera intentarlo.

Era una época maravillosa. La historia, vista desde ahora, era—como dice Anatole France[7]—*la petite histoire*, los movimientos de un cogollito de gente en unos pocos escenarios. Después todo esto se ha magnificado mucho y el color de esa época se ha falsificado; lo han falsificado en el biógrafo, en las memorias, en el teatro.

Llegué y caí muy bien, en un grupito en que estaban los Lastra y Carlos Juárez. Carlos era un animador brillante y, en el fondo, un muchacho triste hasta la desolación. De chico, durante la presidencia de su padre, lo habían mandado solo—tenía siete años—a estudiar a Inglaterra, en un colegio británico. Lo pusieron en el barco, lo recomendaron al capitán y así—solita su alma—atravesó el océano. Mientras estaba en Eton, en el 90, voltearon a Juárez Celman,[8] pero él siguió y terminó sus años de colegio. Creo que de allá se trajo, al mismo tiempo, un buen inglés y un pesimismo tranquilo. Pero con los años, por detrás de una alegría que nos contagiaba a todos, fue encerrándose cada vez más en la desesperación. Tuvo una vez un duelo y mató en él, a pistola, a su adversario. Cuando estaba por irse, llegó el padre del muerto, lo atacó a tiros y él tuvo que matarlo también. Aquello fue tal vez decisivo. Al poco tiempo, sin que supiéramos concretamente por qué, se suicidó.

Vivíamos entonces en una casa de altos, en la calle Artes. ¿Cómo

[7] Anatole France (1844–1924), French realist novelist. [8] Miguel Juárez Celman, Argentine politician who became president in 1886 and who was toppled by a revolution in 1890.

se llama ahora? . . . Pellegrini. Pero me dicen que ese pedazo ha desaparecido, con el trazado de la gran avenida.

Buenos Aires es otro, no cabe duda. Pero las cosas duran allá más que aquí. Cuando me fui a Buenos Aires, mamá vivía en 5 Rivera Chica, que ahora se llama Guayabo. Ya le había dado la hemiplejia, mientras estábamos en Cibils. Cibils, que después se llamó Sochantres y ahora ha vuelto a llamarse Cibils. ¡Qué manía de cambiar los nombres a las calles!

Por pura casualidad, siempre nos instalábamos cerca de un pre-10 sidente. En Artes, estábamos a media cuadra de la casa del general Roca.[9] Y después, cuando pasamos a la calle Paraná, vinimos a estar casi al lado de Figueroa Alcorta.[10] Él hizo lo imposible por echarnos de allí, porque cuando dábamos una fiesta había más coches y llegaba más gente para nosotros que a su propia casa. Fue 15 nuestra ubicación más famosa; y hasta le dedicaron un tango, ahora olvidado: *Paraná mil dos cuarenta y tres.*

Dar fiestas, vivir a gran tren[11] costaba en aquel tiempo muy poca plata. Nosotros—entre cuatro o cinco—nos cotizábamos para pagar la casa, para salir de farra[12] y hasta para tener caballos de 20 carrera. Una vez hubo un zafarrancho—no sé si en el Lago di Como[13] o en algún otro salón de baile de los que había entonces—y se publicó un brulote contra el grupo, en el que no se nos mencionaba uno a uno pero aparecíamos bautizados, en conjunto, como *La Jeunesse Dorée*.[14] En esos mismos días habíamos com-25 prado una yegüita y estábamos discutiéndole el nombre. El cagatintas vino a ponérselo: *Jeunesse Dorée.*

A muchos de nosotros nos parecía entonces que Buenos Aires era toda la Argentina. La gente de esa época, en Montevideo, también lo creía; y pensaba que cualquiera estaba en Buenos Aires 30 una vez que había atravesado el río, así hubiera ido a hundirse al fondo de las provincias.

[9] Julio Argentino Roca (1843–1914), Argentine politician, president in 1880 and again in 1898. [10] José Figueroa Alcorta (1860–1931), Argentine politician who was successively senator, minister of the treasury, vice president, and finally president at the death of Quintana. [11] *vivir a gran tren*—to live high off the hog (ostentatiously). [12] *salir de farra*—to go on a spree. [13] *Lago di Como*—a dance hall in Buenos Aires. [14] *La Jeunesse Dorée.*—Gilded Youth.

Y Buenos Aires, a su vez era para nosotros el centro, menos a la noche, porque entonces podía ser Armenonville[15] o el Pabellón de las Rosas,[16] y Palermo[17] era en aquel tiempo las afueras. A la madrugada regresábamos, a comer un churrasco en el Sportman[18] o en el Royal Keller.[19] Un churrasco con un vaso de cerveza, y allí veíamos amanecer. Con cinco nacionales habíamos dado toda la vuelta a la noche, y a veces hasta sobraba. Integrábamos un fondito común y al salir se lo dábamos a administrar a Laborrega Torres (le decíamos así, como si fuera un nombre, pero era un apodo, la-borrega, que le habían puesto por el pelito rizado: «otro de la raza merino», como le dijeron al entrar a un baile y hubo gresca).

Laborrega manejaba la plata. Alquilábamos un coche placero, una volanta, de ésas que Buenos Aires—a diferencia de Montevideo—todavía conserva. En ese mundo de la noche vivían seres que hoy me dan la extraña ilusión de no haber existido nunca a la luz del día: el Bebe de Rozas, el Feto Bayo, Pimpollo Sastre,[20] Jorge Newbery.[21] Y mujeres, como aquella Berta, de ojos enormes y tristones, que estaba enamorada de Carranza y se le aparecía por todos lados, hasta que—cansada de que el otro le diera esquinazo[22]—decidió esconderse y fingir un viaje. Otra prostituta alemana, que andaba con ella, llegaba entonces hasta la mesa donde estaba Carranza—infaliblemente borracho a las tres de la madrugada—y le decía al oído: «Flíjase Caranza, flíjase Caranza, Berta está Brasil». Pero Carranza no se afligía; y en el estado en que se hallaba le daba lo mismo,[23] sentía el mismo alivio de que Berta estuviera en Brasil o se hubiese muerto. «Flíjase Caranza» quedó como un dicho entre nosotros, cada vez que queríamos decirle a

[15] *Armenonville*—a luxurious Paris-type cabaret that flourished in Buenos Aires in the 20's. [16] *Pabellón de las Rosas,*—gathering spot for the fashionable and wealthy of Buenos Aires. [17] *Palermo*—a lake in Buenos Aires. [18] *Sportman*—a club where boxing as a sport was first introduced in Buenos Aires. [19] *Royal Keller.*—a dance spot for the sons of the very rich in Buenos Aires. [20] el Bebe de Rozas, el Feto Bayo, Pimpollo Sastre, nicknames and last names of some of the sons of the well-to-do (*los niños bien*). [21] Jorge Newbery (1875–1914), Argentine engineer, aviator, and sportsman; founder of civil and military aviation in Argentina. [22] *cansada de que . . . esquinazo*—tired of his giving her the runaround. [23] *le daba lo mismo,*—it was all the same to him.

alguien «Sufra», cada vez que había que darle a alguno una mala noticia liviana.

Ya mi memoria no es la de antes y a lo mejor trabuco algún nombre y con seguridad más de una fecha. Sólo quienes se creen 5 importantes escriben sus recuerdos. Y por lo general se les escapa el sabor de la vida común; le cuentan a uno lo más trascendente, pero lo que hoy es trascendente no fue, en su momento, lo más característico. Por eso, muy a menudo, entre un libro de historia política y esa colección de *Caras y Caretas*,[24] que tengo por ahí, 10 me quedo con *Caras y Caretas*. Y cuando alguien nombra a Victorino de la Plaza[25] no pienso en el hombre que quiso ponerse frente a Yrigoyen,[26] en esa charanga de la oligarquía frente al pueblo, sino en aquella cara apergaminada y amarillosa de la carátula, debajo de la que se leía la frase comercial de la Ginebra 15 Bols: «Su color ámbar pálido comprueba su vejez».

Y Beazley no quedará como el hombre de Roca sino como el jefe de Policía que prohibió y castigó, en las calles de Buenos Aires, el piropo; porque las tres cosas que más se practicaban en el Buenos Aires de entonces, estando prohibidas, eran el duelo, el 20 piropo y—aunque te sorprenda—el boxeo.

La verdad es que la Historia, entre nosotros, no ha sido casi nunca una manía posesiva de quienes la han vivido, sino una lamentación sentimental por no haberla vivido, escrita por la generación siguiente. En mi familia hay un ejemplo de ese descuido 25 lastimoso. El Coronel Courtin[27] era muy amigo de mi padre; y al volver del viaje de la Barca Puig,[28] donde Varela[29] lo había mandado como su hombre de confianza, le regaló un libretón angosto y largo, uno de esos índices de comercio, escrito con tinta violeta y letra muy menuda, en el que había registrado, día por día, las 30 alternativas de aquella famosa navegación. Courtin no era un

[24] *Caras y Caretas,*—a popular magazine. [25] Victorino de la Plaza (1840–1919), Argentine politician who was minister, vice president, and president following R. Sáenz Peña, then turned the presidency to Yrigoyen. [26] Hipólito Yrigoyen (1850–1933), Argentine politician who was president of Argentina (1916–1922; 1928–1930). [27] Coronel Courtin, commander of the ship *Barca Puig* that carried the Uruguayans deported after the uprising of January 15, 1875. [28] *Barca Puig,*—See fn. 27. [29] Pedro Varela, president of Uruguay in 1875 after the uprising of January 15.

hombre leído pero tenía una inteligencia muy vivaz y un don inmediato para describir todo lo que pasaba a su alrededor. Y bueno; el Diario de la Barca Puig anduvo en casa, una vez que murió papá, de cajón en cajón, de mudanza en mudanza. Cada vez que había que empacar las cosas, mis hermanas se quejaban de 5 aquel mamotreto, lo consideraban un estorbo inútil, una pesadez ilegible. Y de tanto ser manoseado y tirado al fondo de los muebles, el libretón acabó por desaparecer. Cuando algunos años después se lo conté a un historiador, me pedía desesperadamente que averiguara, que hiciéramos memoria, que tratara de reconstruir algo de 10 lo que a la siesta había leído allí. Imposible. Me ha quedado el vago recuerdo de cien días de mar y de sed, con el agua potable corrompida en las cisternas; eso y la amistad que el peligro compartido había acabado por crear entre Courtin y sus prisioneros: Herrera y Obes,[30] Juan Ramón Gómez,[31] Ramírez.[32] Pero no me 15 acuerdo de nada más.

La vida verdadera, en cambio, era otra cosa, aunque después otros la hayan hecho historia. No puedo trasmitirte, por ejemplo, lo que fue haber visto y oído a Tamagno,[33] a Novelli,[34] a Frégoli[35] o Frank Brown,[36] por más que te lo cuente. Ni yo ni «el cine» 20 podríamos hacértelo ver.

Yo trabajaba en comisiones, negocios y corretajes;[37] y me iba gastando poco a poco la herencia paterna, en tanto seguía atenido a la esperanza de que me nombraran para el Consulado de Punta Arenas, lo que no era imposible siendo hijo de padre argentino. 25 Pero en el año 16 vino el irigoyenismo[38] y yo no tenía amigos en ese grupo. Aquel año 16 fue lo más parecido que hubo, quizá, a este año 45 de Perón. Los hechos vuelven, de tiempo en tiempo, sin que

[30] J. Herrera y Obes (1842–1912), Uruguayan politician who was president of Uruguay (1890–1894). [31] Juan Ramón Gómez, Uruguayan lawyer. [32] Ramírez, one of the people involved in the uprising. [33] Francesco Tamagno (1851–1905), Italian tenor famous in Europe and America. [34] Ermete Novelli (1851–1919), renowned Italian dramatic actor best known for his portrayal of Othello. [35] Leopoldo Frégoli (1867–1936), noted Italian actor who was a whole company in one, being able to essay up to ten characters in the same play by changing costumes quickly. [36] Frank Brown, famous American clown. [37] *Yo trabajaba en . . . corretajes;*—I worked as agent on commission, as speculator, and as stockbroker. [38] *irigoyenismo*—term applied to the radical Yrigoyen government of Argentina (fn. 26).

la gente escarmiente jamás por cuenta de otros, con lo que no ha vivido.

A veces hojeo algún libro sobre el novecientos y veo que se habla allí, como de cosas remotas, de las que a mí me pasaron al lado, de las que aún me siguen pareciendo tan próximas. Es una sensación sobrecogedora la de saberse tan viejo. Pero, al mismo tiempo, es hermoso guardar para los grandes hechos, para los sucesos épicos, un aire de memoria privada. En casa hemos sido todos colorados,[39] menos Rogelio, que salió blanco.[39] Y mientras yo hice el 904 en las Guardias Nacionales,[40] en el Batallón Universitario que mandaba don Jorge Pacheco, y mi hermano Germán lo hizo como segundo jefe de la Artillería, en el Ejército del general Vázquez,[41] Rogelio era practicante y dentista en las filas de la Revolución. Contaba que cuando Saravia[42] iba a entrar a Minas[43] lo llamó—estaba siempre debajo de su sombrilla de raso, porque resguardaba su cara del sol de la campaña y tenía unas manos cuidadas y blancas—y le pidió que le arreglara un portillo, que tenía en la boca, porque no quería entrar a la ciudad con el hueco de un diente a la vista. Le dio los mejores caballos y lo mandó a Minas antes de que él entrara, para que obtuviera los materiales. Rogelio fue, con las señas de un dentista blanco que vivía allí, consiguió la gutapercha o lo que fuera, y volvió. Saravia le quedó muy agradecido por el favor; y como era un hombre muy fino, jamás lo olvidó. En Masoller[44]—a la manera de lo que relató Herrerita en *El león ciego*[45]—mientras Germán mandaba la artillería de gobierno, Rogelio estaba en la enfermería de los revolucionarios. Cuando a Saravia lo balearon, fue él quien tuvo que hacerle la primera cura. Esto y el diente de Minas lo encendían de blanquismo,[46] cuando

[39] *colorados y blancos*—the two political parties of Uruguay. [40] *Guardias Nacionales*,—Citizens' Army. [41] Eduardo M. Vázquez, Uruguayan minister of defense in 1904. [42] Aparicio Saravia (1855–1904), Uruguayan general and politician who headed the white party and was the last of the *montoneros* (*caudillos*); leader of the uprising against President José Valle y Ordóñez in 1904. [43] *Minas*—a department of eastern Uruguay. [44] *Masoller*—last battle of the revolution of 1904 in Uruguay; Saravia (fn. 42) was wounded there and later died in Brazil. [45] *Herrerita en* El león ciego—Ernesto Herrera, Uruguayan playwright, author of the play *El león ciego* which deals with *caudillos*. [46] *lo encendían de blanquismo*,—made his *blanquismo* (party loyalty) rise up in him.

me lo contaba. Rogelio vio en seguida que allí, sin asistencia, el hombre podía morirse. Mandó hacer unas angarillas con lanzas, lo hizo colocar en ellas suavemente y dispuso la marcha para pasar la frontera, donde los esperaba Lussich. Saravia, que bajo su apariencia de hombre pulido era el criollo más guapo, sólo hacía de cuando en cuando una mueca de dolor. Y Rogelio le daba entonces un terrón de azúcar empapado en láudano, que era todo el alivio que podía ofrecerle. Cuando el dolor volvía, Saravia alzaba apenas la cabeza muy pálida de aquella especie de parihuela y le decía: «Otro terroncito, doctor». Rogelio marchaba a pie, al lado del herido, y llevaba el frasquito en la mano y las riendas de su caballo, como un lazo, pasadas por el brazo, a la altura del codo. De pronto, en medio del atardecer, el caballo se espantó de algo y el frasquito de láudano voló a lo lejos. Rogelio no podía apagar en el tiempo esa sensación de piedad, de amor y de culpa: la marcha a campo abierto, en retaguardia, con el presagio de la guerra perdida y la proximidad del gran hombre que se iba enfriando poco a poco, mientras entraban en la noche. Le habría gustado mucho escribir alguna vez esta escena, pero nunca lo hizo.

Hace poco tiempo César Viale[47] me mandó un librito suyo, sobre el Buenos Aires que conocimos juntos. *Cincuenta años atrás*, se llama. No está bien escrito pero refresca muchas cosas agradables, que vi y que no sé si no hubiera olvidado: el coupé forrado de raso blanco de Don Bernardo de Yrigoyen,[48] las tertulias de Marquito Avellaneda,[49] las reuniones en el Cercle de l'Épée.[50] La esgrima en que sobresalía Agesilao Greco, el boxeo como pasión porteña en la quinta del Doctor Delcase, la ópera, la tragedia y la *petite pièce*. ¡Qué años! Es curioso pensar que todo el trofeo material que me queda de ellos son dos libros que entonces tenía siempre en la veladora y que no hablan de Buenos Aires: las *Notas sobre París*, de Taine,[51] *Las escenas de la vida bohemia*,[52]

[47] César Viale, famous Argentine jurist and sportsman. [48] Bernardo de Yrigoyen (1822–1906), Argentine politician. [49] Marco M. Avellaneda (1839–1911), Argentine politician and legislator. [50] *Cercle de l'Épée*—an exclusive fencing club for the rich in Buenos Aires. [51] Hippolyte Adolphe Taine (1828–1893), French historian and critic. [52] *Scenes from Bohemian Life*, which made famous the French writer Henri Murger (1822–1861).

de Murger. Pero ya muchas veces te he dado la lata sobre estos libros.

En el folleto de Viale hay algunas fotos; borrosas y todo, me devuelven lugares y cosas familiares: las cinco esquinas; el *mail-coach* de Don Miguel Martínez de Hoz,[53] con su tiro de cuatro caballos cruzados, trotando hacia Palermo los domingos, los caballeros en lo alto, tocados de chisteras que hoy te parecerían cómicas, y sobre todo inverosímiles; Jorge Newbery de tricota blanca y el Dr. Delcase en mangas de camisa, haciendo guantes.

Las modas también vuelven, después de todo. Y ahora mismo, cuando veo a veces esos tirifilos con trajes a cuadritos y reborde de trensilla, con pantalones bombilla, me acuerdo de los cajetillas del 900 y de lo que entonces se llamaba «trajes con llanta de goma».

En el 16, cuando el consulado de Punta Arenas se esfumó, Ricardo Arrieta me propuso ir a trabajar los dos por una temporada, a Venado Tuerto. Don Ángel Lastra, el padre de los muchachos, nos daba a explotar la carnicería que estaba cerca del pueblo, en una punta de la estancia. Estuve de acuerdo. Don Ángel era el gran señor del lugar y la estancia era tan completa que hasta tenía su puesto de policía, con tres o cuatro uniformes de vigilantes, para que el personal se los pusiera, cuando tuviera que entrar en funciones.

Nos anunciamos por telegrama; y cuando llegamos a la estación de Venado Tuerto los Lastra, vestidos de vigilantes, subieron al tren aparatosamente, como si quisieran prender a un matrero. Fueron directamente hacia El Amiguito, como le llamaban a Ricardo, y le pidieron nombre y documentos. Los demás pasajeros estaban estupefactos, y El Amiguito siguió el juego. Discutió con la Policía, trató de resistirse y lo bajaron a empujones. Cuando el tren ya arrancaba y la gente se salía mirando por las ventanillas, El Amiguito y los guardias civiles, para reírse de los viajeros, se pusieron a bailar la rueda-rueda en el andén, mientras yo cargaba con las valijas. Así llegamos.

Me acuerdo bien de ese momento, porque—a pesar de la

[53] Miguel Martínez de Hoz, a Galician who became a wealthy cattleman and sportsman in Argentina.

bullanga—el campo me recibió con una sensación de tiempo dejado atrás, de nostalgia de Buenos Aires, de años pasados y vividos sin vuelta. Era de tardecita,[54] todavía había una raya de sol rojizo en el alero cribado del andén, pero el fondo del corredor olía a humedad y a forraje agrio. Buenos Aires—pensé—danos 5 por muertos.

El Amiguito me había venido contando en el tren a quiénes volveríamos a ver y a quiénes conocería yo ahora. Entre estos últimos, estaba Don Federico Núñez. Don Federico era el hermano mayor de Doña Leonor, y por lo tanto el cuñado de Don 10 Ángel. En su juventud había sido un caballero brillante, un socio del Jockey, un dandy. Pero un desengaño amoroso lo había tirado abajo. Y se había puesto a chupar como un desesperado.[55] Fue entonces cuando Don Ángel lo convenció de que se fuera por un tiempo a la estancia. Y Don Federico convirtió aquella temporada 15 en toda la vida. No tenía cometidos fijos en «El Trébol» y, en rigor,[56] nadie le pedía que hiciera nada. Se había ido a vivir a un puesto distante de las casas y allí se lo pasaba. Lo conocí muy bien después, viejo, digno, casi rotoso, pero de barba muy cuidada; y varias veces hablamos largamente. Cuando estaba de buenas,[57] 20 era encantador; había leído bastante y el campo le había dado una campechanía que al porteño distinguido le queda muy bien. Venía a veces a la carnicería, montado en su caballito criollo, un bayo muy manso al que le soltaba las riendas, de noche, cuando estaba muy borracho, para que lo trajera de vuelta desde la pulpería a su 25 rancho, mientras él se le dormía en el pescuezo. Pero cuando llegaban, por mamado que estuviera, dando tumbos o como pudiese, le daba siempre la ración. Así lo educaba, le afirmaba el sentido de la querencia; es la memoria del burro, como dice Vizcacha.

El Amiguito me había venido hablando de Don Federico y yo 30 me había puesto a pensar si aquélla no sería también nuestra parábola, si Venado Tuerto no iba a engullirme para siempre. No me pasó, como pudo haberme pasado. No vayas a creerte que es

[54] *Era de tardecita,*—It was late afternoon. [55] *Y se había puesto a chupar como un desesperado.*—And he had started to drink (guzzle) like one possessed. [56] *en rigor,*—strictly speaking. [57] *Cuando estaba de buenas,*—When he was in a good mood.

un lugar de mala muerte[58]—me decía El Amiguito, más para convencerse que para convencerme. Una vez quisieron cambiarle el nombre, ponerle Pueblo del Oro. Cuando ya estaban casi todos convencidos, apareció Thompson, un inglés flaco, hermano del 5 Thompson de la mueblería. Mostró un sobre dirigido desde Inglaterra a su nombre y a Venado Tuerto, sin más señas: ni Argentina, ni América ni nada. Y había llegado. Entonces contó que en la Bolsa de Londres había visto, en las pizarras, las cotizaciones de acciones en las estancias de Venado Tuerto; porque allí—en aquel 10 pedazo de la provincia de Santa Fe—los ingleses formaron las primeras sociedades anónimas rurales de la Argentina. Contó todo eso y el nombre de Venado Tuerto quedó firme para siempre.

En Buenos Aires, Ricardo era un jailaife, un señorito; pero tenía una gran capacidad de adaptación. Y al día siguiente de 15 haber llegado, viéndolo de alpargata y bombacha, uno nunca se imaginaría que era el mismo de dos noches atrás en el Petit Salon.

Entonces no existía, como ahora, el furor de las playas. Y la gente, en vez de irse a Mar del Plata, se iba a las estancias. Llegó el verano y se supo que todos los muchachos vendrían a pasar un 20 mes en «El Trébol»: a descansar de lo que no hacían y con el pretexto de vernos, a El Amiguito y a mí.

Fue entonces, en ese verano lluvioso, cuando sucedió lo que había prometido contarte, al principio de la conversación. Divago como todos los viejos, y ya ni sé si te acordarás de que fue por ahí 25 que empezamos. Volvieron los Lastra—Carlos, Manuel y Eduardo, que se habían ido a Buenos Aires a poco de llegar nosotros—y llegaron también Laborrega y Carranza. Con ellos vino asimismo la lluvia. Días y días, sin un solo hueco, déle llover y llover. Se agotó el ajedrez, se resobaron las cartas, andaban por ahí hechas 30 tiras—de tan leídas—las revistas. No había nada que hacer, y eso mismo empezaba a crisparnos los nervios a todos. Estábamos excitables, confinados al gran comedor de la estancia, que era toda la vida social para siete personas acostumbradas a hacerla de otro modo. Ellos, además, nos trajeron noticias frescas de Buenos 35 Aires, reavivaron inútilmente nuestro deseo de volver. Pero tam-

[58] *un lugar de mala muerte*—a hole (dump).

bién los últimos chismes se ajaron, de tan repetidos, y no quedó nada, mientras la lluvia seguía y seguía.

Las horas de los aperitivos y de las comidas eran esperadas como grandes acontecimientos, casi como ceremonias. Y después de tanto esperarlas, había que llenarlas de algo, darles un contenido para que estuvieran a tono. No sé si fue por eso o por la exasperación de aquella encerrona que El Amiguito y Laborrega empezaron a discutir—cada vez con más pasión—en la sobremesa de todos los almuerzos. Sobre radicales y conservadores, sobre Aristóbulo del Valle,[59] sobre Leandro Alem,[60] sobre Lisandro de la Torre,[61] sobre caballos de carrera; todo les venía bien. Eran discusiones cada vez más ásperas, cada vez más enconadas. Tanto que nos dieron a pensar que la vida de Buenos Aires, que facilitaba un tipo de convivencia más diluida, no les había dejado saber—hasta ahora—que carecían absolutamente de afinidades, que eran miembros de un mismo grupo más que amigos que se quisieran.

Con todo, había un curioso estilo deportivo para olvidar agravios y volver de nuevo a la carga.[62] Tal vez todos contribuíamos, porque ya se esperaba la hora de comer conjeturando cuál sería el tema en que se trenzarían esta vez El Amiguito y Laborrega. Hacia fines de aquel diluvio de enero, una mañana de domingo, El Amiguito se levantó inspirado. Voy a provocar a Laborrega, dijo, y lo voy a hacer discutir como nunca. Lo voy a pinchar, a ver si llega a insultarme. Y entonces voy a hacerme el ofuscado, voy a sacar el revólver y voy a tirarle un par de tiros a boca de jarro.[63] Ya le saqué los plomos a todas las balas. ¡Vamos a verle hacer morisquetas! Y así se va a curar de guapetonadas.

Laborrega no se había levantado todavía; era el que mejor luchaba con la lluvia, durmiendo la mitad del tiempo. Se desper-

[59] Aristóbulo del Valle (1847–1896), Argentine orator and politician; he was senator and deputy several times; also minister of war. [60] Leandro N. Alem (1845–1896), Argentine jurist and political figure who headed the movement that toppled President Juárez Celman; also founder of the *Unión Cívica*, origin of the present-day Radical Party. [61] Lisandro de la Torre (1868–1941), Argentine sociologist and politician, and founder of the *Liga del Sur* which became the Progressive Democratic Party. [62] *volver de nuevo a la carga.*—to resume the attack again. [63] *a boca de jarro.*—at point-blank range.

taba a mediodía, fresco, y era el encargado de preparar los copetines.

Cuando El Amiguito se fue, uno de los Lastra—creo que fue Manuel—tuvo la otra idea. Pensamos que la broma podía darse
5 vuelta como un guante. Es decir, pensó él; Manuel o Carlos, ya te digo que no me acuerdo bien. Yo no iba nada en el asunto; por las dudas, tu padre nunca se metía en ésas.

Pensaron, como te digo, dar vuelta la broma. Le avisaron a Laborrega, para que estuviera pronto y le sacara también los
10 plomos a su revólver. Cuando el Amiguito tirara, Laborrega le retrucaría y nosotros nos pondríamos todos en pie, simulando impotencia. Queríamos verle la cara a El Amiguito, que era el más expresivo, no a Laborrega. Sería un simulacro perfecto; y no voy a decirte la moraleja de caja de fósforos, de que la vida tam-
15 bién a veces lo es, y por eso mismo nos estaba esperando a la vuelta de la broma.

Llegó el almuerzo, que fue pesado—por ese prejuicio de la abundancia dominical que tienen las cocineras de estancia—y sobrevino la discusión. Ya ni me acuerdo de cuál fue el tema,
20 aunque creo que era otra vez el político, por ser el que se prestaba más pronto a levantar el tono,[64] a apasionarse *noblemente*. El Amiguito había elegido el asunto y creía estar llevando a Laborrega hacia la trampa; pero el otro sabía y—como en la escena del tren—entraba en el juego. Sólo que esta vez los espectadores y el asombro
25 de los espectadores habían de ser falsos y no verdaderos.

Llegó un momento en que Laborrega, que se sabía esperado, se desbocó. Es lo que me pasa por discutir con bellacos, recuerdo que dijo. El Amiguito no quería otra cosa. Estaban frente a frente y tenían en medio la mesa, la vinagrera y las copas. El Amiguito se
30 levantó con gran rapidez, sacó el revólver y tiró. No sé cuántas veces, porque aunque todos lo esperábamos a todos nos emocionó. No sé si nos emocionaron los estampidos o el revés de la broma, que ya se venía.

Porque Laborrega, envuelto en humo, se levantó con una expre-
35 sión maravillosa de furia y también sacó el arma. La cara de El

[64] *levantar el tono,*—to elevate the tone of conversation.

Amiguito y su gesto no pueden contarse, pero tampoco olvidarse. Cuando vio el revólver en la derecha de Laborrega, extendió una mano, quiso decir algo, movió desesperadamente la cabeza como si negara algo. Nosotros nos habíamos parado, volteando sillas y no sé si alguna copa. No era sólo que hiciéramos nuestra parte, sino que aquella escena nos tomaba finalmente, tras tanto esperarla, de improviso.

El Amiguito contraía la cara, quería decir algo y no podía. ¿Te acuerdas de aquellos estudios de expresión de Gibson, que se publicaban en las revistas? Sí, ya sé lo que vas a decirme: que no eran de tu tiempo. Bueno, esa vez Gibson habría tenido una escena memorable para dibujar, retratando en cada cara la expresión justa: terror auténtico en la de El Amiguito, una furia implacable en la de Laborrega, un punto indefinible, entre la broma, la sorpresa y la culpa en la de todos nosotros. Laborrega tiró, mientras los ojos de El Amiguito referían a quien supiera verlos todo lo que en un segundo no hay tiempo material de decir.

Pasó el momento y, al sentirse ileso después de haber tenido un revólver que le apuntaba en la mitad del pecho, creo que El Amiguito empezó a comprender.

Estaba muy pálido y lo sentamos en su silla, tomándolo por los hombros. Tenía una mano agarrotada sobre el revólver y le temblaban las mandíbulas. Le contamos lo que ya empezaba a adivinar, y él lo recibió con una sonrisa que ocultaba mal el castañeteo de los dientes. Lo sentamos, le trajimos café y—con una alegría insegura, que se nos iba desvaneciendo al ver la cara de El Amiguito—comentamos, ruidosamente la broma, ida y vuelta.

—Con ustedes no se puede—dijo entre dos sorbos, mientras el castañeteo golpeaba en el borde del pocillo. Todos sentimos entonces que esta frase nos absolvía. Y creo que fue ésa la razón por la que, sin scr graciosa, nos hizo reír tanto.

Pareció por un momento que se reanimaba, que sus mejillas blancas volvían a colorearse. Pero fue sólo un instante. Porque en seguida empezó a quejarse de un dolor fuerte en el pecho. Ahora todos son capaces de diagnosticar un infarto, y eso les da una suficiencia falsa, un aire de ser médicos sin entender de nada.

Nosotros, en cambio, no podíamos haberlo previsto. Pero de todos modos, hicimos algo de lo más indicado.

Levantamos a El Amiguito de la silla y lo obligamos a extenderse en una *chaise longue* vieja, de cuero capitoneado, que estaba junto a uno de los ventanales del comedor. Pálido y de perfil, El Amiguito quedaba sobre un fondo de lluvia que resbalaba por los cristales, como si estuviera mojándolo.

Todavía no habían puesto en la estancia aquel teléfono impresionante, de manivela de bronce, marquetería, engranajes a la vista, micrófono de ebonita y níquel y cantidad de pilas en un cajoncito de roble, que con los años dominó aquel otro rincón del comedor en que antes estaban el juego de mimbre y el mueblecito de las revistas. Pero aunque hubiera habido teléfono, seguramente aquel día—con las lluvias—no habría comunicado con el pueblo. Y aunque hubiera comunicado, nadie habría podido llegar desde él. No había ni que pensar en un médico para El Amiguito, y él mismo levantaba la cabeza del canapé que le habíamos puesto debajo, para insistir en que no lo precisaría, en que ya iba a pasársele.

Pero no se le pasaba. Veíamos contraérsele la cara, mientras una mano—la misma que había manejado el revólver—se le crispaba sobre el pecho y entraba por el hueco abierto de la camisa, como si buscara algo dentro de él, como si pudiera haber un alivio a arrancar con el gesto.

Después nos dijeron que habría que haberle practicado una sangría. No estoy seguro de que sea una opinión seria, pero tampoco ninguno de nosotros habría sabido hacerla. Le dimos coñac francés, haciéndoselo beber a buchitos, y le hicimos decir—como si con eso pudiéramos convencer a la misma enfermedad—que el trago le sentaba muy bien.

Fue lo último que le hicimos decir, porque las mandíbulas se le ponían cada vez más rígidas, de dolor contenido. Entonces tomamos una servilleta, la rociamos también de coñac y le pusimos una compresa sobre el pecho. El Amiguito tenía los ojos cerrados, pero la mano buscaba la servilleta y la estrujaba como si también quisiera metérsela en el pecho.

Y esto es lo que desde hoy iba a contarte: ¡lo que es el buen coñac! Es increíble, pero cuando al rato le sacamos la servilleta, porque el pobre Ricardo ya no la precisaba, y el trapo estaba húmedo, y más que húmedo frío, el coñac no había perdido nada de su *bouquet*, como si hubiera estado todo el tiempo servido en 5 una copa.

ERNESTO SABATO

(ARGENTINA 1911)

En la novela argentina existe una corriente dialéctica que de modo profundo y candente dramatiza el ansia de definición personal del hombre de nuestra época. Desde Manuel Gálvez hasta Ernesto Sabato, estos novelistas sienten que el vivir en una *tierra de nadie*—región fronteriza entre la civilización europea y la indígena americana—les crea una responsabilidad decisiva en la sociedad moderna y que su deber consiste en vivir esa responsabilidad intensamente como una crisis personal. Son, pues, novelistas atormentados por una pasión de índole intelectual más que emotiva. Especulan, ya sea en el terreno de la filosofía o de la política, con verdadero ímpetu épico. Sus personajes dan la vida por una idea.

Ernesto Sabato es el más atormentado de todos. Escritor de formación científica, ensayista político y social de mucha garra, no ha publicado sino dos novelas: *El túnel* en 1948 y, catorce años después, *Sobre héroes y tumbas.* «Tengo sentido autocrítico—ha dicho en entrevista periodística,—y pienso que un hombre no puede escribir sino muy pocas novelas en su vida. Pienso que cada escritor tiene una reserva de oro, como dicen los banqueros, y no debe emitir papel moneda. Yo creo que hay que escribir cuando no damos más, cuando nos desespera eso que tenemos adentro y no sabemos lo que es, cuando la existencia se nos hace insoportable.»

Para respirar literariamente Sabato necesita moverse en una novela de cauce profundo y vasto. Su prosa avanza como un lento torrente; se apacigua, a veces, en un triste atardecer de puerto pobre o se encrispa, alborotada y colérica, salpicando de gruesas espumas el cielo; golpea, repitiéndose, acumulando objetos para derramarse como una resaca turbulenta a los pies de Buenos Aires. Su angustia es dostoievskiana, pero su romántica búsqueda de un yo cósmico en el inmenso granero de su patria parece más bien un contrapunto argentino del monólogo de Thomas Wolfe.

Para Sabato grandes escritores son «los que sienten la necesidad oscura pero obsesiva de testimoniar su drama, su desdicha, su soledad.

Son los *testigos*, es decir, los *mártires* de una época, de una sociedad. Son hombres que no escriben con facilidad sino con desgarramiento. Son individuos a contramano, terroristas, hombres fuera de la ley. Son los que en sus obras realizan algo así como el sueño colectivo, como los mitos».

Más humano que otros novelistas de su generación, más pegado a la raíz viva de su tierra Sabato deja en *Sobre héroes y tumbas* una visión alucinante de la vida en Buenos Aires. Los lazos sentimentales que atan a sus personajes parecen a punto de estallar en desenfrenada locura. El episodio que se inserta en esta antología es buen ejemplo de tal cosa. Tres vidas apasionadas se cruzan, retorciéndose, en el relato que la extraña joven le hace a su amigo. El mar y la casa vieja son el mundo donde esas vidas han de iluminarse brevemente. Hay como una espada de fuego oscilando ominosamente sobre sus cabezas. Maestro narrador, novelista de mágica ternura, nostálgico, airado, especulativo y hasta demente en sus arranques líricos, Sabato ha creado en esta novela una imagen del mundo argentino que asume proyecciones universales.

OBRAS

NOVELAS: *El túnel*, Buenos Aires, 1948. *Sobre héroes y tumbas, Buenos Aires*, 1962.

El dragón y la princesa[1]

—Hasta que volví a verla pasaron muchas cosas . . . en mi casa . . . no quise vivir más allá, pensé irme a la Patagonia, hablé con un camionero que se llama Bucich, ¿no le hablé nunca de Bucich?, pero esa madrugada . . . En fin, no fui al sur. No volví más a mi casa, sin embargo. 5

Se calló, rememorando.

—La volví a ver en el mismo lugar del parque, pero recién en febrero de 1955. Yo no dejé de ir en cada ocasión en que me era posible. Y sin embargo no me pareció que la encontrase gracias a esa espera en el mismo lugar. 10

—¿Sino?

[1] From *Sobre héroes y tumbas* (*novela*).

Martín miró a Bruno y dijo:

—Porque ella quiso encontrarme.

Bruno no pareció entender.

—Bueno, si fue a aquel lugar es porque quiso encontrarlo.

5 —No, no es eso lo que quiero decir. Lo mismo me habría encontrado en cualquier otra parte. ¿Entiende? Ella sabía dónde y cómo encontrarme, si quería. Eso es lo que quiero decir. Esperarla allá, en aquel banco, durante tantos meses, fue una de las tantas ingenuidades mías.

10 Se quedó cavilando y luego agregó, mirándolo a Bruno como si le requiriera una explicación.

—Por eso, porque creo que ella me buscó, con toda su voluntad, con deliberación, por eso mismo me resulta más inexplicable que luego . . . de semejante manera . . .

15 Mantuvo su mirada sobre Bruno y éste permaneció con sus ojos fijos en aquella cara demacrada y sufriente.

—¿Usted lo entiende?

—Los seres humanos no son lógicos—repuso Bruno—. Además, es casi seguro que la misma razón que la llevó a buscarlo también 20 la impulsó a . . .

Iba a decir «a abandonarlo» cuando se detuvo y corrigió: «a alejarse».

Martín lo miró todavía un momento y luego volvió a sumirse en sus pensamientos, permaneciendo durante un buen tiempo 25 callado. Luego explicó cómo había reaparecido:

Era ya casi de noche y la luz no le alcanzaba ya para revisar las pruebas, de modo que se había quedado mirando los árboles, recostado sobre el respaldo del banco. Y de pronto se durmió.

Soñaba que iba en una barca abandonada, con su velamen 30 destruido, por un gran río en apariencia apacible, pero poderoso y preñado de misterio. Navegaba en el crepúsculo. El paisaje era solitario y silencioso, pero se adivinaba que en la selva que se levantaba como una muralla en las márgenes del gran río, se desarrollaba una vida secreta y colmada de peligros. Cuando una voz 35 que parecía provenir de la espesura lo estremeció. No alcanzaba a entender lo que decía, pero sabía que se dirigía a él, a Martín.

Quiso incorporarse, pero algo se lo impedía. Luchó, sin embargo, por levantarse, porque se oía cada vez con mayor intensidad la enigmática y remota voz que lo llamaba y (ahora lo advertía) que lo llamaba con ansiedad, como si estuviera en un pavoroso peligro y él, solamente él, fuese capaz de salvarla. Despertó estremecido por la angustia y casi saltando del asiento.

Era ella.

Lo había estado sacudiendo y ahora le decía, con su risa áspera:

—Levantate, haragán.

Asustado, asustado y desconcertado por el contraste entre la voz aterrorizada y anhelante del sueño y aquella Alejandra despreocupada que ahora tenía ante sí, no atinó a decir ninguna palabra.

Vio cómo ella recogía algunas de las pruebas que se habían caído del banco durante su sueño.

—Seguro que el patrón de esta empresa no es Molinari— comentó riéndose.

—¿Qué empresa?

—La que te da este trabajo, zonzo.

—Es la Imprenta López.

—La que sea, pero seguro que no es Molinari.

No entendió nada. Y, como muchas veces le volvería a suceder con ella, Alejandra no se tomó el trabajo de explicarle. Se sentía— comentó Martín—como un mal alumno delante de un profesor irónico.

Acomodó las pruebas y esa tarea mecánica le dio tiempo para sobreponerse un poco de la emoción de aquel reencuentro tan ansiosamente esperado. Y también, como en muchas otras ocasiones posteriores, su silencio y su incapacidad para el diálogo eran compensados por Alejandra, que siempre, o casi siempre, adivinaba sus pensamientos.

Le revolvió el pelo con una mano, como las personas grandes suelen hacer con los chicos.

—Te expliqué que te volvería a ver, ¿recordás?, pero no te dije cuándo.

Martín la miró.

—¿Te dije, acaso, que te volvería a ver pronto?

—No.

Y así (explicó Martín) empezó la terrible historia. Todo había sido inexplicable. Con ella nunca se sabía, se encontraban en lugares tan absurdos como el hall del Banco de la Provincia o el puente Avellaneda. Y a cualquier hora: a las dos de la mañana. Todo era imprevisto, nada se podía pronosticar ni explicar: ni sus momentos de broma, ni sus furias, ni esos días en que se encontraba con él y no abría la boca, hasta que terminaba por irse. Ni sus largas desapariciones. «Y sin embargo—agregaba—ha sido el período más maravilloso de mi vida.» Pero él sabía, él sabía que no podía durar porque todo era frenético y era, ¿se lo había dicho ya?, como una sucesión de estallidos de nafta en una noche tormentosa. Aunque a veces, muy pocas veces, es cierto, parecía pasar momentos de descanso a su lado, como si estuviera enferma y él fuera un sanatorio o un lugar con sol en las sierras donde ella se tirase al fin en silencio. O también aparecía atormentada, y parecía como si él pudiese ofrecerle agua o algún remedio, algo que le era imprescindible, para volver una vez más a aquel territorio oscuro y salvaje en que parecía vivir.

—Y en el que yo nunca pude entrar—concluyó, poniendo su mirada sobre los ojos de Bruno.

—Aquí es—dijo.

Se sentía el intenso perfume a jazmín del país. La verja era muy vieja y estaba a medias cubierta con una glicina. La puerta, herrumbrada, se movía dificultosamente, con chirridos.

En medio de la oscuridad, brillaban los charcos de la reciente lluvia. Se veía una habitación iluminada, pero el silencio correspondía más bien a una casa sin habitaciones. Bordearon un jardín abandonado, cubierto de yuyos, por una veredita que había al costado de una galería lateral, sostenida por columnas de hierro. La casa era viejísima, sus ventanas daban a la galería y aun conservaban sus rejas coloniales; las grandes baldosas eran seguramente de aquel tiempo, pues se sentían hundidas, gastadas y rotas.

Se oyó un clarinete: una frase sin estructura musical, lánguida, desarticulada y obsesiva.

—¿Y eso?—preguntó Martín.

—El tío Bebe—explicó Alejandra—, el loco.

Atravesaron un estrecho pasillo entre árboles muy viejos (Martín sentía ahora un intenso perfume de magnolia) y siguieron por un sendero de ladrillos que terminaba en una escalera de caracol.

—Ahora, ojo. Seguíme despacito.

Martín tropezó con algo: un tacho o un cajón.

—¡No te dije que andés con ojo! Esperá.

Se detuvo y encendió un fósforo, que protegió con una mano y que acercó a Martín.

—Pero Alejandra, ¿no hay lámpara por ahí? Digo . . . algo . . . en el patio . . .

Oyó la risa seca y maligna.

—¡Lámparas! Vení, colocá tus manos en mis caderas y seguíme.

—Esto es muy bueno para ciegos.

Sintió que Alejandra se detenía como paralizada por una descarga eléctrica.

—¿Qué te pasa, Alejandra?—preguntó Martín, alarmado.

—Nada—respondió con sequedad—, pero hacéme el favor de no hablarme nunca de ciegos.

Martín volvió a poner sus manos sobre las caderas y la siguió en medio de la oscuridad. Mientras subían lentamente, con muchas precauciones, la escalera metálica, rota en muchas partes y vacilante en otras por la herrumbre, sentía bajo sus manos, por primera vez, el cuerpo de Alejandra, tan cercano y a la vez remoto y misterioso. Algo, un estremecimiento, una vacilación, expresaron aquella sensación sutil, y entonces ella preguntó qué pasaba y él respondió, con tristeza, «nada». Y cuando llegaron a lo alto, mientras Alejandra intentaba abrir una dificultosa cerradura, dijo «esto es el antiguo Mirador».

—¿Mirador?

—Sí, por aquí no había más que quintas a comienzos del siglo pasado. Aquí venían a pasar los fines de semana los Olmos, los Acevedo . . .

Se rio.

—En la época en que los Olmos no eran unos muertos de hambre . . . y unos locos . . .

—¿Los Acevedo?—preguntó Martín—. ¿Qué Acevedos? ¿El que fue vicepresidente?

—Sí, ésos.

Por fin, con grandes esfuerzos, logró abrir la vieja puerta. Levantó su mano y encendió la luz.

—Bueno—dijo Martín—por lo menos acá hay una lámpara. Creí que en esta casa sólo se alumbraban con velas.

—Oh, no te vayas a creer. Abuelo Pancho no usa más que quinqués. Dice que la electricidad es mala para la vista.

Martín recorrió con su mirada la pieza como si recorriera parte del alma desconocida de Alejandra. El techo no tenía cielo raso y se veían los grandes tirantes de madera. Había una cama turca recubierta con un poncho y un conjunto de muebles que parecían sacados de un remate: de diferentes épocas y estilos, pero todos rotosos y a punto de derrumbarse.

—Vení, mejor sentate sobre la cama. Acá las sillas son peligrosas.

Sobre una pared había un espejo, casi opaco, del tipo veneciano, con una pintura en la parte superior. Había también restos de una cómoda y un bargueño. Había también un grabado o litografía mantenido con cuatro chinches en sus puntas.

Alejandra prendió un calentador de alcohol y se puso a hacer café. Mientras se calentaba el agua puso un disco.

—Escuchá—dijo, abstrayéndose y mirando al techo, mientras chupaba su cigarrillo.

Se oyó una música patética y tumultuosa.

Luego, bruscamente, quitó el disco.

—Bah—dijo—, ahora no la puedo oír.

Siguió preparando el café.

—Cuando lo estrenaron, Brahms mismo tocaba el piano. ¿Sabés lo que pasó?

—No.

—Lo silbaron. ¿Te das cuenta lo que es la humanidad?

—Bueno, quizá . . .

—¡Cómo, quizá!—gritó Alejandra—, ¿acaso creés que la humanidad no es una pura chanchada?

—Pero este músico también es la humanidad . . .

—Mirá, Martín—comentó mientras echaba el café en la taza—ésos son los que sufren por el resto. Y el resto son nada más que hinchapelotas, hijos de puta o cretinos, ¿sabés?

Trajo el café.

Se sentó en el borde de la cama y se quedó pensativa. Luego volvió a poner el disco un minuto:

—Oí, oí lo que es esto.

Nuevamente se oyeron los compases del primer movimiento.

—¿Te das cuenta, Martín, la cantidad de sufrimiento que ha tenido que producirse en el mundo para que se haya hecho música así?

Mientras quitaba el disco, comentó:

—Bárbaro.

Se quedó pensativa, terminando su café. Luego puso el pocillo en el suelo.

En el silencio, de pronto, a través de la ventana abierta, se oyó el clarinete, como si un chico trazase garabatos sobre un papel.

—¿Dijiste que está loco?

—¿No te das cuenta? Ésta es una familia de locos. ¿Vos sabés quién vivió en este altillo, durante ochenta años? La niña Escolástica. Vos sabés que antes se estilaba tener algún loco encerrado en alguna pieza del fondo. El Bebe es más bien un loco manso, una especie de opa, y de todos modos nadie puede hacer mal con el clarinete. Escolástica también era una loca mansa. ¿Sabés lo que le pasó? Vení—. Se levantó y fue hasta la litografía que estaba en la pared con cuatro chinches.

—Mirá: son los restos de la legión de Lavalle,[2] en la quebrada de Humahuaca.[3] En ese tordillo va el cuerpo del general. Ése es el

[2] Juan Lavalle, Argentine soldier and statesman active against Rosas, the Argentine dictator who was in power from 1829 to 1852. [3] *la quebrada de Humahuaca.*—a site in the department of Humahuaca, northern Argentina, where traces of an indigenous culture have been found to which was given the name *quebrada.*

coronel Pedernera.[4] El de al lado es Pedro Echagüe.[5] Y ese otro barbudo, a la derecha, es el coronel Acevedo. Bonifacio Acevedo,[6] el tío abuelo del abuelo Pancho. A Pancho le decimos abuelo, pero en realidad es bisabuelo.

5 Siguió mirando.

—Ese otro es el alférez Celedonio Olmos,[7] el padre de abuelo Pancho, es decir mi tatarabuelo. Bonifacio se tuvo que escapar a Montevideo. Allá se casó con una uruguaya, una oriental,[8] como dice el abuelo, una muchacha que se llamaba Encarnación Flores, 10 y allá nació Escolástica. Mirá qué nombre. Antes de nacer, Bonifacio se unió a la legión y nunca vio a la chica, porque la campaña duró dos años y de ahí, de Humahuaca, pasaron a Bolivia, donde estuvo varios años; también en Chile estuvo un tiempo. En el 52, a comienzos del 52, después de trece años de no ver a su mujer, que 15 vivía aquí, en esta quinta, el comandante Bonifacio Acevedo, que estaba en Chile, con otros exilados, no dio más de tristeza[9] y se vino a Buenos Aires, disfrazado de arriero: se decía que Rosas[10] iba a caer de un momento a otro, que Urquiza[11] entraría a sangre y fuego[12] en Buenos Aires. Pero él no quiso esperar y se largó. Lo 20 denunció alguien, seguro, si no no se explica. Llegó a Buenos Aires y lo pescó La Mazorca.[13] Lo degollaron y pasaron frente a casa, golpearon en la ventana y cuando abrieron tiraron la cabeza a la sala.

Encarnación se murió de la impresión y Escolástica se volvió 25 loca. ¡A los pocos días Urquiza entraba en Buenos Aires! Tenés

[4] el coronel Pedernera (1796–1886), Argentine soldier and statesman who fought at the battles of Chabusco and Maipa; vice president of the Argentine Confederacy in 1860. [5] Pedro Echagüe (1828–1889), Argentine writer and politician; a Unitarian, he was in the campaign with Lavalle against Rosas. [6] Bonifacio Acevedo, a contemporary of Lavalle (See fn. 2). [7] Celedonio Olmos, a relative of Bonifacio Acevedo. [8] *una oriental,*—a girl from eastern Uruguay. [9] *no dio más de tristeza*—could not stand the loneliness any longer. [10] Juan Manuel de Rosas, Argentine dictator who ruled with an iron hand from 1829 to 1852, except for brief interludes, when he was defeated at the battle of Monte-Caseros. [11] Justo José de Urquiza (1800–1870), Federalist general and governor of Entre Ríos; he revolted against his old chief Rosas and defeated him at Monte-Caseros in 1852. [12] *entraría a sangre y fuego*—would enter with fire and sword. [13] *La Mazorca.*—the Gestapo that kept dictator Rosas in power. The word means "ear of corn," but it was actually a play on words, *más* and *horca* (more gallows).

que tener en cuenta que Escolástica se había criado sintiendo hablar de su padre y mirando su retrato.

De un cajón de la cómoda sacó una miniatura, en colores.

—Cuando era teniente de coraceros, en la campaña del Brasil.

Su brillante uniforme, su juventud, su gracia, contrastaban con la figura barbuda y destrozada de la vieja litografía.

—La Mazorca estaba enardecida por el pronunciamiento de Urquiza. ¿Sabés lo que hizo Escolástica? La madre se desmayó, pero ella se apoderó de la cabeza de su padre y corrió hasta aquí. Aquí se encerró con la cabeza del padre desde aquel año hasta su muerte, en 1932.

—¡En 1932!

—Sí, en 1932. Vivió ochenta años, aquí, encerrada con su cabeza y loca. Aquí había que traerle la comida y sacarle los desperdicios. Nunca salió ni quiso salir. Otra cosa: con esa astucia que tienen los locos, había escondido la cabeza del padre, de modo que nadie nunca la pudo sacar. Claro, la habrían podido encontrar de haberse hecho una búsqueda, pero ella se ponía frenética y no había forma de engañarla. «Tengo que sacar algo de la cómoda», le decían. Pero no había nada que hacer. Y nadie nunca pudo sacar nada de la cómoda, ni del bargueño, ni de la petaca ésa. Y hasta que murió, en 1932, todo quedó como había estado en 1852. ¿Lo creés?

—Parece imposible.

—Es rigurosamente histórico. Yo también pregunté muchas veces, ¿cómo comía? ¿Cómo limpiaban la pieza? Le llevaban la comida y lograban mantener un mínimo de limpieza. Escolástica era una loca mansa e incluso hablaba normalmente sobre casi todo, excepto sobre su padre y sobre la cabeza. Durante los ochenta años que estuvo encerrada nunca, por ejemplo, habló de su padre como si hubiese muerto. Hablaba en presente, quiero decir, como si estuviera en 1852 y como si tuviera doce años y como si su padre estuviese en Chile y fuese a venir de un momento a otro. Era una viejita tranquila. Pero su vida y hasta su lenguaje se había detenido en 1852 y como si Rosas estuviera todavía en el poder. «Cuando ese hombre caiga», decía señalando con su cabeza hacia afuera, hacia donde había tranvías eléctricos y gobernaba Yrigoyen. Parece que su realidad tenía grandes regiones huecas o quizá como encerradas también con llave, y daba rodeos astutos como los de un chico para evitar hablar de esas cosas, como si no hablando de ellas no existiesen y por lo tanto tampoco existiese la muerte de su padre. Había abolido todo lo que estaba unido al degüello de Bonifacio Acevedo.

—¿Y qué pasó con la cabeza?

—En 1932 murió Escolástica y por fin pudieron revisar la cómoda y la petaca del comandante. Estaba envuelta en trapos (parece que la vieja la sacaba todas las noches y la colocaba sobre el bargueño y se pasaba horas mirándola o quizá dormía con la cabeza allí, como un florero). Estaba momificada y achicada, claro. Y así ha permanecido.

—¿Cómo?

—Y por supuesto, ¿qué querés que se hiciera con la cabeza? ¿Qué se hace con una cabeza en semejante situación?

—Bueno, no sé. Toda esta historia es tan absurda, no sé.

—Y sobre todo tené presente lo que es mi familia, quiero decir los Olmos, no los Acevedo.

—¿Qué es tu familia?

—¿Todavía necesitás preguntarlo? ¿No lo oís al tío Bebe tocando el clarinete? ¿No ves dónde vivimos? Decime, ¿sabés de alguien que tenga apellido en este país y que viva en Barracas, entre conventillos y fábricas? Comprenderás que con la cabeza no podía pasar nada normal, aparte de que nada de lo que pase con una cabeza sin el cuerpo correspondiente puede ser normal.

—¿Y entonces?

—Pues muy simple: la cabeza quedó en casa.

Martín se sobresaltó.

—¿Qué, te impresiona? ¿Qué otra cosa se podía hacer? ¿Hacer un cajoncito y un entierro chiquito para la cabeza?

Martín se rio nerviosamente, pero Alejandra permanecía seria.

—¿Y dónde la tienen?

—La tiene el abuelo Pancho, abajo, en una caja de sombreros. ¿Querés verla?

—¡Por amor de Dios!—exclamó Martín.

—¿Qué tiene? Es una hermosa cabeza y te diré que me hace bien verla de vez en cuando, en medio de tanta basura. Aquéllos al menos eran hombres de verdad y se jugaban la vida por lo que creían.[14] Te doy el dato que casi toda mi familia ha sido unitaria o lomos negros,[15] pero que ni Fernando ni yo lo somos. 5

—¿Fernando? ¿Quién es Fernando?

Alejandra se quedó repentinamente callada, como si hubiese dicho algo de más.

Martín quedó sorprendido. Tuvo la sensación de que Alejandra había dicho algo involuntario. Se había levantado, había ido hasta 10 la mesita donde tenía el calentador y había puesto agua a calentar, mientras encendía un cigarrillo. Luego se asomó a la ventana.

—Vení—dijo, saliendo.

Martín la siguió. La noche era intensa y luminosa. Alejandra caminó por la terraza hacia la parte de adelante y luego se apoyó 15 en la balaustrada.

—Antes—dijo—se veía desde aquí la llegada de los barcos al Riachuelo.

—Y ahora, ¿quién vive aquí?

—¿Aquí? Bueno, de la quinta no queda casi nada. Antes era 20 una manzana. Después empezaron a vender. Ahí están esa fábrica y esos galpones, todo eso pertenecía a la quinta. De aquí, de este otro lado hay conventillos. Toda la parte de atrás de la casa también se vendió. Y esto que queda está todo hipotecado y en cualquier momento lo rematan. 25

—¿Y no te da pena?

Alejandra se encogió de hombros.

—No sé, tal vez lo siento por abuelo. Vive en el pasado y se va a morir sin entender lo que ha sucedido en este país. ¿Sabés lo que pasa con el viejo? Pasa que no sabe lo que es la porquería, ¿entendés? Y ahora no tiene ni tiempo ni talento para llegar a saberlo. 30

[14] *se jugaban la vida por lo que creían.*—they staked their lives on their beliefs.

[15] *unitaria o lomos negros,*—one of two large political parties in the fierce civil struggle after the Argentine Independence. The Unitarians wanted a single centralized government; the other party, the Federalists, favored a formation of provinces with a certain amount of autonomy. Rosas came to be considered the titular head of the Federalists.

No sé si es mejor o es peor. La otra vez nos iban a poner bandera de remate y tuve que ir a verlo a Molinari para que arreglase el asunto.

—¿Molinari?

Martín volvía a oír ese nombre por segunda vez.

—Sí, una especie de animal mitológico. Como si un chancho dirigiese una sociedad anónima.

Martín la miró y Alejandra añadió, sonriendo:

—Tenemos cierto género de vinculación. Te imaginás que si ponen la bandera de remate el viejo se muere.

—¿Tu padre?

—Pero no, hombre: el abuelo.

—¿Y tu padre no se preocupa del problema?

Alejandra lo miró con una expresión que podía ser la mueca de un explorador a quien se le pregunta si en el Amazonas está muy desarrollada la industria automovilística.

—Tu padre—insistió Martín, de puro tímido que era, porque precisamente sentía que había dicho un disparate (aunque no sabía por qué) y que era mejor no insistir.

—Mi padre nunca está aquí—se limitó a aclarar Alejandra, con una voz que era distinta.

Martín, como los que aprenden a andar en bicicleta y tienen que seguir adelante para no caerse y que, gran misterio, terminan siempre por irse contra un árbol o cualquier otro obstáculo, preguntó:

—¿Vive en otra parte?

—¡Te acabo de decir que no vive acá!

Martín enrojeció.

Alejandra fue hacia el otro extremo de la terraza y permaneció allá un buen tiempo. Luego volvió y se acodó sobre la balaustrada, cerca de Martín.

—Mi madre murió cuando yo tenía cinco años. Y cuando tuve once lo encontré aquí con una mujer. Pero ahora pienso que vivía con ella mucho antes de que mi madre muriese.

Con una risa que se parecía a una risa normal como un criminal jorobado puede parecerse a un hombre sano agregó:

—En la misma cama donde yo duermo ahora.

Encendió un cigarrillo y a la luz del encendedor Martín pudo ver que en su cara quedaban restos de la risa anterior, el cadáver maloliente del jorobado.

Luego, en la oscuridad, veía cómo el cigarrillo de Alejandra se encendía con las profundas aspiraciones que ella hacía: fumaba, chupaba el cigarrillo con una avidez ansiosa y concentrada. 5

—Entonces me escapé de mi casa—dijo.

Esa chica pecosa es ella: tiene once años y su pelo es rojizo. Es una chica flaca y pensativa, pero violenta y duramente pensativa; como si sus pensamientos no fueran abstractos, sino serpientes enloquecidas y calientes. En alguna oscura región de su yo aquella chica ha permanecido intacta y ahora ella, la Alejandra de dieciocho años, silenciosa y atenta, tratando de no ahuyentar la aparición se retira a un lado y la observa con cautela y curiosidad. Es un juego al que se entrega muchas veces, cuando reflexiona sobre su destino. Pero es un juego difícil, sembrado de dificultades, tan delicado y propenso a la frustración como dicen los espiritistas que son las materializaciones: hay que saber esperar, hay que tener paciencia y saber concentrarse con fuerza, ajeno a pensamientos laterales o frívolos. La sombra va emergiendo poco a poco y hay que favorecer su aparición manteniendo un silencio total y una gran delicadeza: cualquier cosita y ella se replegará, desapareciendo en la región de la que empezaba a salir. Ahora está allí: ya ha salido y puede verla, con sus trenzas coloradas y sus pecas, observando todo a su alrededor con aquellos ojos recelosos y concentrados, lista para la pelea y el insulto. Alejandra la mira con esa mezcla de ternura y de resentimiento que se tiene para los hermanos menores, en quienes descargamos la rabia que guardamos para nuestros propios defectos, gritándole: «¡no te mordás las uñas, bestia!» 10 15 20 25 30

—En la calle Isabel la Católica hay una casa en ruinas. Mejor dicho, había, porque hace poco la demolieron para construir una fábrica de heladeras.

Estaba desocupada desde muchísimos años atrás, por un pleito o una sucesión. Creo que era de los Miguens, una quinta que en 35

un tiempo debe de haber sido muy linda, como ésta. Recuerdo que
tenía unas paredes verde claro, verdemar, todas descascaradas,
como si tuvieran lepra. Yo estaba muy excitada y la idea de fugarme
y de esconderme en una casa abandonada me producía una sensa-
5 ción de poderío, quizá como la que deben de sentir los soldados al
lanzarse al ataque, a pesar del miedo o por una especie de mani-
festación inversa del miedo. Leí algo sobre eso en alguna parte,
¿vos no? Te digo esto porque yo sufría grandes terrores de noche,
de modo que ya te podés figurar lo que me podía esperar en una
10 casa abandonada. Me enloquecía, veía bandidos que entraban a
mi pieza con faroles, o gente de la Mazorca con cabezas sangrantes
en la mano (Justina nos contaba siempre cuentos de la Mazorca).
Caía en pozos de sangre. Ni siquiera sé si todo aquello lo veía
dormida o despierta; pienso que eran alucinaciones, que los veía
15 despierta, porque los recuerdo como si ahora mismo los estuviera
viviendo. Entonces daba alaridos, hasta que corría abuela Elena
y me calmaba poco a poco, porque durante bastante tiempo seguía
sacudiendo la cama con mis estremecimientos; eran ataques, verdaderos ataques.

20 De modo que planear lo que planeaba, esconderme de noche en
una casa solitaria y derruida era un acto de locura. Y ahora pienso
que lo planeé para que mi venganza fuera más atroz. Sentía que
era una hermosa venganza y que resultaba más hermosa y más
violenta cuanto más terribles eran los peligros que debía enfrentar,
25 ¿comprendés? Como si pensara, y quizá lo haya pensado, «¡vean
lo que sufro por culpa de mi padre!» Es curioso, pero desde aquella
noche mi pavor nocturno se transformó, de un solo golpe, en una
valentía de loco. ¿No te parece curioso? ¿Cómo se explicará ese
fenómeno? Era una especie de arrogancia loca, como te digo,
30 frente a cualquier peligro, real o imaginario. Es cierto que siempre
había sido audaz y en las vacaciones que pasaba en el campo de las
Carrasco, unas solteronas amigas de abuela Elena, me había acostumbrado a experiencias muy duras: corría a campo traviesa y a
galope sobre una yegüita que me habían dado y que yo misma la
35 había bautizado con un nombre que me gustaba: Desprecio. Y no
tenía miedo de las vizcacheras, aunque varias veces rodé por culpa

de las cuevas. Tenía un rifle calibre 22, para cazar, y un matagatos. Sabía nadar muy bien y a pesar de todas las recomendaciones y juramentos salía a nadar mar afuera y tuve que luchar contra la marejada más de una vez (me olvidaba decirte que el campo de las viejuchas Carrasco daba a la costa, cerca de Miramar). Y sin 5 embargo, a pesar de todo eso, de noche temblaba de miedo ante monstruos imaginarios. Bueno te decía, decidí escaparme y esconderme en la casa de la calle Isabel la Católica. Esperé la noche para poder treparme por la verja sin ser advertida (la puerta estaba cerrada con candado). Pero probablemente alguien me vio, y 10 aunque al comienzo no le haya dado importancia, pues, como te imaginarás, más de un muchacho por curiosear habría hecho antes lo que yo estaba haciendo en ese momento, luego, cuando se corrió la voz por el barrio[16] y cuando la policía intervino, el hombre habrá recordado y habrá dado el dato. Pero si las cosas fueron así, debe 15 haber sido muchas horas después de mi escapada, porque la policía recién apareció en el caserón a las once. Así que tuve todo el tiempo para enfrentar el terror. Apenas me descolgué de la verja entré hacia el fondo bordeando la casa, por la antigua entrada cochera,[17] en medio de yuyos y tachos viejos, de basura y gatos o perros 20 muertos y hediondos. Me olvidaba decirte que también había llevado mi linterna, mi cuchillito de campo y el matagatos que el abuelo Pancho me regaló cuando cumplí diez años. Como te decía, bordeé la casa por la entrada cochera y así llegué a los fondos. Había una galería parecida a la que tenemos acá. Las ventanas que 25 daban a esa galería o corredor estaban cubiertas por persianas, pero las persianas estaban podridas y algunas casi caídas o con boquetes. No era difícil que la casa hubiese sido utilizada por vagos o linyeras para pasar la noche y hasta alguna temporada. ¿Y quién me aseguraba que esa misma noche no viniesen algunos a 30 dormir? Con mi linterna fui recorriendo las ventanas y puertas que daban a la parte trasera, hasta que vi una puerta a cuya persiana le faltaba una hoja. Empujé la puerta y se abrió, aunque con dificultad, chirriando, como si hiciese muchísimo tiempo que no

[16] *cuando se corrió la voz por el barrio*—when word got around the neighborhood. [17] *entrada cochera,*—carriage entrance.

fuese abierta. Con terror, pensé en el mismo instante que entonces ni los vagos se habían atrevido a refugiarse en aquella casa de mala fama.[18] En algún momento vacilé y pensé que lo mejor sería no entrar en la casa y pasar la noche en el corredor. Pero hacía mucho frío. Tenía que entrar e incluso hacer fuego, como había observado en tantas vistas. Pensé que la cocina sería el lugar más adecuado, porque, de ese modo, sobre el suelo de baldosas podría prender una buena fogata. Tenía también la esperanza de que el fuego ahuyentase a las ratas, animales que siempre me asquearon. La cocina estaba, como todo el resto de la casa, en la última ruina. No me sentí capaz de acostarme en el suelo, aun amontonando paja, porque imaginé que allí era más fácil que se acercara alguna rata. Me pareció mejor acostarme sobre el fogón. Era una cocina de tipo antiguo, semejante a la que tenemos nosotros y a ésas que todavía se ven en algunas chacras, con fogones para carbón y cocina económica. En cuanto al resto de la casa, la exploraría al día siguiente: no tenía en ese momento, de noche, valor para recorrerla y además, por otra parte, no tenía objeto. Mi primera tarea fue juntar leña en el jardín; es decir: pedazos de cajones, maderas sueltas, paja, papeles, ramas caídas y ramas de un árbol seco que encontré. Con todo eso preparé una fogata cerca de la puerta de la cocina, cosa que no se me llenara de humo el interior. Después de algunas tentativas todo anduvo bien, y apenas vi las llamas, en medio de la oscuridad, sentí una sensación de calor, físico y espiritual. En seguida saqué de mi bolsa cosas para comer. Me senté sobre un cajón, cerca de la hoguera, y comí con ganas Salamín con pan y manteca, y después dulce de batata.[19] Mi reloj marcaba ¡recién! las ocho. No quería ni pensar lo que me esperaba en las largas horas de la noche.

La policía llegó a las once. No sé si, como te dije, alguien habría visto que un chico trepaba la verja. También es probable que algún vecino haya visto fuego o el humo de la hoguera que encendí, o mis movimientos por allí dentro con la linterna. Lo cierto es que la policía llegó y debo confesarte que la vi llegar con alegría. Quizá

[18] *casa de mala fama.*—house of ill repute. [19] *dulce de batata.*—sweet-potato candy.

si hubiese tenido que pasar toda la noche, cuando todos los ruidos externos van desapareciendo y cuando tenés de verdad la sensación de que la ciudad duerme, creo que me hubiera enloquecido con la corrida de las ratas y los gatos, con el silbido del viento y con los ruidos que mi imaginación podía atribuir también a fantasmas. 5
Así que cuando llegó la policía yo estaba despierta, arrinconada arriba del fogón y temblando de miedo.

No te puedo decir la escena en mi casa, cuando me llevaron. Abuelo Pancho, el pobre, tenía los ojos llenos de lágrimas y no terminaba de preguntarme por qué había hecho semejante locura. 10
Abuela Elena me retaba y al mismo tiempo me acariciaba, histéricamente. En cuanto a tía Teresa, tía abuela en realidad, que se la pasa siempre en los velorios[20] y en las sacristías, gritaba que debían meterme cuanto antes de pupila, en la escuela de la avenida Montes de Oca. Los conciliábulos deben de haber seguido durante buena 15
parte de esa noche, porque yo los oía discutir allá en la sala. Al otro día supe que la abuela Elena había terminado por aceptar el punto de vista de tía Teresa, más que todo, lo creo ahora, porque pensaba que yo podía repetir aquella barbaridad en cualquier momento; y porque sabía, además, que yo quería mucho a la 20
hermana Teodolina. A todo esto, por supuesto, yo me negué a decir nada y estuve todo el tiempo encerrada en mi pieza. Pero, en el fondo, no me disgustó la idea de irme de esta casa: suponía que de ese modo mi padre sentiría más mi venganza.

No sé si fue mi entrada en el colegio, mi amistad con la hermana 25
Teodolina o la crisis, o todo junto. Pero me precipité en la religión con la misma pasión con que nadaba o corría a caballo: como si jugara la vida. Desde ese momento hasta que tuve quince. Fue una especie de locura *con la misma furia con que nadaba de noche en el mar, en noches tormentosas, como si nadase furiosamente en una gran* 30
noche religiosa, en medio de tinieblas, fascinada por la gran tormenta interior.

Ahí está el padre Antonio: habla de la Pasión y describe con fervor los sufrimientos, la humillación y el sangriento sacrificio de la Cruz. El padre Antonio es alto y, cosa extraña, se parece a su padre. Ale- 35

[20] *que se la pasa siempre en los velorios*—who spends her time at wakes.

jandra llora, primero en silencio, y luego su llanto se vuelve violento y finalmente convulsivo. Huye. Las monjas corren asustadas. Ve ante así a la hermana Teodolina, consolándola, y luego se acerca el padre Antonio, que también intenta consolarla. El suelo empieza a moverse, 5 *como si ella estuviera en un bote. El suelo ondula como un mar, la pieza se agranda más y más, y luego todo empieza a dar vueltas: primero con lentitud y en seguida vertiginosamente. Suda. El padre Antonio se acerca, su mano es ahora gigantesca, su mano se acerca a su mejilla como un murciélago caliente y asqueroso. Entonces cae* 10 *fulminada por una gran descarga eléctrica.*

—¿Qué pasa, Alejandra?—gritó Martín, precipitándose sobre ella.

Se había derrumbado y permanecía rígida, en el suelo, sin respirar, su rostro fue poniéndose violáceo, y de pronto tuvo con- 15 vulsiones.

—¡Alejandra! ¡Alejandra!

Pero ella no lo oía, ni sentía sus brazos: gemía y mordía sus labios.

Hasta que, como una tempestad en el mar que se calma poco a 20 poco, sus gemidos fueron espaciándose haciéndose más tiernos y lastimeros, su cuerpo fue aquietándose y por fin quedó blando y como muerto. Martín la levantó entonces en sus brazos y la llevó a su pieza, poniéndola sobre la cama. Después de una hora o más Alejandra abrió sus ojos, miró en torno, como borracha. Luego se 25 sentó, pasó sus manos por la cara, como si quisiera despejarse, y quedó largo rato en silencio. Mostraba tener un cansancio enorme.

Después se levantó, buscó píldoras y las tomó.

Martín la observaba asustado.

—No pongás esa cara. Si vas a ser amigo mío tendrás que acos- 30 tumbrarte a todo esto. No pasa nada importante.

Buscó un cigarrillo en la mesita y se puso a fumar. Durante largo tiempo descansó en silencio. Al cabo preguntó:

—¿De qué te estaba hablando?

Martín se lo recordó.

35 —Pierdo la memoria, sabés.

Se quedó pensativa, fumando, y luego agregó:

—Salgamos afuera, quiero tomar aire.

Se acodaron sobre la balaustrada de la terraza.

—Así que te estaba hablando de aquella fuga.

Fumó en silencio.

—Conmigo no ganaban ni para sustos, decía la hermana Teodolina. Me torturaba días enteros analizando mis sentimientos, mis reacciones. Desde aquello que me pasó con el padre Antonio inicié una serie de mortificaciones: me arrodillaba horas sobre vidrios rotos, me dejaba caer la cera ardiendo de los cirios sobre las manos, hasta me corté en el brazo con una hoja de afeitar. Y cuando la hermana Teodolina, llorando, me quiso obligar a que le dijera por qué me había cortado, no le quise decir nada, y en realidad yo misma no lo sabía, y creo que todavía no lo sé. Pero la hermana Teodolina me decía que no debía hacer esas cosas, que a Dios no le gustaban esos excesos y que también en esas actitudes había un enorme orgullo satánico. ¡Vaya la novedad! pero aquello era más fuerte, más invencible que cualquier argumentación. Ya verás cómo terminaría toda aquella locura.

Se quedó pensativa.

—Qué curioso—dijo al cabo de un rato—, trato de recordar el paso de aquel año y no puedo recordar más que escenas sueltas, una al lado de otra. ¿A vos te pasa lo mismo? Yo ahora siento el paso del tiempo, como si corriera por mis venas, con la sangre y el pulso. Pero cuando trato de recordar el pasado no siento lo mismo: veo escenas sueltas, paralizadas como en fotografías.

Su memoria está compuesta de fragmentos de existencia, estáticos y eternos: el tiempo no pasa, en efecto, entre ellos, y cosas que sucedieron en épocas muy remotas entre sí están unas junto a otras vinculadas o reunidas por extrañas antipatías y simpatías. O acaso salgan a la superficie de la conciencia unidas por vínculos absurdos pero poderosos, como una canción, una broma o un odio común. Como ahora, para ella, el hilo que las une y que las va haciendo salir una después de otra es cierta ferocidad en la búsqueda de algo absoluto, cierta perplejidad, la que une palabras como padre, Dios, playa, pecado, pureza, mar, muerte.

—Me veo un día de verano y oigo a la abuela Elena que dice

«Alejandra tiene que ir al campo, es necesario que salga de acá, que tome aire». Curioso: recuerdo que en ese momento abuela tenía un dedal de plata en la mano.

Se rio.

5 —¿Por qué te reís?—preguntó Martín, intrigado.

—Nada, nada de importancia. Me mandaron, pues, al campo de las viejuchas Carrasco, parientes lejanas de abuela Elena. No sé si te dije que ella no era de la familia Olmos, sino que se llamaba Lafitte. Era una mujer buenísima y se casó con mi abuelo Patricio, 10 hijo de don Pancho. Algún día te contaré algo de abuelo Patricio, que murió. Bueno, como te decía, las Carrasco eran primas segundas de abuela Elena. Eran solteronas, eternas, hasta los nombres que tenían eran absurdos: Ermelinda y Rosalinda. Eran unas santas[21] y en realidad para mí eran tan indiferentes como una losa 15 de mármol[22] o un costurero; ni las oía cuando hablaban. Eran tan candorosas que si hubiesen podido leer un solo segundo en mi cabeza se hubieran muerto de susto. Así que me gustaba ir al campo de ellas: tenía toda la libertad que quería y podía correr con mi yegüita hasta la playa, porque el campo de las viejas daba 20 al océano, un poco al sur de Miramar. Además, ardía en deseos de estar sola, de nadar, de correr con la tordilla, de sentirme sola frente a la inmensidad de la naturaleza, bien lejos de la playa donde se amontonaba toda la gente inmunda que yo odiaba. Hacía un año que no veía a Marcos Molina y también esa perspectiva me 25 interesaba. ¡Había sido un año tan importante! Quería contarle mis nuevas ideas, comunicarle un proyecto grandioso, inyectarle mi ardiente fe. Todo mi cuerpo estallaba con fuerza, y si siempre fui medio salvaje, en aquel verano la fuerza parecía haberse multiplicado, aunque tomando otra dirección.

30 Durante aquel verano Marcos sufrió bastante. Tenía quince años, uno más que yo. Era bueno, muy atlético. En realidad, ahora que pienso, llegará a ser un excelente padre de familia y seguro que dirigirá alguna sección de la Acción Católica.[23] No te creas que

[21] *Eran unas santas*—They were real saints. [22] *losa de mármol*—marble slab.
[23] *la Acción Católica.*—world-wide lay apostolate group under ecclesiastical direction.

fuese tímido, pero era del género buen muchacho, del género católico pelotudo: de buena fe y bastante sencillo y tranquilo. Ahora pensá lo siguiente: apenas llegué al campo me lo agarré por mi cuenta y empecé a tratar de convencerlo para que nos fuésemos a la China o al Amazonas apenas tuviésemos dieciocho años. Como misioneros ¿entendés? Nos íbamos a caballo, bien lejos, por la playa, hacia el sur. Otras veces íbamos en bicicleta o caminábamos durante horas. Y con largos discursos, llenos de entusiasmo, intentaba hacerle comprender la grandeza de una actitud como la que yo le proponía. Le hablaba del padre Damián y de sus trabajos con los leprosos de la Polinesia, le contaba historias de misioneros en China y en África, y la historia de las monjas que sacrificaron los indios en el Matto Grosso.[24] Para mí, el goce más grande que podía sentir era el de morir en esa forma, martirizada. Me imaginaba cómo los salvajes nos agarraban, cómo me desnudaban y me ataban a un árbol con sogas y cómo luego, en medio de alaridos y danzas, se acercaban con un cuchillo de piedra afilada, me abrían el pecho y me arrancaban el corazón sangrante.

Alejandra se quedó callada, volvió a encender el cigarrillo que se le había apagado, y luego prosiguió:

—Marcos era católico, pero me escuchaba mudo. Hasta que un día me terminó por confesar que esos sacrificios de misioneros que morían y sufrían el martirio por la fe eran admirables, pero que él no se sentía capaz de hacerlos. Y que de todos modos pensaba que se podía servir a Dios en otra forma más modesta, siendo una buena persona y no haciendo el mal a nadie. Esas palabras me irritaron.

—¡Sos un cobarde!—le grité con rabia.

Estas escenas, con ligeras variantes, se repitieron dos o tres veces. Él se quedaba mortificado, humillado. Yo me iba en ese momento de su lado y dando un rebencazo a mi tordilla me volvía a galope tendido,[25] furiosa y llena de desdén por aquel pobre diablo. Pero al otro día volvía a la carga,[26] más o menos sobre lo

[24] *el Matto Grosso.*—state in the interior of Brazil. [25] *a galope tendido,*—at a full gallop. [26] *Pero al otro día volvía a la carga,*—But on the following day, I was on the attack again.

mismo. Hasta hoy no comprendo el porqué de mi empecinamiento, ya que Marcos no me despertaba ningún género de admiración. Pero lo cierto es que yo estaba obsesionada y no le daba descanso.

—Alejandra—me decía con bonhomía, poniéndome una de sus manazas sobre el hombro—, ahora dejate de predicar y vamos a bañarnos.

—¡No! ¡Momento!—exclamaba yo, como si él estuviera queriendo rehuir un compromiso previo. Y nuevamente a lo mismo.

A veces le hablaba del matrimonio.

—Yo no me casaré nunca—le explicaba—. Es decir, no tendré nunca hijos, si me caso.

Él me miró extrañado, la primera vez que se lo dije.

—¿Sabés cómo se tienen los hijos?—le pregunté.

—Más o menos—respondió, poniéndose colorado.

—Bueno, si lo sabés, comprenderás que es una porquería.

Le dije esas palabras con firmeza, casi con rabia, y como si fuesen un argumento más en favor de mi teoría sobre las misiones y el sacrificio.

—Me iré, pero tengo que irme con alguien, ¿comprendés? Tengo que casarme con alguien porque si no me harán buscar con la policía y no podré salir del país. Por eso he pensado que podría casarme contigo. Mirá: ahora tengo catorce años y vos tenés quince. Cuando yo tenga dieciocho termino el colegio y nos casamos, con autorización del juez de menores. Nadie puede prohibirnos ese casamiento. Y en último caso nos fugamos y entonces tendrán que aceptarlo. Entonces nos vamos a China o al Amazonas. ¿Qué te parece? Pero nos casamos nada más que para poder irnos tranquilos, ¿comprendés?, no para tener hijos, ya te expliqué. No tendremos hijos nunca. Viviremos siempre juntos, recorreremos países salvajes pero ni nos tocaremos siquiera. ¿No es hermosísimo?

Me miró asombrado.

—No debemos rehuir el peligro—proseguí—. Debemos enfrentarlo y vencerlo. No te vayas a creer, tengo tentaciones, pero soy fuerte y capaz de dominarlas. ¿Te imaginás qué lindo vivir juntos durante años, acostarnos en la misma cama, a lo mejor vernos desnudos y vencer la tentación de tocarnos y de besarnos?

Marcos me miraba asustado.

—Me parece una locura todo lo que estás diciendo—comentó—. Además, ¿no manda Dios tener hijos en el matrimonio?

—¡Te digo que yo nunca tendré hijos!—le grité—. ¡Y te advierto que jamás me tocarás y que nadie, nadie, me tocará!

Tuve un estallido de odio y empecé a desnudarme.

—¡Ahora vas a ver!—grité, como desafiándolo.

Había leído que los chinos impiden el crecimiento de los pies de sus mujeres metiéndolos en hormas de hierro y que los sirios, creo, deforman la cabeza de sus chicos, fajándoselas. En cuanto me empezaron a salir los pechos empecé a usar una larga tira que corté de una sábana y que tenía como tres metros de largo: me daba varias vueltas, ajustándome bárbaramente. Pero los pechos crecieron lo mismo, como esas plantas que nacen en las grietas de las piedras y terminan rajándolas. Así que, una vez que me hube quitado la blusa, la pollera y la bombacha, me empecé a sacar la faja. Marcos, horrorizado, no podía dejar de mirar mi cuerpo. Parecía un pájaro fascinado por una serpiente.

Cuando estuve desnuda, me acosté sobre la arena y lo desafié:

—¡Vamos, desnudate vos ahora! ¡probá que sos un hombre!

—¡Alejandra!—balbuceó Marcos—¡todo lo que estás haciendo es una locura y un pecado!

Repitió como un tartamudo lo del pecado, varias veces, sin dejar de mirarme, y yo, por mi parte, le seguía gritando maricón, con desprecio cada vez mayor, hasta que, apretando las mandíbulas y con rabia, empezó a desnudarse. Cuando estuvo desvestido, sin embargo, parecía habérsele terminado la energía, porque se quedó paralizado, mirándome con miedo.

—Acostate acá—le ordené.

—Alejandra, es una locura y un pecado.

—¡Vamos, acostate acá!—le volví a ordenar.

Terminó por obedecerme.

Quedamos los dos mirando al cielo, tendidos de espaldas sobre

la arena caliente, uno al lado del otro. Se produjo un silencio abrumador, se podía oír el chasquido de las olas contra las toscas. Arriba, las gaviotas chillaban y evolucionaban sobre nosotros. Yo sentí la respiración de Marcos, que parecía haber corrido una larga
5 carrera.

—¿Ves qué sencillo?—comenté—. Así podremos estar siempre.

—¡Nunca, nunca!—gritó Marcos, mientras se levantaba con violencia, como si huyera de un gran peligro.

Se vistió con rapidez, repitiendo «¡nunca, nunca! ¡estás loca,
10 estás completamente loca!»

Yo no dije nada pero me sonreía con satisfacción. Me sentía poderosísima.

Y como quien no dice nada, me limité a decir:

—Si me tocabas, te mataba con mi cuchillo.

15 Marcos quedó paralizado por el horror. Luego, de pronto, salió corriendo para el lado de Miramar.

Recostada sobre un lado vi cómo se alejaba. Luego me levanté y corrí hacia el agua. Nadé durante mucho tiempo, sintiendo cómo el agua salada envolvía mi cuerpo desnudo. Cada partícula de mi
20 carne parecía vibrar con el espíritu del mundo.

Durante varios días Marcos desapareció de Piedras Negras. Pensé que estaba asustado o, acaso, que se había enfermado. Pero una semana después reapareció, tímidamente. Yo hice como si no hubiera pasado nada y salimos a caminar, como otras veces. Hasta
25 que de pronto le dije:

—¿Y Marcos? ¿Pensaste en lo del casamiento?

Marcos se detuvo, me miró seriamente y me dijo, con firmeza:

—Me casaré contigo, Alejandra. Pero no en la forma que decís.

—¿Cómo?—exclamé—. ¿Qué estás diciendo?

30 —Que me casaré para tener hijos, como hacen todos.

Sentí que mis ojos se ponían rojos, o vi todo rojo. Sin darme del todo cuenta me encontré lanzándome contra Marcos. Caímos al suelo, luchando. Aun cuando Marcos era fuerte y tenía unos años más que yo, al principio luchamos en forma pareja, creo que
35 porque mi furor multiplicaba mi fuerza. Recuerdo que de pronto hasta logré ponerlo debajo y con mis rodillas le di golpes sobre el

vientre. Mi nariz sangraba, gruñíamos como dos enemigos mortales. Marcos hizo por fin un gran esfuerzo y se dio vuelta.[27] Pronto estuvo sobre mí. Sentí que sus manos me apretaban y que retorcían mis brazos como tenazas. Me fue dominando y sentí su cara cada vez más cerca de la mía. Hasta que me besó. 5

Le mordí los labios y se separó gritando de dolor. Me soltó y salió corriendo.

Yo me incorporé, pero, cosa extraña, no lo perseguí: me quedé petrificada, viendo cómo se alejaba. Me pasé la mano por la boca y me refregué los labios, como queriéndolos limpiar de suciedad. 10 Y poco a poco sentí que la furia volvía a subir en mí como el agua hirviendo en una olla. Entonces me quité la ropa y corrí hacia el agua. Nadé durante mucho tiempo, quizá horas, alejándome de la playa, mar adentro.

Experimentaba una extraña voluptuosidad cuando las olas me 15 levantaban. Me sentía a la vez poderosa y solitaria, desgraciada y poseída por los demonios. Nadé hasta que sentí que las fuerzas se me acababan. Entonces empecé a bracear hacia la playa.

Me quedé mucho tiempo descansando en la arena, de espaldas sobre la arena caliente, observando las gaviotas que planeaban. 20 Muy arriba, nubes tranquilas e inmóviles daban una sensación de absoluta calma al anochecer, mientras mi espíritu era un torbellino y vientos furiosos lo agitaban y desgarraban: mirándome hacia adentro, parecía ver a mi conciencia como un barquito sacudido por una tempestad. 25

Volví a casa cuando ya era de noche, llena de rencor indefinido, contra todo y contra mí misma. Me sentí llena de ideas criminales. Odiaba una cosa: haber sentido placer en aquella lucha y en aquel beso. Todavía en mi cama, de espaldas, mirando el techo, seguía dominada por una sensación imprecisa que me estremecía la piel 30 como si tuviera fiebre. Lo curioso es que casi no recordaba a Marcos como Marcos (en realidad, ya te dije que me parecía bastante zonzo y que nunca le tuve admiración); era más bien una confusa sensación en la piel y en la sangre, el recuerdo de brazos que me estrujaban, el recuerdo de un peso sobre mis pechos y mis 35

[27] *se dio vuelta.*—he turned over.

muslos. No sé cómo explicarte, pero era como si lucharan dentro de mí dos fuerzas opuestas, y esa lucha, que no alcanzaba a entender, me angustiaba y me llenaba de odio. Y ese odio parecía alimentado por la misma fiebre que estremecía mi piel y que se concentraba en la punta de mis pechos.

No podía dormir. Miré la hora: eran cerca de las doce. Casi sin pensarlo, me vestí y me descolgué, como otras veces, por la ventana de mi cuarto hacia el jardincito. No sé si te dije ya que las Carrasco tenían, además, una casita en el mismo Miramar, donde pasaban a veces semanas o fines de semana. Estábamos entonces allí.

Casi corriendo fui hasta la casa de Marcos (aunque había jurado no verlo nunca más).

El cuarto de él daba a la calle, en el piso de arriba. Silbé, como otras veces, y esperé.

No respondía. Busqué una piedrita en la calle y la arrojé contra su ventana, que estaba abierta, y volví a silbar. Por fin se asomó y me preguntó, asombrado, qué pasaba.

—Bajá—le dije—. Quiero hablarte.

Creo que todavía hasta ese momento no había comprendido que quería matarlo, aunque tuve la precaución de llevar mi cuchillito de campo.

—No puedo, Alejandra—me respondió—. Mi padre está muy enojado y si me oye va a ser peor.

—Si no bajás—le respondí con rencorosa calma—va a ser mucho peor, porque voy a subir yo.

Vaciló un instante, midió quizá las consecuencias que le podía atraer mi propósito de subir y entonces me dijo que esperara.

Al poco rato apareció por la puerta trasera.

Me puse a caminar delante de él.

—¿Adónde vas?—me preguntó alarmado—, ¿qué te proponés?

No contesté y seguí hasta llegar a un baldío que había a media cuadra de su casa. Él venía siempre atrás, como arrastrado.

Entonces me volví bruscamente hacia él y le dije:

—¿Por qué me besaste, hoy?

Mi voz, mi actitud, qué sé yo, lo que sea, debe de haberlo impresionado, porque casi no podía hablar.

—Respondé—le dije, con energía.

—Perdoname—balbuceó—lo hice sin querer . . .

Tal vez alcanzó a vislumbrar el brillo de la hoja, quizá fue solamente el instinto de conservación, pero se lanzó casi al mismo tiempo sobre mí y con sus dos manos me sujetó mi brazo derecho, forcejeando para hacerme caer el cuchillito. Logró por fin arrancármelo y lo arrojó lejos, entre los yuyos. Yo corrí y llorando de rabia empecé a buscarlo, pero era absurdo intentar encontrarlo entre aquella maraña, y de noche. Entonces salí corriendo hacia abajo, hacia el mar: me había acometido la idea de salir mar afuera y dejarme ahogar. Marcos corrió detrás, acaso sospechando mi propósito, y de pronto sentí que me daba un golpe detrás de la oreja. Me desmayé. Según supe después, me levantó y me llevó hasta la casa de las Carrasco, dejándome en la puerta y tocando el timbre, hasta que vio que se encendían las luces y que venían a abrir, huyendo en ese momento. A primera vista puede pensarse que esto era una barbaridad, por el escándalo que se provocaría. Pero ¿qué otra cosa podía hacer Marcos? Si se hubiera quedado conmigo desmayada a su lado, a las doce de la noche, cuando las viejas creían que yo estaba en mi cama durmiendo, ¿te imaginás la que se hubiera armado? Dentro de todo, hizo lo más apropiado. De cualquier modo, ya te podrás imaginar el escándalo. Cuando volví en mí,[28] estaban las dos Carrasco, la mucama y la cocinera, todas encima, con colonia, con abanicos, qué sé yo. Lloraban y se lamentaban como si estuvieran delante de una tragedia abominable. Me interrogaban, daban chillidos, se persignaban, decían Dios mío, daban órdenes, etc.

Fue una catástrofe.

Te imaginarás que me negué a dar explicaciones.

Se vino abuela Elena, consternada y que, en vano, trató de sacarme lo que había detrás de todo. Tuve una fiebre que me duró casi todo el verano.

[28] *Cuando volví en mí,*—When I came to.

Hacia fines de febrero empecé a levantarme.

Me había vuelto casi muda y no hablaba con nadie. Me negué a ir a la Iglesia, pues me horrorizaba la sola idea de confesar mis pensamientos del último tiempo.

5 Cuando volvimos a Buenos Aires, tía Teresa (no sé si te hablé ya de esa vieja histérica, que se pasaba la vida entre velorios y misas, siempre hablando de enfermedades y tratamientos), tía Teresa dijo, en cuanto me tuvo enfrente:

—Sos el retrato de tu padre. Vas a ser una perdida. Me alegro 10 que no seas hija mía.

Salí hecha una furia contra la vieja loca. Pero, cosa extraña, mi furia mayor no era contra ella sino contra mi padre, como si la frase de mi tía abuela me hubiese golpeado a mí como un bumerang, hubiese ido hasta mi padre y finalmente, de nuevo, a mí.

15 Le dije a abuela Elena que quería irme al colegio, que no dormiría ni un día en esta casa. Me prometió hablar con la hermana Teodolina para que me recibieran de algún modo antes del período de las clases. No sé lo que habrán hablado las dos, pero la verdad es que buscaron la forma de recibirme. Esa misma noche me arro-20 dillé delante de mi cama y pedí a Dios que hiciera morir a mi tía Teresa. Lo pedí con una unción feroz y lo repetí durante varios meses, cada noche, al acostarme y también en mis largas horas de oración en la capilla. Mientras tanto, y a pesar de todas las instancias de la hermana Teodolina, me negué a confesarme: mi idea, 25 bastante astuta, era primero lograr la muerte de tía, y después confesarme; porque (pensaba) si me confesaba antes tendría que decir lo que planeaba y me vería obligada a desistir.

Pero tía Teresa no murió. Por el contrario, cuando volví a casa en las vacaciones la vieja parecía estar más sana que nunca. Porque 30 te advierto que aunque se pasaba quejando y tomando píldoras de todos los colores, tenía una salud de hierro. Se pasaba hablando de enfermos y muertos. Entraba en el comedor o en la sala diciendo con entusiasmo:

—Adivinen quién murió.

35 O, comentando con una mezcla de arrogancia e ironía:

—Inflamación al hígado . . . ¡Cuando yo les decía que eso era cáncer! Un tumor de tres kilos, nada menos.

Y corría al teléfono para dar la noticia con ese fervor que tenía para anunciar catástrofes. Marcaba el número y sin perder tiempo, telegráficamente, para dar la noticia a la mayor cantidad de gente en el menor tiempo posible (no fuera que otro se le adelantase), decía «¿Josefina? Pipo cáncer», y así a María Rosa, a Beba, a Niní, a María Magdalena, a María Santísima. Bueno como te digo, al verla con tanta salud, todo el odio rebotó contra Dios. Sentía como si me hubiese estafado, y al sentirlo de alguna manera del lado de tía Teresa, de esa vieja histérica y de mala entraña, asumía ante mí cualidades semejantes a las de ella. Toda la pasión religiosa pareció de pronto invertirse, y con la misma fuerza. Tía Teresa había dicho que yo iba a ser una perdida y por lo tanto Dios también pensaba así, y no sólo lo pensaba sino que seguramente lo quería. Empecé a planear mi venganza, y como si Marcos Molina fuera el representante de Dios sobre la tierra, imaginé lo que haría con él apenas llegase a Miramar. Entretanto llevé a cabo algunas tareas menores: rompí la cruz que había sobre mi cama, eché al inodoro las estampas y me limpié con el traje de comunión como si fuera papel higiénico, tirándolo después a la basura.

Supe que los Molina ya se habían ido a Miramar y entonces la convencí a abuela Elena para que telefoneara a las viejuchas Carrasco. Salí al otro día, llegué a Miramar cerca de la hora de comer y tuve que seguir viaje a la estancia en el auto que me esperaba, sin poder ver ese día a Marcos.

Esa noche no pude dormir.

El calor es insoportable y pesado. La luna, casi llena, está rodeada de un halo amarillento como de pus. El aire está cargado de electricidad y no se mueve ni una hoja: todo anuncia la tormenta.

Alejandra da vueltas y vueltas en la cama, desnuda y sofocada, tensa por el calor, la electricidad y el odio. Hasta que por fin, no aguantando más, se levanta. La luz de la luna es tan intensa que en el cuarto todo es visible. Alejandra se acerca a la ventana y mira la hora en su relojito: las dos y media. Entonces mira hacia fuera: el campo aparece iluminado como en una escenografía nocturna de teatro; el monte, inmóvil y silencioso, parece encerrar grandes secretos; el aire está impregnado de un perfume casi insoportable de jazmines y magnolias. Los perros están inquietos, ladran intermitentemente y sus respuestas se alejan y vuelven a acercarse, en flujos y reflujos. Hay algo malsano en aquella luz amarillenta y pesada, algo como radioactivo y perverso. Alejandra tiene dificultad en respirar y siente que el cuarto la agobia. Entonces, en un impulso irresistible, se echa descolgándose por la ventana. Camina por el césped del parque y el Milord la siente y le mueve la cola. Siente en la planta de sus pies el contacto húmedo y áspero-suave del césped. Se aleja hacia el lado del monte, y cuando está lejos de la casa, se echa sobre la hierba, abriendo todo lo que puede sus brazos y sus piernas. La luna le da de pleno[29] *sobre su cuerpo desnudo y siente su piel estremecida por la hierba. Así permanece largo tiempo: está como borracha y no tiene ninguna idea precisa en la mente. Siente arder su cuerpo y pasa sus manos a lo largo de sus flancos, sus muslos, su vientre. Al rozarse apenas con las yemas sus pechos siente que toda su piel se eriza y se estremece como la piel de los gatos.*

Al otro día, temprano, ensillé la petisa y corrí a Miramar. No sé si te dije ya que mis encuentros con Marcos eran siempre clandestinos, porque ni su familia me podía ver a mí, ni yo los tragaba a ellos. Sus hermanas, sobre todo, eran dos taraditas cuya máxima aspiración consistía en casarse con jugadores de polo y aparecer el mayor número de veces en *Atlántida*[30] o *El Hogar*.[30] Tanto Mónica como Patricia me detestaban y corrían con el chisme en cuanto me veían con el hermanito. Así que mi sistema de comunicación con él era silbar bajo su ventana, cuando yo imaginaba que podía estar allí, o dejarle un mensaje a Lomónaco, el bañero. Ese día, cuando llegué a la casa, se había ido, porque no respondió a mis silbidos. Así que fui hasta la playa y le pregunté a Lomónaco si lo había visto: me dijo que se había ido al Dormy House y que recién volvería a la tarde. Pensé por un momento en ir a buscarlo, pero desistí porque me comunicó que se había ido con las hermanas y

[29] *La luna le da de pleno*—The moon strikes her full. [30] *Atlántida; El Hogar*—Argentine publications.

otras amigas. No quedaba otro recurso que esperarlo. Entonces le dije que yo lo esperaría en Piedras Negras a las seis de la tarde.

Bastante malhumorada, volví a la estancia.

Después de la siesta me encaminé con la petisa hacia Piedras Negras. Y allá lo esperé.

La tormenta que se anunciaba desde el día anterior se ha ido cargando durante la jornada: el aire se ha ido convirtiendo en un fluido pesado y pegajoso, nubes enormes han ido surgiendo durante la mañana hacia la región del oeste y, durante la siesta, como de un gigantesco y silencioso hervidero han ido cubriendo todo el cielo. Tirada a la sombra de unos pinos, sudorosa e inquieta, Alejandra siente cómo la atmósfera se está cargando minuto a minuto con la electricidad que precede a las grandes tempestades.

Mi descontento y mi irritación aumentaban a medida que transcurría la tarde, impaciente por la demora de Marcos. Hasta que por fin apareció cuando la noche se venía encima, precipitada por los nubarrones que avanzaban desde el oeste.

Llegó casi corriendo y yo pensé: tiene miedo de la tormenta. Todavía hoy me pregunto por qué descargaba todo mi odio a Dios sobre aquel pobre infeliz, que más bien parecía adecuado para el menosprecio. No sé si porque era un tipo de católico que siempre me pareció muy representativo, o porque era tan bueno y por lo tanto la injusticia de tratarlo mal tenía más sabor. También puede que haya sido porque tenía algo puramente animal que me atraía, algo estrictamente físico, es cierto, pero que calentaba la sangre.

—Alejandra—dijo—, se viene la tormenta y me parece mejor que volvamos a Miramar.

Me puse de costado y lo miré con desprecio.

—Apenas llegás—le dije—, recién me ves, ni siquiera tratás de saber por qué te he buscado y ya estás pensando en volver a casita.

Me senté, para quitarme la ropa.

—Tengo mucho que hablar contigo, pero antes vamos a nadar.

—Estuve todo el día en el agua, Alejandra. Y además—añadió, señalando con un dedo hacia el cielo—mirá lo que se viene.

—No importa. Vamos a nadar lo mismo.

—No traje la malla.

—¿La malla?—pregunté con sorna—. Yo tampoco tengo malla. Empecé a quitarme el blue-jean.

Marcos, con una firmeza que me llamó la atención, dijo:

—No, Alejandra, yo me iré. No tengo malla y no nadaré desnudo, contigo.

Yo me había quitado el blue-jean. Me detuve y, con aparente inocencia, como si no comprendiera sus razones, le dije:

—¿Por qué? ¿Tenés miedo? ¿Qué clase de católico sos que necesitás estar vestido para no pecar? ¿Así que desnudo sos otra persona?

Empezando a quitarme las bombachas, agregué:

—Siempre pensé que eras un cobarde, el típico católico cobarde.

Sabía que eso iba a ser decisivo. Marcos, que había apartado la mirada de mí desde el momento en que yo me dispuse a quitarme las bombachas, me miró, rojo de vergüenza y de rabia, y apretando sus mandíbulas empezó a desnudarse.

Había crecido mucho durante ese año, su cuerpo de deportista se había ensanchado, su voz era ahora de hombre y había perdido los ridículos restos de niño que tenía el año anterior: tenía dieciséis años, pero era muy fuerte y desarrollado para su edad. Yo, por mi parte, había abandonado la absurda faja y mis pechos habían crecido libremente; también se habían ensanchado mis caderas y sentía en todo mi cuerpo una fuerza poderosa que me impulsaba a realizar actos portentosos.

Con el deseo de mortificarlo, lo miré minuciosamente en cuanto estuvo desnudo.

—Ya no sos el mocoso del año pasado, ¿eh?

Marcos, avergonzado, había dado vuelta su cuerpo y estaba colocado casi de espaldas a mí.

—Hasta te afeitás.

—No veo nada de malo en afeitarme—comentó con rencor.

—Nadie te ha dicho que sea malo. Observo sencillamente que te afeitás.

Sin responderme, y quizá para no verse obligado a mirarme desnuda y a mostrar él su desnudez, corrió hacia el agua, en momentos en que un relámpago iluminó todo el cielo, como una explosión. Entonces, como si ese estallido hubiese sido la señal, los relámpagos y truenos empezaron a sucederse. El gris plomizo del océano se había ido oscureciendo, al mismo tiempo que el agua se embravecía. El cielo, cubierto por los sombríos nubarrones, era iluminado a cada instante como por fogonazos de una inmensa máquina fotográfica.

Sobre mi cuerpo tenso y vibrante empezaron a caer las primeras gotas de agua; corrí hacia el mar. Las olas golpeaban con furia contra la costa.

Nadamos mar afuera. Las olas me levantaban como una pluma en un vendaval y yo experimentaba una prodigiosa sensación de fuerza y a la vez de fragilidad. Marcos no se alejaba de mí y dudé si sería por temor hacia él mismo o hacia mí. Entonces él me gritó:

—¡Volvamos, Alejandra! ¡pronto no sabremos ni hacia dónde está la playa!

—¡Siempre cauteloso!—le grité.

—¡Entonces me vuelvo solo!

No respondí nada y además era ya imposible entenderse. Empecé a nadar hacia la costa. Las nubes ahora eran negras y desgarradas por los relámpagos y los truenos continuos, parecían venir rodando desde lejos para estallar sobre nuestras cabezas.

Llegamos a la playa. Y corríamos al lugar donde teníamos la ropa cuando la tempestad se desencadenó finalmente en toda su furia: un pampero salvaje y helado barría la playa mientras la lluvia comenzaba a precipitarse en torrentes casi horizontales.

Era imponente: solos, en medio de una playa solitaria, desnudos, sintiendo sobre nuestros cuerpos el agua aquella barrida por un vendaval enloquecido, en aquel paisaje rugiente iluminado por estallidos.

Marcos, asustado intentaba vestirse. Caí sobre él y le arrebaté el pantalón.

Y apretándome contra él, de pie, sintiendo su cuerpo musculoso y palpitante contra mis pechos y mi vientre, empecé a besarlo, a morderle los labios, las orejas, a clavarle las uñas en las espaldas.

Forcejeó y luchamos a muerte. Cada vez que lograba apartar su boca de la mía, barboteaba palabras, ininteligibles pero seguramente desesperadas. Hasta que pude oír que gritaba:

—¡Dejame, Alejandra, dejame por amor de Dios! ¡Iremos los dos al infierno!

—¡Imbécil!—le respondí—. ¡El infierno no existe! ¡Es un cuento de los curas para embaucar infelices como vos! ¡Dios no existe!

Luchó con desesperada energía y logró por fin arrancarme de su cuerpo.

A la luz de un relámpago vi en su cara la expresión de un horror sagrado. Con sus ojos muy abiertos, como si estuviera viviendo una pesadilla, gritó:

—¡Estás loca, Alejandra! ¡Estás completamente loca, estás endemoniada!

—¡Me río del infierno, imbécil! ¡Me río del castigo eterno!

Me poseía una energía atroz y sentía a la vez una mezcla de fuerza cósmica, de odio y de indecible tristeza. Riéndome y llorando, abriendo los brazos, con esa teatralidad que tenemos cuando adolescentes, grité repetidas veces hacia arriba, desafiando a Dios que me aniquilase con sus rayos, si existía.

Alejandra mira su cuerpo desnudo, huyendo a toda carrera, iluminado fragmentariamente por los relámpagos; grotesco y conmovedor, piensa que nunca más lo volverá a ver.

El rugido del mar y de la tempestad parecen pronunciar sobre ella oscuras y temibles amenazas de la Divinidad.

CARLOS DROGUETT

(CHILE 1915)

Droguett es conocido especialmente por dos extrañas novelas: *60 muertos en la escalera* (1953), laureada con un premio de la Editorial Nascimento, y *Eloy* (1960), ganadora del Premio Fomentor en España. Ajeno a la vida social de los escritores chilenos, Droguett mantiene una posición de agresivo individualismo. Famosos son en Chile los artículos con que responde a los críticos de su obra. De su vida sabemos solamente que reside en Santiago y que trabaja en algún cargo oficinesco. Como escritor Droguett se interesa fundamentalmente en dos temas: la violencia y la muerte. En sus dos novelas recoge de los fondos de la miseria popular chilena una vitalidad acongojada que llega a ser monstruosa en su desorden y su inocencia. La asociación libre de ideas, el tumulto de impresiones, sueños y amarguras, el duelo de pasiones escondidas, son elementos que contribuyen a dar forma al estilo de Droguett. *Eloy* es una obra en que los signos misteriosos del genio popular se subliman al enfrentarse con la tragedia y se transforman en esencias poéticas. Ante el golpe de una muerte violenta y brutal los héroes de Droguett parecen descubrir la belleza de la vida y la voluntad de permanencia del hombre en la tierra. En 1961 Droguett publicó una novela histórica, *100 gotas de sangre y 200 de sudor* que, según su propio testimonio, es sólo parte de una obra más vasta. En ella arrasa con toda idealización romántica de la Conquista española de América. «La aventura de la conquista de América—ha dicho Droguett—tiene ese aspecto endemoniado, ese amontonamiento terrible del Apocalipsis y del Juicio Final. Todo ocurre lentamente; esos trescientos años de horror parecen tres mil años, y los indios y los españoles, almas en pena, afiebradas a gran temperatura, espectros de pesadillas, sub-hombres o super-hombres que sufren y, sobre todo, que saben que están sufriendo.» Droguett, escritor solitario, robustamente regional y caótico, es uno de los auténticos valores de la novela chilena contemporánea.

OBRAS

NOVELAS: *60 muertos en la escalera*, Santiago, 1953. *Eloy*,

Barcelona, 1960. *100 gotas de sangre y 200 de sudor*, Santiago, 1961.

Magallanes[1]

1

El bar

En el recinto había mucho humo, hacía calor, había mucho ruido. Magallanes veía los rostros sudados de los jugadores, las camisas sucias emergiendo entre las humaredas y los golpes suaves de los dados rodando por las mesas, miraba los escupitines que se proyec-
5 taban directamente hacia sus ojos cansados, se miraba las manos, que tenía sueltas, desmadejadas encima de la mesa. Molestaban en su actitud pasiva y humillante, como esperando un bastón, una sonrisa que vinieran a recordarles que estaban vivas. Suárez se las empujó hacia el vacío, las recogió temeroso y las apegó contra su
10 ropa. La ropa estaba mojada. Vino, es vino, se dijo y sintió que la garganta le parpadeaba dolorosamente. Ellos lo estaban mirando. Ya estaban las luces encendidas y su luz siniestra descendía sobre ellos. Suárez acercó su rostro, lo sentía metido en sus ojos, en sus recuerdos más íntimos, en sus desfallecidos temores.
15 —¿Qué edad?—le preguntó Suárez.

—35, 38 años—contestó con suavidad, y de repente le alegró la pregunta. Era como si hubieran abierto una puerta hacia el campo, hacia el viento fresco de la cordillera y los campos de Rautén y Quillota[2] en donde pasó su infancia. Sintió el claro sonar de los
20 dados en las mesas, el ruido tintineante de los vasos. La cara de Suárez estaba fija, detenida frente a él, esos ojos amarillentos que no parpadeaban.

—¿Buena salud?—preguntó, bajando la voz, echando las palabras entre los naipes, golpeándolas suavemente contra las copas,
25 estirando las manos y acercándose hacia él por encima de la mesa.

[1] Unpublished. [2] *Quillota*—Quillota is a department in the province of Valparaíso, Chile.

Magallanes comenzó a transpirar, recogió las piernas, las atraía hacia sí, como escondiéndolas, como protegiendo todo su ser para no dejarlo a merced de Suárez, del humo, del ruido de los vasos y el vino. Sacó un pañuelo albo y, esponjándolo, se lo pasó por el pescuezo. Desde su albura miró a Suárez.

—Ha estado 15 años enferma,—se quejó con tristeza, con pesadumbre, casi con terror. Veía el brazo descarnado estirarse en la oscuridad para coger las píldoras, el vaso con agua que le había dejado él a las dos de la mañana cuando subió la escalera y traía los zapatos empapados. Sentía el leve quejido, hasta agradable, vuelto hacia la pared, meterse entre las flores del empapelado.

Respiró con tranquilidad y se echó hacia atrás en la silla, mirando a Suárez, sonriendo con dulzura, pero también con seguridad.

—15 años es mucho tiempo, tienes una terrible paciencia, niño, —dijo gravemente Suárez y cogió el jarro y vertió vino en el vaso y se lo empujó con terrible indiferencia. Él miró el jarro de vino, miró el vaso, miró a Suárez.

—15 años es bastante tiempo, entonces éramos jóvenes,—dijo con un estremecimiento, sabiendo que bordeaba intensos recuerdos, un tiempo muerto y ya enterrado. Sabía que antes había estado muy enamorado, apasionado, lleno de fuego, de esperanzas, de maravillosos proyectos. Ahora, aquí estaba Suárez, esos amigos borrosos y amenazadores, y él hundido entre ellos, amarrado por el vino, por los naipes, por el ruido de los dados, por el olor de las empanadas fritas y de las carnes que giraban asándose a la entrada del recinto. Afuera hacía frío y el cielo estaba alto y puro.

—Sí, eres un sentimental, todos lo somos, algunos con cierta frialdad, de puro miedosos,—dijo Suárez y bebió su vino y ya no lo miraba.

—¿Tienes que preguntar algo más?—balbuceó lentamente, lleno de audacia y reto.

—Hay que preguntar mucho cuando hay que hacer un trabajo peligroso—dijo Suárez.—¿No lo harías tú, no preguntarías cosas de seguridad y terror?—. Le tornó toda la cara de repente y movió la silla para acercársele, pues estaba sentado frente a él. Recogió con premura los naipes, los metió unos en otros barajándolos hacia dentro, hacia las preguntas más difíciles y terribles, hacia la oscuridad, pues hacían falta las tinieblas, hay que apagar las luces, todas las luces y no hacer ruido, que no crujan los peldaños, que no golpeen los zapatos sobre las tablas; finalmente, habría que subir descalzos, golpeando los cuchillos, revólveres y menesteres contra las piernas temblorosas y ajustadas.

—Trabajo, trabajo, esto es un trabajo, el mejor de tu vida, el más alegre y evidente—agregó,—y estos muchachos nos ayudarán a hacerlo perfecto.

Había suavidad y fineza en las palabras de Suárez, sus ojos se habían dulcificado con el vino, sus labios estaban más delgados, pudiera ser que más vengativos e implacables, pero también más distinguidos.

—Te ayudaremos, mereces que te ayudemos—dijo,—has esperado mucho, 15 años son demasiados para tus hombros débiles.

Él suspiró y sentía que realmente tenía unas espaldas enfermizas, frágiles, dispuestas siempre para la neumonía o la tuberculosis. Solía toser en las noches y enterraba sus labios en la almohada para no sentirla moverse en la cama y alzarse pálida y delgada en la oscuridad y buscar los fósforos y la palmatoria y preguntarle si estaba enfermo. Él se hundía en la almohada hacia la niñez, hacia su padre que a esa hora estaba trabajando en la línea, hacia los cerros de Coquimbo, hacia los llanos florecidos de Rancagua.

—¿No podría hacerse de otro modo?—preguntó y de repente lo avergonzó la pregunta.

Suárez se rio con suavidad, para hacer más humillante su situación. Jacinto se puso de pie y se reía hacia arriba, hacia las luces del techo, hacia los aguafuertes que adornaban las paredes, hacia el mozo que se aproximaba llevando una batería tintineante de vasos de chicha con naranja. Pasó a su lado mirándolo con lástima y simpatía.

—¿Cómo lo harías tú?—preguntó Suárez con tranquila voz, un poco sarcástica o ingenua.

—Suárez, ¿cómo lo harías?—preguntó él con miedo, pero deseoso al mismo tiempo de acercarse hacia el misterio y la peligrosidad.

—Nosotros no sabemos como lo haremos—contestó Suárez,—estas cosas no salen nunca bien cuando las escribes en papeles y las dibujas en un mapa. Dejemos todo a los nervios y aun al terror, a la improvisación, amigo mío. Tal vez ella se defienda,—dijo bajando la voz, casi poniéndola triste,—y eso es una posibilidad que no podemos olvidar. Si tú lo deseas, si lo deseamos nosotros, tiene que salir bien. 15 años, Magallanes, 15 años, ¿no te parece un terrible tiempo?

—Nunca me pareció tan terrible—dijo él, bebiendo el vino lentamente, pero comprendiendo que mentía y que había sido, en realidad, un espantoso tiempo.

Has dejado tu carne entre las zarzas, prendidos girones de tus párpados en las luces de la imprenta, trozos de tus manos en las máquinas de escribir de la Dirección del Tránsito, tus pulmones en algunos sitios de diversión, en los bailes de la Universidad, en los urinarios de la calle Argomedo, cuando deseabas llevar una vida alegre y descubriste que te sería fácil bailar durante treinta años cogido a la cintura de una rubia, la Rosario Acuña, Dios mío, Dios mío, ¿en qué calle era, dónde vivían entonces?, se preguntó y miró a Suárez.

—¿No hay más preguntas, Suárez, en tu encuesta para un correcto asesinato?—. Su sonrisa era fría y cruel, pues sabía que ya no había esperanzas, aunque vagamente deseaba que la hubiera.

—Sí, hay más, pero no queremos formularlas si no estás conforme con nuestro trabajo—le dijo Suárez y, cogiéndolo por la solapa, lo atrajo con suavidad hacia él, con una suavidad impregnada de fuerza y amenazas.

Él cogió las manos de Suárez y sintió que las tenía transpiradas, temblorosas y frías. Tuvo un poco de asco, de miedo, y esperó que le hablara. Respiró intensamente y se bebió todo el vino. Todo eso era una respuesta, ¿cómo no se daban cuenta?

—¿Segundo piso?—preguntó Suárez.

—Segundo, hay un pasillo largo al final de la escalera, hacia la derecha hay una galería de vidrios. Por ellos entra ahora la luna,—suspiró mirando la camisa blanca brillar en la oscuridad.—Hay un teléfono en el pasillo, no tropiecen con él.

—Un teléfono es respetable y peligroso, no tropezaremos, menos si hay luna, menos si estás despierto tú.

—¿Tendré que estar en la casa?—preguntó y se puso a temblar.

—¿Cómo, señor?—dijo Suárez con brusquedad.—¿En la casa, dices, en la caseta del perro, en la mesita del teléfono? Tendrás que estar en la cama, junto a ella, lo sabes perfectamente ¡y no te hagas el huevón!

—¿No hay otras fórmulas?—Sus dientes castañeteaban suave, con terror. Tenía la piel tensa y dura.

—¡Vamos a prepararte un ungüento maravilloso para darte años de vida y prosperidad y quieres escoger entre muchas fórmulas la más fácil y barata! No soy Alí Babá, ni Aladino, ni el maravilloso escurridizo Houdini, no soy un santo monstruoso y milagroso, ni un saltimbanqui, ni un titiritero, soy un pobre hombre que anda buscando unas cuantas monedas, unas monedas de tranquilidad ¡para tí, Magallanes!—dijo desesperado o urgido.—Piénsalo bien, tal vez tengas otros horribles 15 años que esperar inútilmente, noche a noche, moneda a moneda economizada y gastada lentamente, paladeando tu miseria poco a poco. O quizás sean 20 años, huaina.

—Yo no pido tanto, yo no exijo nada,—contestó con suavidad y firmeza.—Pero, ¿por qué tengo que estar acostado también?

—¿No lo has estado 15 años? Haz un esfuerzo, amigo mío, y tiéndete a su lado una noche más, ni siquiera toda la noche, sólo un par de horas, una media hora. Tendrás la vida libre al otro lado, después que nos hayamos ido por la escalera.

—Tendrán que pegarme mucho, sacarme sangre, dejarme visiblemente herido—dijo él en un esfuerzo y ahora sonreía y Suárez veía sus bellos dientes.

—Lo haremos, lo haremos, no te preocupes, eso forma parte de la honestidad de nuestro trabajo, tu sangre es nuestra garantía, te dejaremos gravemente herido si podemos y tú lo permites y no te ofendes.

Magallanes tenía ahora los labios sonrosados, parecía lleno de vida, hasta empujó el vaso para que Suárez se lo llenara.

—Verás qué poco cuesta estar bien acostado con buena voluntad—dijo Suárez, vaciando lentamente el vino y mirándole con ternura y desprecio la cara, el pescuezo enflaquecido, los bellos dientes de adolescente.

—¿Qué edad tienes?—preguntó con respeto.

—El mes próximo cumpliré 30—dijo él.

—Te tendrá guardado su regalo, después lo encontrarás seguramente, al hacer el arqueo de las cosas—dijo Suárez y no había burla en ello sino una simple y soberana seguridad, una mezcla armoniosa de amistad y de cálculo.

—Siempre me compra corbatas, claras y frescas en el verano, esponjadas y carnosas en el invierno, me las trajo de Valparaíso, de los barcos italianos que se asoman a la bahía, cuando me operaron la hernia y estaba en el campo y de la calle Florida, en Buenos Aires y también del norte, cuando trató de volar hasta Arequipa, pero se enfermó en el hotel y me llamaron por teléfono.

—¿Tienes muchas?

—Unas quinientas u ochocientas—respondió con orgullo, pues al fin comprendía que tenía una seguridad sobre Suárez y que podía lucirla.

—A veces, en las noches, mientras ella se queja y me pide las píldoras y en vez de dos le hago tragar cuatro, para que se duerma luego y cierre los ojos y se queje quedo, saco las cajas, deshago los paquetes y dejo relumbrar en la luz tenue de la vela las corbatas que aún no me he puesto, crujen los papeles plateados, las fundas de seda en mis manos y ella se da vuelta en la oscuridad y se queja suavemente y asoma una sonrisa radiosa entre sus labios enfermos. La conocí en una fiesta de matrimonio, en la calle de la catedral, en 1938, éramos muy jóvenes los dos y ella gordita y llena de risas, tenía una hermosa cabellera castaña y en ella un clavel, pues era verano y hacía calor aquella noche.

—¡Eres soñador!—le sonrió Suárez con simpatía—quizás podrías tener desparramadas las corbatas en la cama esa noche, en el suelo, por todo el pasadizo, para que no nos sientas venir.

—¿No debo sentirlos yo? ¿Debo estar sentado o tendido?

—Amorosamente tendido, idiota—contestó con suavidad y con verdadero desprecio Suárez.—Si pudieras enamorarla hacia las diez, nos darías menos trabajo, Magallanes, sé bueno, amigo mío, y sé agradecido, sobre todo.

—Ella me da náuseas y especialmente lástima—explicó él en un susurro, pero nada de eso valía, nada era verdad, sólo tenía miedo.

5 —Esto es peligroso,—agregó con esperanza.

—¿Qué cosa es peligrosa?—preguntó Suárez, mostrando sus dientes ávidos y carniceros y comprendió él que deseaba alzar la voz pues siempre hacía lo mismo, por ejemplo aquella noche, en el pasado otoño, cuando él habló del reloj con cadena, del guar-10 dapelo y del abanico de nácar. Ofreció esas maravillas a la tentación de Suárez y después empezó a sentirse atemorizado, orgulloso, y, al mismo tiempo, lleno de recelo. Suárez había gritado con toda la boca[3] y llamó al mozo y el mozo extendió la bandeja desocupada para poner en ella el escándalo y el reloj y el abanico y los aretes de 15 esmeraldas. ¿Lo ves?, había preguntado Suárez. ¿Lo ves? Es un pobre tipo, bueno en el fondo, tímido y maricón en la superficie, lleno de porquerías adentro, en realidad nada de tonto y muy listo, pues quiere y no quiere robarle a la mujer. Inquietantemente, es un ladrón y quiere enviudar de una mujer enferma y rica.

20 —Hace años que quieres enviudar—le recordó con simpatía, suavizando la voz y sonriéndole.—Ahora te ocurrirá, muchacho, juro que llegó tu hora.

—No soy un muchacho, ni siquiera un hombre joven, sólo un pobre ser anónimo, un miserable deseoso de vivir.

25 —Vivirás, vivirás, Dios es testigo de que vivirás mucho e intensamente—dijo Suárez y parecía ahora más grande y más recio, mucho más bueno. Vertió vino en los vasos. Jacinto arrastró la silla y la apegó a él, alzó la respiración con tiento[4] y la vertió sobre la mesa, lo miró desde su camisa encarnada, lo estaban mirando. 30 A él le temblaban las manos y no decía nada, el ruido de las risas empapadas y de las conversaciones le alborotaba en las orejas, tenía quizás un poco de dolor de cabeza y también sueño. Dormiré esta noche, tengo que dormir esta misma noche, se decía, deseando sentir ya el roce helado de las sábanas, apagaré la luz y me que-35 daré mirando hacia afuera. Suárez alzó la copa y le dijo algo, él lo

[3] *con toda la boca*—full blast; quite loudly. [4] *con tiento*—carefully.

miraba con la boca abierta, deseaba sentir otros ruidos, los ruidos de esta noche, el del viento trepando hacia la ventana entre los árboles y el del edificio en construcción de la vereda de enfrente, cuando se llaman en la oscuridad los albañiles buscándose con linternas. Respiró y el vino iba hacia él, le remecía su perfume 5 cálido y abierto en las narices. Jacinto le dijo lentamente, acercando hacia sus ojos su rostro, su pelo liso y despeinado:

—¡Serás feliz, deseamos tanto que lo seas!—Se lo decía con dejación y lástima, como se le desea salud a un moribundo, esperanzas y hermosos trajes a un fusilado. Jacinto no le gustaba, esa 10 cara tropical y brillosa, esa voz pastosa y húmeda, arrastrada. Bebió en silencio.

—Sí, me acostaré junto a ella, deberé atenderla, lo comprendo perfectamente, es casi mi obligación.

—Lo es, animal, lo es completamente, no seas bárbaro, hazte 15 humano y no débil—dijo Suárez y miró él las manos de Suárez agarradas ambas al plato de sopa, su cara se diluía en el humo y parecía un poco esponjada y temerosa.

—Sí que lo haré.

—Sí que lo harás, estarás con un moribundo, con un senten- 20 ciado, ¿te portarás atento o no, sabiendo que después serás solo y feliz?

—¡Preferiría ser feliz, pero no tan solo!—balbuceó.

—No hables, Magallanes, guarda tus palabras y tus lamentos para después, tendrás que lamentarte mucho, a través de esa lenta 25 y pausada cercanía hacia la tranquilidad, a través de los estertores y los grillos y las sospechas y los silencios y las puertas y las cadenas y los candados y las preguntas secas y las respuestas secas y las baldosas húmedas y ciertos trozos fríos de oscuridad. No te podemos ofrecer sino esta felicidad sin adornos, pero vale la pena, 30 la habrás hecho tú, la habremos hecho nosotros, 15 años te demoraste en lograrla, diez minutos y treinta y dos escalones nos habremos demorado en entregártela, te la dejaremos donde puedas cogerla, pero no debes tocar nada, debes gritar o quedarte quieto, grita si puedes, grita con toda tu alma, tienes que poder gritar, si 35 no no vale, si no tienes un terror sincero, un verdadero y auténtico dolor, una feroz implacable herida, una herida sangrante durante 15 años, no podrá ser.

—Soy pobre y habrá que hacerlo, necesito dineros, viajes, restaurantes elegantes, las limpias cubiertas de un barco de lujo,[5] una noche completamente silenciosa en aquel hotel construido a la orilla del mar, sobre las rocas—dijo,—hazlo, Suárez, te lo agradezco, llévate las joyas y el dinero, no los necesito, yo venderé la casa y los trajes, quiero viajar, quiero irme, pero antes dormir una semana entera.

—Dormirás esa misma noche—dijo Suárez con un golpe seco y bebió su sopa sin hacer ruido. Él veía alzarse rítmicamente la cuchara, veía alzarse y bajarse la manga descolorida de Jacinto, veía su propio plato que humeaba bajo su barba y se sentía cansado y lleno de apetito y bríos. Estaba un poco triste, algo desilusionado.

—¿Qué noche?—preguntó, alzando la cara como si se sorprendiera de su propia pregunta.—No será hoy, ¿verdad?—preguntó ávidamente.

—Hoy no, mañana, mañana, a esta hora o un poco más tarde, si te place—dijo Suárez.—Queremos darte tiempo y tratarte como amigo y no como enfermo. ¿Qué hora crees tú?—dijo finalmente.

—¡Cualquiera, Dios mío!—suspiró,—Dios sabe que . . .

—¿Qué sabe Dios, si no es sanguinario? Por lo menos, ahora ya no lo es, se ha desangrado y lavado, es un dios exangüe y dulce, dulzón más bien, un dios para mujeres, Magallanes. ¿Crees en Dios?—preguntó en seguida, sin darle tiempo para apesadumbrarse.

—Estudié en los padres agustinos—dijo él,—a los quince años iba al Mes de María[6] y a la misa del gallo para Navidad[7]—y bajando la voz preguntó:—Suárez, ¿debo creer en Dios?

—Siempre es bueno tener algún sueño—dijo Suárez, sin apegar mucho su voluntad a las palabras, mirando hacia la mampara que se abatía entre los hombres que entraban y los que salían.

—Dios te da un poco de equilibrio, te mete calor en las venas, como el vino,—explicó,—me gustan los rincones penumbrosos de

[5] *barco de lujo,*—luxury liner. [6] *Mes de María*—Catholic religious services dedicated to Mary, the mother of Christ. [7] *misa del gallo para Navidad*—midnight Mass at Christmas.

las iglesias, los pasadizos frescos de los conventos, los patios perfumados y suavemente tropicales o exóticos, sobre todo el sosiego, esa extraterrenidad tan concreta y evidente, la vida sin torpor, sin sobresaltos. Si no me hubiera casado sería lego en algún convento de Limache[8] o Talca.[8] No, no debí casarme—dijo con pesadumbre. 5

—Luego podrás vestir polleras, ahora que te vas a desenredar de esas faldas enfermas—dijo Suárez con rabia, con rabia por él y no por otra cosa, y bebió en silencio su sopa y partió con lentitud su pan, mirando con avaricia hacia la mampara, como esperando con impaciencia a alguien, pero no esperaba a nadie. Él tenía 10 deseos de preguntar otra cosa y comenzó a comer en silencio, pero la sopa estaba tibia y no le gustaba y bebió un largo trago de vino. Quedó mirando a Suárez:

—Las diez y media u once, sería una buena hora—dijo, y ahora estaba seguro de que lo harían bien.—Se me quedará encendida la 15 luz del pasillo, a la entrada,—explicó,—no sería bueno que tropezaran porque yo podría despertar.

—No sería bueno que despertaras—dijo Suárez sin mirarlo y él comprendía que así lo amenazaba más.

—¿No se te quedará abierta la puerta de calle?—preguntó de 20 inmediato, sin ironía, más bien con deseos de encontrarlo en falta, como si debiera recitar sin tropiezos una lección difícil.

—La dejaré con doble llave y con la cadena corrida,[9] por la puerta nadie podrá entrar,—calculó en voz alta y sabiendo que deseaba ahora que no entraran y temiendo que de todas maneras 25 lo hicieran.

—Empujaremos la ventana—dijo Suárez, el Jacinto es muy silencioso y lo hará sin ruido, como un gato, no temas, no necesitarás despertar.

—No se olviden de hacer ruido antes de entrar al dormitorio— 30 explicó vivamente, deseoso de que no lo olvidaran.

—Haremos un formidable escándalo, seremos un par de borrachos insomnes deseosos de encontrar las llaves y la cama y el lava-

[8] *Limache; Talca*—Limache is the capital of the department of the same name in Chile; Talca is a city in southern Chile. [9] *La dejaré con . . . corrida,*—I'll leave it locked, bolted, and barred.

torio y la bacinica, creo que dejaremos caer al suelo el teléfono. Pero tú la harás dormir, serás leal y bueno—agregó como en una orden, ganoso de apresurar todo.—La enamorarás y no te costará mucho, será tu última noche.

5 —No, no me costará nada, creo que todavía la quiero un poco—dijo, y comenzó a ponerse nervioso y la veía tendida en la oscuridad, tornando la cara hacia la puerta cuando lo sentía subir los escalones.

—Harás una gran obra, una obra de misericordia, se quedará 10 cansada en tus brazos, muerta de amor si está enferma, no tendremos que forzar mucho para hacer lo nuestro si tú ya la has extenuado y dejado mirando hacia el otro mundo.

Así se quedan los amantes, juro que así es, dijo para sí, viven vueltos hacia la muerte, salidos de la vida y mirando en el futuro 15 los próximos años llenos del sol y de las flores de la primavera, por eso no les importa morir, porque están tan cerca de la muerte como del amor, los amantes son los únicos muertos felices.

—Tal vez sea mejor después de las once, lo podré hacer mejor y más naturalmente mientras más se demoren ustedes—dijo, deseando 20 que se demoraran mucho y deseando, también, pedirles que, por caridad, no lo hicieran, pues tenía terror de haber contado aquello y de haber propuesto ese trabajo, con la esperanza de que Suárez se asustara y no quisiera hacerlo.

—La muerte pasa siempre a nuestro lado, va por las calles dando 25 topetones, tocando nuestras rodillas y nuestros codos en las aglomeraciones, respirando ansiosa a nuestro lado y deslizándose sin mirarnos, sin que le importemos; pasan los años y cualquier mañana, cualquiera noche, bajo la luz de una vitrina, en la oscuridad de un cinematógrafo, de repente torna la cara hacia nosotros 30 como si ahora, no más, nos recordara y ya no nos suelta—dijo Suárez y parecía gozoso, por lo menos tranquilo al hablar de la muerte.

Él tuvo un escalofrío y miró el vaso vacío sin desear beber más. Tal vez pueda matarlo yo a él antes de que él alcance a sacar el 35 revólver, se aseguró, tal vez pueda hacerlo; dejaré muy oscuro todo, lo echaré todo a perder, pero lo mataré, tal vez deba matarlo y por eso se me ha ocurrido todo este enredo triste.

—Silbaremos largamente antes de subir, te daremos esta facilidad—, dijo Suárez, como hablando para sí, o como recordando a alguien,—y como la noche estará hermosa, deja la ventana abierta, 5 déjala que respire un poco el perfume de los aromos y de los rododendros.

—Estaremos largo rato en el balcón, se pondrá feliz cuando se lo pida—dijo él, sintiéndose feliz y pensando que tal vez así podría evitar todo. 10

—No me costará verlos a ustedes, pues tengo estupenda vista—agregó,—he trabajado de noche todos estos años y veo mejor en la oscuridad que en la luz. Los esperaré hasta que brillen sus cigarrillos en la esquina.

—Bueno, por ti fumaremos también, para que estés seguro de 15 todo y nada se te olvide.

—¿Ustedes no olvidarán nada tampoco?—preguntó con ironía, cogiendo un coraje que no sentía antes, pues presentía que de algún modo evitaría ese crimen. Sí, lo haré, lo haré, he estado loco todos estos días, se dijo y adivinaba que se ponía pálido y estaba teme- 20 roso de que lo descubrieran.

—Nosotros empezaremos a recordar después que te acuerdes tú, tú apareces en los dos primeros cuadros y nosotros sólo en el último—dijo Suárez,—verás, si trabajamos poco pero atrozmente, incluso en la oscuridad, somos los agoreros del drama, los porta- 25 dores de la palabra de venganza y de la gota de veneno, tú eres el verdadero protagonista, el frágil mancebo que enamoró a su dama para llevarla hasta la muerte—se rio Suárez con esa horrible risa desolada.

Él se rio también, pero sin ganas, no porque estuviera enojado, 30 sino porque sabía que Suárez, de todos modos, llegaría hasta la casa y buscaría el pasillo y la puerta del dormitorio y se cercioraría de que él estaba en la cama y buscaría después entre las sábanas, hacia la almohada. Tal vez pudiera luchar con él, tal vez logre matarlo, se dijo y estaba triste y deseoso de irse muy lejos. Suárez 35 le daba la posibilidad. Tendrás dinero, tendrás seguridad, estarás solo y el que está solo está menos solo que el que está amarrado a unos papeles, a una argolla, suspiró.

—¿Resultará, Suárez?—preguntó con voz queda, dejando caer 5 lentas las palabras.

—Ya ha resultado para mí—dijo Suárez con desprecio.—Ya deberías vestir de luto, pobre amigo mío, pobrecito,—agregó con voz arrastrada, y se puso de pie y Suárez era bajo de estatura y con cierta reciedumbre cara a los brutos, con cierta altivez inso- 10 lente que lo hacía más alzado y orgulloso. Estaba con el sombrero puesto y le golpeaba el hombro mostrándole el rostro de los borrachos y el humo de los cigarros y el vaho del licor.

—Mira las coronas, las flores que enviaron tus amigos de la ciudad y el campo. Ahí afuera, a través del vidrio, dentro de cuatro 15 maderas, está tu tranquilidad, no comprendes, estás triste y es natural, estar triste es tu única salvación, mientras más desgraciado y apesadumbrado parezcas, mejor para todos nosotros. Violación y fracturas, demoleremos la puerta y la ventana antes de entrar, parecerá que estábamos apasionados contra el edificio, creo que te 20 tendremos que dejar mal herido para que todo salga perfecto—dijo, y se quedaba a su lado, esperando que él se levantara, y como no lo hacía, le golpeó otra vez el hombro y caminó recto hacia la puerta. Él lo sintió irse, pero no lo miraba. Miraba la mesa. Ahí estaban los vasos, los platos. En el cuenco de una cuchara una 25 cucharada de luz brillaba con tristeza.

2

El dormitorio

Las flores estaban ajadas y feas, las puso en la almohada, junto a su cabeza y vio que estaba despierta todavía. La luz de la noche entraba por la ventana abierta y era una noche fresca y límpida, sin ruidos. Lejos, en alguna parte, hacia los pisos bajos, sonaba la 30 música de una orquesta, se sentían risas tamizadas y trémulas. Ella tenía los ojos abiertos, lo estaba mirando con esa mirada investigadora y fría, crítica y despreciativa que conocía tanto. Pasó sus manos sobre las flores para que ella dijera algo y la miró sin decirle nada, con ojos melancólicos y ansiosos.

—Sí, las flores, trajiste flores—dijo ella y había no desprecio, sino cierta melancolía, cierta lejana queja imprecisa en sus palabras.

—¿No debía hacerlo?—dijo él.

—Debiste hacerlo hace diez años o más—contestó ella y suspiró largamente, echando sus suspiros hacia esos diez años, o más, transcurridos.

Son quince, son quince, dice Suárez, pensó él, Dios mío, y puso sus manos en la frente de ella, que veía tersa y pálida en la luz nocturna. Se sentía triste y ridículo y pobre, se miraba la manga gastada del vestón, miraba el sombrero que había colocado encima de la cama y era una cosa informe, repulsiva y descolorida, como él mismo, como sus deseos, como sus pensamientos e ilusiones.

¡Trajo flores, Dios mío!, dijo ella.

¡Por Dios!, dijo él y quería abrazarla, pues la veía, además, llena de ansias y coqueterías, una coquetería enfermiza y por eso mismo más inasible, misteriosa y deseable.

—¿Qué podía hacer?—le preguntó, pegando su boca al rostro de ella y sentía deseos de sollozar, de besarle, hasta deshacerla, la boca. Ella movió la cara y esquivó sus besos. Había un gesto de repulsión en sus labios, en sus ojos impregnados de odio frío y de conmiseración.

—Has bebido otra vez, siempre llegas bebido, el vino te gotea de las mangas del vestón—dijo con reproche.

—La pobreza me gotea de las mangas del vestón—dijo él lentamente, enumerando y repasando sus desgracias.—Mira mi sombrero ajado y triste como esas flores, mojado como ellas, con el mismo vino, gastado y contaminado como mis sufrimientos.

—Sí, eres pobre, más pobre que yo—dijo ella,—y tú has querido serlo, Magallanes.

Su voz era ahora clara y alegre, no tenía, evidentemente, dolores, ni quejas ni desilusiones, sólo la clara visión de que aquel hombre que estaba junto a ella enredando sus sucios dedos, sus manos descuidadas y envejecidas en sus cabellos, se solazaba en su propia miseria, la esgrimía como argumento, como la grande y pobre posibilidad de salvar su alma, su pequeña alma. ¿Qué hará Magallanes cuando comparezca ante las balanzas de Dios Padre? Echará su vestón manchado y viejo en el platillo, de él colgarán estas mangas deshilachadas y sucias, echará encima un manojo de flores marchitas y húmedas, su barba de tres días hedionda a vino. Movió la cabeza en la oscuridad y se quedó mirando la noche por la ventana abierta. El sombrero cayó al suelo. Él lo quedó mirando y extrajo sus manos lentamente de los cabellos de ella. Veía sus pequeños pechos que se alzaban impulsivamente bajo la camisa de noche, deseosos de llenarse con el aire marino o el aire cordillerano o irse navegando a través de la noche mientras él se hundía en sus propios sudores, en las copas chorreadas de vino, en las empanadas deshechas del restaurant, en la silueta fina, no del todo vulgar, llena de pugnacidad y viveza, de Suárez. Alzaba su mano y cogía el sombrero y veía las piernas de ella, ceñidas contra el viento, desaparecer en la esquina algunos años antes.

—Estás hermosa esta noche—dijo con timidez, adelantando un trozo de audacia en sus labios que temblaban, en sus manos que estaban agarradas a la sábana. Sintió la frescura que emanaba de la ropa planchada y limpia, del perfume que emanaba del cuerpo de ella como desde el hondor de un jardín lejano, casi inexistente. Sentía olor de agua fresca, de flores nuevas. Esta noche soplará el viento desde los jardines del parque, decía para sí, y puso una mano en un pecho de ella. Ella comenzó a reírse con una risa burlona y melancólica, se enderezó un poco en la cama y lo quedó mirando, los labios llenos de risa, los ojos altivos y fríos, con unas ojeras estivales y pasionales.

—Me trajiste flores y eso me hace feliz—dijo y cogió el ramo, hundiendo su cara en él. Tenía sus dos manos apretadas en los tallos de las flores y se reía con una risa nerviosa y desilusionada. Él estaba emocionado, asustado más bien, y no podía disimularlo. Se puso de pie y caminó hacia la ventana. Tenía calor, miraba la noche cálida que venía hacia ellos y se sentía más miserable y más triste, olvidado de todo, alejado de Suárez, del restaurant, de las conversaciones y de las promesas. Lo harán esta noche, esta noche tiene que ser, dijo. Sentía los ojos de ella fijos en su espalda, en sus pantalones arrugados. No, no soy un elegante ni un orgulloso, mis huesos y mi carne no tienen dignidad, mi alma está tan andrajosa, manchada y sudorosa como yo mismo, pensaba, y veía la mandíbula cruel de Suárez metérsele entre los ojos, mostrándole el revólver que había colocado en la mesa, entre los vasos y los platos, mostrándole su pobre y apagada vida. Eres joven y pobre, eres eso porque quieres serlo, no tienes voluntad, Magallanes, no la puedes adquirir con las joyas ni con los billetes de ella, tendrás que adquirirla con un acto de arrojo, con una audacia terrible, le decía maldiciéndolo y burlándose de él.

—¡Magallanes, tú no matarías nunca a nadie, eres un pobre niño grande, deformado y raquítico!

Él había apretado el vaso entre los dedos y lo vació de un trago.

—¡Sí que lo haría, sí que lo haré!—dijo.

—¡Juro que lo haré!—gritó en seguida y cogió la botella y vació el vino en la mesa.

Suárez le sonreía con delicadeza y sabiduría:

—Antes que nada, hay que dejar los nervios en el bolsillo o echarlos en el canasto de la costura—dijo,—son útiles femeninos y peligrosos. Hay que pensar con calma y estudiar las posibilidades como se estudia un negocio o se dibuja el plano de la casa que hace veinte años deseas tener.

—Quince años, sólo quince, Suárez—, corrigió él.

—¿La matarías?—le preguntó de repente, mientras el mozo extendía los platos en la mesa y él veía, a través del humo, la cara estilizada y como borrada de Suárez y el rostro aguzado, desvergonzado y campesino del Jacinto.

—¡Juro por Dios que lo haría!—dijo él y se puso pálido y ellos vieron que estaba muy débil.

—Nosotros lo haremos mejor que tú, somos tus amigos y repartiremos esta audacia como un negocio—dijo Suárez y en seguida le preguntó:

—¿Está enferma?

Él le contestó que había pasado enferma los últimos años y que él no recordaba ya los colores sanos y las carnes apretadas de la muchachita que lo fue a esperar a la estación del puerto aquella tarde de otoño.

Ella estaba sentada en la cama, él se tornó a mirarla y se paseó por la pieza, alejándose hacia la penumbra. Tenía sed y hambre, deseos de hablar también, de decirle lo que jamás le había dicho, cuánto la había amado y deseado, cuánto había esperado de ella, un vuelco de la vida, una locura, una maleta llena de viajes y ropas y libros y corbatas comprados lejos, en Arequipa, en La Habana, en Río de Janeiro o en El Cairo y en Tánger, vestidos de blanco, llenos de sudores sanos, finos, nada de contaminados. Aquí sólo disponía del infectado aire de los bares y restaurantes, del humo de los cigarros pobres, de los platos criollos y conocidos, orlados de grasa fría, mal cocinados, mal digeridos, que se enfrían apresuradamente mientras afuera azota la lluvia los vidrios de la ventana y se atraviesan en el aire las palmadas de los parroquianos llamando a los mozos cuyas bandejas bambolean en lo alto llenas de vasos y platillos.

Se acercó al armario y echando hacia atrás la puerta con espejo, que se golpeó contra la pared, sacó un chal y se lo echó sobre los hombros.

—No te enfríes—dijo y se lo acomodó de manera que luciera la garganta y el pelo se le desparramara hacia la almohada.

—¡Tengo calor!—se quejó con rabia y sin delicadeza ella, y echó el chal en la cama, cuya ropa arrastraba hacia el suelo.

—No lo hemos pasado bien—dijo él,—si hubiéramos tenido hijos tal vez hubiera sido mejor nuestra suerte.

—Habría sido hermoso tenerlos—dijo ella, y había cierta melancolía en sus palabras, un verdadero anhelo, se sonreía aun con sonrojo, todavía esperanzada, todavía esperando.

—Con tus enfermedades no hemos podido vivir como merecíamos—, dijo él con timidez, pero su voz era firme y un poco despreciativa también, aunque estaba refugiado en la penumbra para verla mejor y que no lo pudiera mirar del todo.

—¿Cuáles, cuáles, loco mentiroso?—preguntó ella y su hermosa voz no parecía cansada ni triste, sino un poco distinguida y casi desilusionada.

—Tus abortos, tus dolores de pecho, esa inolvidable angina que trajiste de las termas cuando fuiste con tu madre en el verano del 40—dijo con un poco de burla, deseando estar alegre y que ella también se alegrara. Faltaban tantas horas todavía, tal vez no vengan, tal vez todo sea una broma, estábamos tan borrachos, se dijo.

—Bien sabes que a las termas no fui con mi madre, aunque te habrá sido mucho más agradable y más melancólico desear ignorarlo—, dijo ella con suavidad y alzó la voz de repente y agarró las cortinas de la ventana que el viento ondulaba,—Dios quisiera que ahora, ahora mismo pudiera hacer un viaje largo para olvidar todos esos años espantosos ¡iguales como zapatos o panes de pascua!

—Has estado enferma todos estos años, quieras o no, hayas ido a las termas con tu madre o no—dijo con triste y amenazadora timidez.—Soy un hombre pobre,—agregó con amargura,—visto miserablemente y todo lo que puedo gastar son las mangas de mis vestones—. Y como ella estaba callada y lo miraba lejanamente, un poco sorprendida:

—Dos vestones tengo, llenos de pátina y brillo y bien sé que podría haber tenido otro destino y otros trajes antes de bajarme en la estación aquel horrible atardecer de otoño de 1935.

Ella se bajó de la cama y caminó hacia él y le cogió las manos en la oscuridad:

—¿Qué tienes, Magallanes? ¿Estás enfermo, amigo mío? Tienes canas, estás cansado, gastado y triste. Yo tengo arrugas que escondo y guardo bajo las pastas y los afeites, como guardan los lobos su pitanza bajo la nieve. Estamos solos, ya no tenemos esperanzas, sólo recuerdos, gastados recuerdos, a ellos nos asomamos para mirar los años idos, los pasadizos y los jardines de las termas de aquel verano, las luces de la estación y las maletas de los enfermos y de los novios aquella noche de otoño. ¡Magallanes, estamos juntos y esto no ocurre por nada!

—¡Sí, estamos juntos, por lo menos uno al lado del otro!—dijo con pesadumbre él y le rodeó el talle. Tenía deseos de correr al baño y afeitarse completamente, cambiarse la camisa y los calcetines y los calzoncillos, ponerse un pantalón claro, de franela, y un vestón abierto, de tweed, un abrigo delgado y bajar apresurado con ella hacia las calles centrales y refugiarse en un amable rincón de comedor elegante, junto a las flores y lejos de la orquesta.

—Perdona mi pobreza—le dijo,—no he sabido abrirme camino en la vida, labrarte una casita, comprarte unos muebles y esas ropas y joyas y luces y cristales de que gustan tanto ustedes.

—No importa, Magallanes, nada importa ya, estamos envejeciendo lentamente—dijo ella sin melancolía, pero con una voz seria y triste.—Unos cuantos otoños más y ya estaremos viejos, estamos envueltos por las últimas luces de la temporada que todavía nos permiten vernos no muy viejos ni muy cansados.

—Eres harto joven—dijo él con arrogancia y orgullo,—sólo tus enfermedades te han dado ese aspecto fatigado, y también mi pobreza, sobre todo mi pobreza.

—No hables, no hables,—dijo ella—no has sido un trabajador bestial capaz de abrir un camino en el desierto, ni un esforzado carpintero para derribar alucinado árboles en la selva e imaginar una casa para nosotros, porque ése no era tu destino, pero estamos juntos, y ¿no es bastante, Magallanes?

—Vida mía, ¿es bastante?,—preguntó él bajando la voz en un susurro y sintió su maravilloso aliento que aguardaba, que lo aguardaba a él, quizás. Meses que no rodeaba su cintura, fue para el año nuevo cuando besó su garganta por última vez, las luces de los cohetes iluminaban el balcón y corrían por sus hombros desnudos. Tenía bellas piernas y las sentía apretadas a él, con cierta coqueta y aristocrática lejanía.

—Te he comprado algo, por ahí te tengo un paquete—dijo ella, iluminada con una sonrisa la cara.—No es una corbata, ni dos,—advirtió.

—¿Dónde está eso?—preguntó él con vergonzoso infantil entusiasmo y empujándola con suavidad la sentó en la cama.

—Ya lo he olvidado, tú lo encontrarás después, tendrás que dar vuelta todos los muebles, vaciar los cajones y las cajas y desatar y romper paquetes y reventar cartones y papeles para encontrarlo.

—¡Lo haré, tengo que hacerlo!—dijo sombríamente y él mismo no sabía a qué se refería. Sentía la respiración de ella, adivinaba sus ojos abiertos y expectantes, la noche venía hacia ellos y estaba tibia y sin ruidos. Los árboles se azotaban levemente en la oscuridad y abajo, hacia la esquina, se reía una mujer. Una risa sola y extraña. Sonaba el altoparlante de una radio, se escuchaban voces de vendedores hacia la plaza. Ella estaba tendida en la cama, un pie en el suelo y él, sentado a su lado, le acariciaba distraídamente el brazo y los pechos, se inclinaba hacia ella queriendo descubrir un poco de sueño en sus ojos abiertos, unos ojos enormes, soñadores y sensuales, un poco sarcásticos que lo miraban en la oscuridad con una aterciopelada sorpresa.

—No lo hemos pasado bien estos quince años, amor mío—dijo él y se quitó el vestón y lo dejó en la silla, tras la ventana. Ella lo miraba, los brazos tras la cabeza, los ojos muy abiertos y tibios.

—¡Podías besarme, Magallanes!—dijo.

Él se tendió en la cama y empujó sus piernas contra las de ella, se quitó la corbata y miró la ventana en la que se hinchaba la cortina llena de viento.

—Yo no lo he pasado del todo mal—dijo ella,—a pesar de mis enfermedades, como tú dices.

—Sí, dijo él, sí—con una voz lejana y velada. Tenía un poco de cansancio y sueño.

—Magallanes, ¿realmente he estado muy enferma?—preguntó.

Él sonrió en la oscuridad y veía la cara de Suárez iluminada por la luz de las lámparas que descendían hacia ellos, una cara audaz y débil, empapada en sudor, casi asustada. Algunos jugadores en mangas de camisa los miraban con aire de superioridad y desafío, porque ellos estaban enfundados en sus ropas y en sus tristes y desatinados proyectos, sudando apresuradamente, evaporándose. Suárez sonreía, aguzando sus labios para recoger en ellos la respuesta.

—15 años, 15 años cabales—dijo él, sacando sumariamente la cuenta de aquellas toses y aquellos frascos de remedio y las agujas de las inyecciones y el alcohol alcanforado y el yodo y el anafe que se hundía en la penumbra haciendo resonar el cuenco de porcelana, y los quejidos, los quejidos que se arrastraban en la noche hacia él. Él estaba boca abajo, hundido en la lana del colchón y sentía aquel hilo interminable, inquietante, casi robusto y malhumorado, de los quejidos, se tornaba completamente y abría los ojos, los quejidos se arrastraban por las tablas del techo y se deslizaban lentamente hacia afuera. La vela estaba encendida, la puerta entornada, sentía la lluvia gotear en el techo y el cansado respirar de ella. Dormía con la espalda desnuda, la mano extendida hacia afuera, agarrada a los barrotes del catre. Alargaba él la mano y veía la hora en el reloj despertador. Faltaba un cuarto para las cinco, se sentaba en la cama y se rascaba la cabeza, sintiendo sed y hambre y una creciente angustia, mirando la espalda que se hundía rítmicamente en un suave y muelle quejido.

—Sí, has estado un poquito enferma, unos cuantos años, amiga mía, pero todo se puede arreglar todavía—dijo sin confianza, queriendo escuchar los ruidos que pudieran venir por la escalera, por la ventana abierta. Soy un miserable, un pobre y triste miserable, la he apuñaleado lentamente durante todos estos años, y ahora . . . ¿Hay algo más terrible y disolvente que la miseria?, se preguntó con terror, con verdadero pánico; disuelve la cara que amas, los hermosos ojos, las bellas piernas, carcome los pechos que te hicieron soñador y apasionado, se come ávidamente el cuerpo y sigue con el espíritu, más adentro y más profundo, te muerde las ilusiones, los grandiosos sueños, demuele y carcome los proyectos, devora tu amor, todo tu amor, tu carne y tu sangre, tus lágrimas y risas y sólo te deja un largo reguero de odio pulverizado pegado en el reborde de las tazas rotas, de los platos sucios, de las cucharas pobres de casa de pensión.

Ella tenía una sonrisa serena y condescendiente en los labios, no lo despreciaba, lo comprendía. Está a mi lado, está a mi lado siempre, a pesar de mi pobreza y mi miseria y las noches de licor y juerga, se dijo y miró hacia la calle hundida ya en las sombras tibias de la noche. La noche estaba luminosa y solemne, los árboles, que él no alcanzaba a ver, se remecían suavemente golpeando los vidrios abiertos de las ventanas de un piso más abajo. Se escuchaban conversaciones, ruidos de ruedas de automóviles, la campanilla de un tranvía iba aclarando el pavimento, pasó un vendedor de diarios voceando apresurado, como asustado, sus papeles.

—¡Magallanes, dame un beso!—pidió ella en un susurrar arrastrado que le velaba la voz y se la dejaba tibia y temblorosa.

Antes de contestar, antes de hacerlo, él se puso nervioso y pálido, la quedó mirando con extrañeza, miró las ropas de la cama que descendían desordenadamente hasta el suelo, vio el sombrero en las tablas y caminó para recogerlo; lo disparó con brusquedad hacia el sillón que estaba tras la puerta, se acercó a ella y le acarició el pelo que se desparramaba sobre la almohada. La pieza estaba en penumbra.

—¿Quieres que encienda la luz?—preguntó nervioso.

—¡Bésame, Magallanes!—rogó en un susurro.

Él se tendió completamente a su lado y la abarcó con ambos brazos, atrayéndola hacia sí, mirando por la ventana abierta el cielo que se teñía con firmeza, el humo que volaba al ras de los tejados, las primeras estrellas que emergían desde el agua; sentía el golpear del corazón de ella junto a su pecho. Ella le buscó la boca con la suya para refugiarse en él; él abrió los labios lentamente y suspiró.

—En las termas, vida mía, ¿te acuerdas?, no estabas con tu madre.

Ella soltó sus manos y hundió su rostro en ellas, pero no lloró. Se sentó furiosa en la cama:

—Siempre lo supiste y no decías nada, era más hermoso, más doloroso para ti quedarte mudo y sellado, ¿por qué lo dices ahora?

—Tú lo has dicho antes—contestó con cansancio, sintiendo que una lenta rabia se le formaba en el interior.—¡Yo no he hecho un negocio con mi silencio y mi mudez, he respetado tus nervios, tus dolores físicos, los dolores concretos de tus huesos y ganglios enfermos, de tus pulmones, de tu vesícula, tus ataques de histeria! —dijo enumerando minuciosamente su odio. Su voz era triste, casi explicativa, no parecía furioso sino desilusionado. Pero ella, en cambio, estaba enojada, aun más, sorprendida:

—¿Mis nervios, mis huesos, mis ganglios, mis ataques, mis toses pulmonares? ...—Se puso a reír cruelmente y abría sus bellos ojos, grandes y superiores. Estaba sonrosada.

—Todos los inviernos golpeabas las paredes con tus espantosos

y machucados pulmones—dijo él, buscando las manos de ella que
sentía desmadejadas, ásperas y frías. Ella no las quitaba, las dejaba
con cierta helada repulsión encima de la colcha.

—He sido muy pobre a tu lado, he permanecido pobre, no me
5 he transformado indignamente, no he robado tus joyas ni tu dinero,
no he vendido los muebles ni tus sesenta trajes.

—¡Dios sabe que jamás tuve más de cuatro docenas!—dijo ella
con burla y pesadumbre, y lo miraba con fijeza.

—Tantos como tus enfermedades—apuntó él y atrajo hacia sí
10 las piernas de ella.

—¿Mis enfermedades? ¿Estás loco, estás verdaderamente loco?
—protestó y despeinó los cabellos con fiereza, dejando los pechos
al aire. Él los quedó mirando, la garganta seca, las sienes palpi-
tantes, y no se atrevía a tocarlos. Los miraba en silencio y sabía que
15 estaba muy desamparado.

—¿Te acuerdas, Magallanes, cuando trabajabas en la imprenta
de aquellos judíos de la calle San Pablo?

—Sí,—dijo él,—sí,—con una voz arrastrada y soñolienta y hubiera querido decirle otra cosa, que tenía mucho, mucho miedo.

20 —¿Te acuerdas, Magallanes, cuando me llegabas contando las
cosas bellas y horribles que leías junto al patio por el que corría la
lluvia, mientras adentro cantaban lúgubremente los obreros,
inyectando un poco de alegría enferma en aquella casona vieja?
¿Te acuerdas que una noche estaba yo en un quejido, sola, comple-
25 tamente sola, y llegaste borracho y traías también flores, también
mojadas, también mojada tu alma, como tú, con el vino? Te sen-
taste a mi lado y me quedaste mirando, asustado, receloso, angustiado con mis toses y mis lágrimas. Aquella noche deseé tener
mucha salud para poder levantarme y tomar el expreso a Valpa-
30 raíso. Quería dejarte, dejarte a ti, a tu ropa vieja, a mi enfermedad,
horrible, gastada y sucia, una ropa vieja también, que se apegaba
a mis huesos, a mi alma, a mis ansias de una vida alta y bella, pero
tú me abrazaste llorando y me dijiste cosas agradables, me contaste
lo que decía Tolstoy[10] del amor y las mujeres. Aquel energúmeno

[10] Count Lev Nikolaevich Tolstoy (1828–1910), Russian novelist and philos-
opher.

defendía el derecho de la mujer a ser débil y llena de dolencias. Una mujer que no se enferma es un caballo, dice Tolstoy, me dijiste lleno de risas y me hiciste reír también, aunque veía yo cierta maldición velada, un reconcentrado odio, una bofetada dada por Tolstoy a los nervios deshechos de la condesa su mujer.

—Tolstoy era un carnívoro, un devorador—explicó él con tranquilidad,—y seguramente no podía soportar aquella tremenda presión de llantos y ataques y nervios disueltos en las altas noches del invierno moscovita.

—Y tú, ¿qué eres, Magallanes?—preguntó con suavidad ella, aunque deseaba decirle, más bien, cuánto lo deseaba, odiaba y despreciaba y preguntándose, horrorizada, por qué había pasado tantos años junto a ese pobre ser.

—Eres tan enfermo como yo, mucho más enfermo—dijo ella lentamente, sin desear herirlo.—Tu enfermedad es más grave, Magallanes, porque la llevas contigo como una mercadería que exhibes humildemente y que nunca logras vender y jamás deseas deshacerte de ella.

—¿Cuál es mi dolencia?—preguntó con voz desabrida y desafiante deseoso de que Suárez llegara luego y los encontrara dormidos o, por lo menos, adormilados, embriagados, anestesiados por esos terribles recuerdos, llenos de ternura y odio antiguo.

—¡Tú, tú mismo!—contestó con rabia ella,—tus zapatos con los tacones torcidos, tus pantalones ordinarios y arrugados, tu vestón con sus solapas aureoladas de grasa, tus mangas desflecadas, tus camisas sucias, pringosas, tu corbata innoble y putrefacta, tu aliento, tu aliento envejecido y espantoso, tus ojos tristes, espantados y espantosos, ¡oh, Magallanes, tu cara llena de feas pecas y tu pelo lleno de feas canas!

Comenzó a sollozar en la oscuridad, hundida la cabeza en las sábanas, tapada por el pelo y por sus manos. Él se inclinó hacia ella y le besó el pelo.

—¡Podías haberte ido y dejádome solo!—balbuceó.—¿Por qué no te fuiste cuando era tiempo? ¿Por qué no me dejaste solo con mi miseria pegada al cuerpo? Con ella me enterrarán, es mi verdadera ropa, será mi sudario, estoy incrustado y disuelto en ella, corre por mi sangre, corre con el vino cuando gotea de mis labios babeantes y miserables y te veo a través del humo de los cigarrillos hundida en la lejanía, en estas sábanas que me parecen más limpias cuando estoy más lejos, quejándote con suavidad pero con bríos, 5 esperando sentir mis pasos para mirarme con tus ojos insomnes y desencantados que apenas me ven y me reconocen. ¿Por qué no te fuiste cuando todavía era tiempo? ¡Tienes dinero, tienes relaciones y familia, puedes obtener abundantes créditos y comprar una casa en el campo o en la montaña, podrías viajar durante diez años en 10 aviones y barcos y trenes internacionales para ventilar tus tristes recuerdos, para sacudirte mi pobreza que te salpica como a mí me han salpicado tus quejidos y dolores!

—¡Magallanes, bésame!—dijo en un susurro, sollozando.

Magallanes se puso de pie y se asomó a la ventana. Dijo que 15 vendrían fumando para que viera la brasa de los cigarrillos, recordó, mirando el claro cielo de marzo, dijo que silbaría suavemente para que pudiera oírlos. ¿Podría oírlos cuando silbaran?

—¿Qué haces, amigo mío?—dijo ella y lo miraba con sus ojos profundos llenos de lágrimas.

20 Magallanes estaba sentado en la silla, sobre las ropas estiradas de ella, sobre su corbata y el ala de su sombrero, y se estaba desnudando. Esta noche estarán muertos, muertos, muertos, pensaba mirando esos extraños tristes ojos, sintiéndose fríamente angustiado y sin nervios.

25 —¿Qué haces, mi amor miserable?

Él se sonrió con melancolía y la quedó mirando:

—Me despojo de mis miserias y dejo sólo mi amor. Estoy más delgado,—murmuró mirándose el vientre casi adolescente y estirando las piernas para abarcarlas con mirada técnica y comercial. 30 No darían nada por este par de huesos largos, se dijo y se puso de pie, sintiendo el suelo frío. El viento hinchaba la cortina y, mirándola, empezó a ponerse el pijama, un pijama viejo y descolorido, de un género delgado, casi transparente y que, sin embargo, le daba cierta seguridad y fuerza. Se lo ató con firmeza, con doble nudo, 35 como hacía el padre Juan en la sacristía antes de pasar a la iglesia mientras alzaba la cabeza en un gesto audaz y deportivo. Se sonrió y no deseaba recordar su adolescencia transcurrida en aquellos húmedos pasadizos. Caminó hasta el ropero y estuvo revolviendo unas cajas y sacando varios paquetes, se sentó a los pies de la cama y se inclinó hacia ella.

—Estoy barbudo y sucio, estoy horriblemente pobre y trabajado; mira mi cuerpo carcomido, mira mis piernas deshechas, deshechas en vino, en malas comidas, en humos de cigarros—dijo, echándole el aliento.—¿Por qué no te has ido?

—¡Magallanes, bésame!—dijo ella y estiró los brazos para recibirlo.

Él desató una caja y lentamente fue sacando el cordel; la miraba con tranquilidad, estaba hermosa y parecía tranquila, parecía tranquila precisamente ahora que debiera estar horrorizada y como enloquecida; el escote de su camisa caía hacia el seno.

—Tú sabes,—dijo,—cuando nos estamos hundiendo en el agua porque el barco chocó contra las rocas y el capitán y los oficiales estaban borrachos con whisky y la orquesta se hundía muellemente entre las olas, en la que flotaban servilletas, flores todavía hermosas y abiertas, puños de camisa, pecheras, corbatas de rosa, queremos tener la boca, la nariz, los ojos fuera del agua, del tumulto y del peligro, hundido todo el cuerpo en medio del mar, pero nosotros todavía respirando la vida que flota arriba sobre toda esa escoria condenada y esa resaca que odia entre sí con odio y terror y se despedaza. Entonces, amigo mío, entonces cogemos una tabla podrida y movemos un brazo, uno solo, hacia las luces cercanas de la costa.

—¿Quién es el podrido, quién es el gajo podrido?—dijo él y se sentía ridículo al formular la pregunta. Lentamente comenzó a quitar el papel de la caja y se sentía agradablemente refugiado y enternecido al deshacer aquella amarra, al desenvolver aquel atado hecho tantos años antes, en noches de paz y ensueño. Ella lo miraba también con ternura, al borde de un mismo recuerdo. Era como estar junto al fuego en las heladas noches del invierno, rodeados por la oscuridad que te ciñe y te contempla.

—Estamos cogidos tú y yo del mismo madero, nuestras manos mojadas se tocan ¡bésame, Magallanes!—dijo ella en un suspiro.

Y como él tenía el papel en la mano y en la otra la larga caja de un regalo antiguo, suspiró largamente, se arregló el pelo con su innata y felina coquetería y casi no sonrió, pero estaba lista para hacerlo.

5 —Tú comprendes—agregó con voz más lúcida y despierta, apartando un poco su cabeza para mirarlo y que él viera que lo hacía sin repulsión—tú comprendes que si estoy aún a tu lado, por algo importante y terrible, si quieres, tiene que ser.

—¡Porque este trozo podrido de madera está todavía agarrado 10 a tus manos y no deja que te hundas!

Ella se rio en la oscuridad con una risa alejada y fría. Él se estremeció sintiendo los ruidos de la calle y acercó su boca a la de ella y la aplastó contra las ropas. Tenía varias corbatas en la mano y quería preguntarle cuándo las había comprado, ¿en Valparaíso, 15 en Buenos Aires?, ¿qué año, vida, qué año? Se sentía angustiado y temeroso y miraba las corbatas y la miraba a ella. Tenía ella los ojos abiertos, alertas y dichosos, echando ese chorrito cálido de lumbre, de recuerdo, de reproche y remembranza y olvido desde la almohada, ahí junto a las corbatas que se enredaban en el 20 pelo. Son hermosas, se dijo, pero, ¿quiénes?, ¿las corbatas, las mujeres, las pequeñas hembras frágiles y crueles? ¿las ideas terribles? Un día tuve una idea infame, un día, un día. Los ojos todavía estaban abiertos, señalándole el camino fatal y necesario, el antiguo camino de sus ensueños y proyectos, estaban abiertos 25 de par en par[11] para que entrara por ellos. Me desprecias, dijo para sí, me desprecias y estás a mi lado como está al lado de su inyección el morfinómano. Sí, eso soy, un frasquito de vidrio, insignificante, ridículo, a medio vaciar. Los labios de ella estaban fríos y secos. Se hundió en ellos y buscó con las manos sus pechos; las 30 corbatas estaban sobre la piel blanca, destacaban con tranquila insolencia en medio de la palidez, ella se quejaba y suspiraba. Bésame, Magallanes, le dijo, bésame, amor mío. Él sentía su risa. ¿Por qué se ríe, por qué te ríes, Dios mío?, se preguntaba y se sentía frío y desarticulado. La besó durante mucho rato, con una 35 consciente y desprendida pasión, deseando que Suárez viniera

[11] *abiertos de par en par*—wide open.

luego. El viento susurraba en la ventana y, aunque traía ruidos tamizados de carruajes, de pasos apresurados que pasaban por la calle, no le traía el precioso ruido del silbido de los hombres. Ella tenía los ojos abiertos y adormilados, se sonreía todavía.

—Te quise mucho antes, antes de irme a las termas, antes de tener sesenta vestidos en mis armarios, antes de comprarme esos anillos y los relojes y recibir flores, ramos de flores, canastillos señoriales escogidos por Rodolfo o Eduardo en el Club de Viña del Mar o en la Exposición de Bahía. ¿Te acuerdas de ellos?—preguntó con voz cándida y sensual.

—No, te prometo que no—dijo, apretando las corbatas en la mano, y sabiendo que se arrugarían, y los veía plantados en medio del salón, en lo bajo de la escalera, hablando a veces hacia arriba, donde estaba ella, espléndidamente enferma, envuelta en un chal de colores vivos, tosiendo levemente y sonriendo con coquetería. Él había llegado aquella noche muerto de frío, pues había neblina, con la solapa alzada del vestón y las manos crispadas sobre un paquete de libros y botellas. Rodolfo y Eduardo lo miraron sin saludarlo, abarcándolo y apartándolo sumariamente con una mirada fría y él se hundió en la oscuridad mientras sentía los ojos velados de ella que lo miraban con conmiseración y avergonzada ternura.

—¡Siempre fuiste una coqueta desvergonzada y sucia!—murmuró sin mirarla, sintiendo su voz ronca y emocionada, una voz, una queja que venían resonando desde aquella olvidada tarde de invierno que ella hiciera saltar ahora de sus recuerdos, como esas corbatas, junto con esas corbatas violentas y nuevas. ¿Cuándo las había comprado, cuándo lo había amado?, se preguntaba mirando esos bellos labios pequeños y carnosos, tan bien formados en la oscuridad. ¿Las había comprado ahora, lo amaba ahora? Dijo claramente que esta vez, este año, no había corbatas. Después buscaré el paquete, pensó.

—¡No hables de suciedad ahora!—dijo ella con el rostro arrebolado, lista para amarlo u odiarlo. Estaba incitante y amenazadora. Esta noche no estará locuaz ni loca, sino quieta, quieta y muda. muda, muda, llenos sus pequeños labios de silencio, montones de silencio sobre su bella boca, sobre sus grandes ojos; recordaba a los hombres que alzaban sus herramientas sobre su madre, muchos años antes en el cementerio. Él le había preguntado a la Rosario qué estaban haciendo y ella le apretó la mano y le dijo eso: 5 Es silencio, hijo, le están echando paletadas de silencio.

—¡Quisiera verte muerta!—dijo con verdadero odio y se echó de la cama, apartando con rabia las cortinas. Una de las corbatas cayó a sus pies y él la quedó mirando sin verla. La noche estaba serena y algunos viandantes venían por la vereda enfundados en 10 sus abrigos delgados y elegantes. Un perro ladraba en la esquina, bajo el farol y se veía miserable y triste, cada vez más solo. ¡Falta que no venga ese maldito cobarde!, se dijo con furia, y la quedó mirando:

—¡Fuiste una amable querida de muchos aristócratas, ellos te 15 comieron frugalmente los pulmones y los nervios!

—No sólo los pulmones, no sólo los nervios—dijo, quejándose, soñadora.—Eres un tonto, un miserable tonto,—dijo hablando ya para sí, mirando hacia la pared y quejándose suavemente,—podría haber hecho un par de pantuflas con tu piel, Magallanes, un fel-20 pudo para los zapatos de charol de Rodolfo y Eduardo y no lo he hecho y no lo agradeces, mis besos valen mucha plata y a ti te los doy por nada, los cambio por tu barba descuidada, por tu ropa desplanchada y esas hilachas . . .

—¡Disculpa, disculpa esta horrenda vida!—dijo él, abarcando 25 todo, todo en sus palabras, el perdón y la vergüenza y el crimen, y deseó que Suárez viniera luego. Se tendió junto a ella y extendiendo el brazo, cogió la cabecita y la apegó en su pecho, mirando el pelo desparramado en su pijama abierto. Lentamente comenzó a estirar la corbata, como si debiera demorar varios años en hacerlo. 30 Ella se sonreía adormilada y respiraba con cansancio.

—¿Qué edad tienes?—le preguntó con dureza y ternura.

—Quince años de sufrimientos, quince años de toses—contestó con voz queda, hablando lentamente,—tengo treinta años, Magallanes, tu misma edad, tus mismos dolores y sufrimientos. ¡Yo no 35 soy un caballo!—dijo finalmente y respiró apaciblemente y él comprendió que se había quedado dormida y, mirando la cortina, que el viento de la noche empujaba hacia ellos, se adormiló también. No sintió el silbido que venía por la calle, no vio la brasa de los cigarrillos que aparecieron en la esquina, que estuvieron un rato vueltos hacia la ventana, esperando que apareciera él en los pliegues de la cortina. Treinta años, quince años de estar tosiendo, 5 quince mil inyecciones de alcanfor, millones de cafiaspirinas, se decía murmurando, sintiendo el leve perfume que emanaba del cuerpo de ella, un perfume completamente sano y limpio, sin enfermedades, sin odios, sin crueldad. ¿Cuándo las compró?, pensaba queriendo adivinar el precio y sintiendo deseos de llorar 10 de arrepentimiento y tardía ternura. Ella había dicho que no habría corbatas este año, este año no, ni tampoco ayer, ¿cuándo entonces? Apretaba la mano junto a la suavidad de las corbatas y sentía las lágrimas. No sintió crujir la escalera; te amo y te odio, odio tus frascos de remedio y tus botes de crema, odio mi ropa vieja y tus 15 trajes de fiesta, tienes quince mil trajes, quince mil agujas para clavarte en la piel de la garganta un beso adulterino, ¡oh, por qué no te maté antes, por qué no seguí estudiando leyes y trabajando en el Juzgado de Menores! La puerta crujió hacia él; se van a caer todas las cajas, van a llenar el suelo, murmuraba, deben ser los 20 expedientes del juzgado, sí, pero ahí ganaba muy poco y además tenía que barrer la escala y la lluvia se metía por los vidrios rotos, entonces empecé a toser. La puerta crujió hacia él, empujada por el viento del invierno, esos armarios nunca cierran bien, y además jamás tuvo plata para comprar muebles nuevos, crujió tal vez la 25 ventana, pero él no la sintió, no vienen, no vienen, no se atreven, estás hermosa, soy un mentiroso, eres una mentirosa, las compraste esta tarde seguramente, estaba bajo su brazo, podría preguntarle ahora, la mujer desfallecida te dice siempre la verdad, hay un momento pasional en que ya no mienten, ya no pueden mentir, 30 tocaba su carne tibia y su camisa de noche, suave y amable, un paquete amable, empaquetada en la cortina, así deberían encontrarla. No sintió los ruidos de los pasos que caminaban por el piso hacia ellos, ni vio la luz de la linterna que barría el suelo y subía por la colcha, ella estaba completamente dormida, acurrucada 35 encima de él, tenía los pechos desnudos, unos hermosos pechos

breves que la luz de la linterna llenaba y suavizaba, se oyó una risa, una colilla de cigarrillo fue aplastada en el suelo y en la pieza del lado sonó una caja, hay cajas todavía sin abrir por toda la casa, no soy tan pobre, se dijo y empezó a reír. Despertó asustado. La
5 luz de la linterna le dio en el rostro, paseó por los cabellos de la mujer y bajó otra vez, con fruición, hasta los pechos desnudos. Suárez tenía el sombrero puesto y el abrigo de gabardina abierto. Tenía en las manos el revólver y lo miraba sin expresión, aguardando de él la iniciativa. No lo miraba con odio ni con frialdad,
10 tampoco con demasiada amistad, sólo con mera confianza, con absoluta y tranquilizadora confianza. Parecía, tal vez, un poco nervioso, alzó la mano con el revólver para mostrárselo y decidirlo, pero él deslió los brazos de ella, sacó los cabellos de sus dedos y dejó suavemente la cabeza en la almohada, la tapó un poco hacia
15 arriba y se estaba tornando, alzando las corbatas hacia Suárez, pues su garganta le obsesionaba, cuando el golpe lo cogió de lado, echándolo contra la almohada, dos, tres golpes bien dados, bien preparados, mientras más lo haga será mejor, te amaba y te odiaba, pensó y veía su propia mano colgando hacia el suelo, atrozmente
20 pesada y como mojada y las corbatas ahí en ella, colgando hacia el suelo, ahora lo hacen, lo están haciendo, deseaba hablar pero no podía, no, no le gustaba esa garganta, tenía desconfianza y no debía tenerla, tenía la garganta llena de agua y era extraño que tuviera también los ojos llenos de lágrimas, me quedé dormido y
25 soñé con mi infancia en el cementerio, sintió el olor de la ropa y el olor de la sangre, Suárez estaba inclinado sobre él, empujando el revólver hacia el interior de su cabeza, sentía los dedos con anillos y la nuez del revólver que daba vueltas, mientras más me golpee menos se notará, y sintiendo terror alzó las manos para agarrar la
30 garganta de Suárez, para alcanzar su boca, sus orejas y decirle que se acordara, hay que hacerlo bien, que no se note, que no sospechen, dijo y le cogió la corbata y tenía miedo y quería hablar, pero el agua salía de su boca a borbotones y lo ahogaba y estaba llorando y otro golpe lo hundió hasta abajo, hasta más abajo de las
35 sábanas, hasta los primeros años de su infancia, hasta el primer pantalón largo que le compró la Tía Concha, hermoso y nuevo,

sin arrugas, hasta las primeras inyecciones y los primeros automóviles que venían a buscarla bajo la puerta, las corbatas cayeron al suelo. Suárez respiraba con fiereza mirando ese montoncito de ropa delgada y descolorida, empapada, esa frágil cabeza que parecía ahora más pequeña y más joven, ahora que estaba muerta y miraba a la mujer desnuda agarrada a la cortina, quería gritar y no se atrevía a acercarse a ella, si has muerto a una carne cómo te acercas a otra, aquí mismo, para desearla, agarrada a la cortina, a la cabecera de la silla para desfallecer, cogiendo el sombrero de Suárez, o de Magallanes, su corbata, ese atado de corbatas nuevas a los pies del lecho, o sus ropas, sus pobres ropas viejas, tenía el rostro ardiente y pálido con unos ojos inmensos que miraban con fijeza y extravío hacia la cama, despeinada, despeinándose huyó hacia afuera. Suárez pudo verla a la luz de la noche que henchía la cortina y la echaba hacia lo alto, vio su hermosa espalda de mujer joven y tentadora. No parecía enferma.

JUAN RULFO

(MÉXICO 1918)

Entre los novelistas mexicanos de la generación del 40 Juan Rulfo parece ser el de más firmes relieves y uno de los más profundos en su concepción del arte literario. Su obra tiene ya resonancia internacional. En sus cuentos, los de *El llano en llamas*, busca efectos patéticos, sin preocuparse mayormente de detallar la caracterización de sus personajes ni de complicar la trama. Le bastan el lenguaje primitivo y mágico de sus indios, el aura de santidad que adquieren al convertirse en víctimas, ciertos poderes demoníacos que andan sueltos en el mundo y que, de improviso, se les enroscan al cuello para estrangularlos. En la sencillez bíblica de sus relatos se esconde una violencia brutal que no siempre estalla, pero que aguarda como una loba para asaltar al hombre, ulcerarlo y cebarse en sus heridas. Su patetismo no tiene igual en la literatura hispanoamericana. Acaso porque sus personajes buscan con empecinamiento infantil la trampa que un poder sobrenatural les tiene armada desde el nacimiento. Sus cuentos son como pedradas en el pecho del sacrificado.

En su ya famosa novela *Pedro Páramo* Rulfo se libró en parte de ese patetismo y, tomando como punto de partida una imagen colectiva y subconsciente de la muerte, procedió a tejer una fábula en que desaparecen todas las medidas del tiempo. Su estilo es poético y realista. Descripciones hay que llevan una marca gótica de ascendencia romántica. Todo peligro de artificio desaparece, sin embargo, ante la fuerza del diálogo, típicamente mexicano. En la obra de Rulfo ha cristalizado definitivamente una tradición kafkiana y faulkneriana que dio sus primeros brotes en las novelas de Agustín Yáñez y ha continuado, luego, en los cuentos de Juan José Arreola y Carlos Fuentes.

Poco o nada sabemos de la vida de Rulfo. Vive aislado de las capillas literarias en Jalisco, su Estado natal.

OBRAS

CUENTOS: *El llano en llamas*. México: Fondo de Cultura Económica, 1953.

JUAN RULFO

NOVELA: *Pedro Páramo*, México, 1955.

LUVINA[1]

De los cerros altos del sur, el de Luvina es el más alto y el más pedregoso. Está plagado de esa piedra gris con la que hacen la cal, pero en Luvina no hacen cal con ella ni le sacan ningún provecho. Allí le llaman piedra cruda, y la loma que sube hacia Luvina la nombran cuesta de la Piedra Cruda. El aire y el sol se han encargado de desmenuzarla, de modo que la tierra de por allí es blanca y brillante como si estuviera rociada siempre por el rocío del amanecer; aunque esto es un puro decir, porque en Luvina los días son tan fríos como las noches y el rocío se cuaja en el cielo antes que llegue a caer sobre la tierra. 5 10

... Y la tierra es empinada. Se desgaja por todos lados en barrancas hondas, de un fondo que se pierde de tan lejano. Dicen los de Luvina que de aquellas barrancas suben los sueños; pero yo lo único que vi subir fue el viento, en tremolina, como si allá abajo lo tuvieran encañonado en tubos de carrizo. Un viento que no deja crecer ni a las dulcamaras: esas plantitas tristes que apenas si pueden vivir un poco untadas a la tierra,[2] agarradas con todas sus manos al despeñadero de los montes. Sólo a veces, allí donde hay un poco de sombra, escondido entre las piedras, florece el chicalote con sus amapolas blancas. Pero el chicalote pronto se marchita. Entonces uno lo oye rasguñando el aire con sus ramas espinosas, haciendo un ruido como el de un cuchillo sobre una piedra de afilar. 15 20

—Ya mirará usted ese viento que sopla sobre Luvina. Es pardo. Dicen que porque arrastra arena de volcán; pero lo cierto es que es un aire negro. Ya lo verá usted. Se planta en Luvina prendiéndose de las cosas como si las mordiera. Y sobran días en que se lleva el techo de las casas como si se llevara un sombrero de petate, dejando los paredones lisos, descobijados. Luego rasca como si 25

1 From *El llano en llamas* (*cuentos*), *Fondo de Cultura Económica.* 2 *untadas a la tierra,*—hugging the earth.

tuviera uñas: uno lo oye a mañana y tarde, hora tras hora, sin descanso, raspando las paredes, arrancando tecatas de tierra, escarbando con su pala picuda por debajo de las puertas, hasta sentirlo bullir dentro de uno como si se pusiera a remover los
5 goznes de nuestros mismos huesos. Ya lo verá usted.

El hombre aquel que hablaba se quedó callado un rato, mirando hacia afuera.

Hasta ellos llegaban el sonido del río pasando sus crecidas aguas por las ramas de los camichines; el rumor del aire moviendo suave-
10 mente las hojas de los almendros, y los gritos de los niños jugando en el pequeño espacio iluminado por la luz que salía de la tienda.

Los comejenes entraban y rebotaban contra la lámpara de petróleo, cayendo al suelo con las alas chamuscadas. Y afuera seguía avanzando la noche.

15 —¡Oye, Camilo, mándanos otras dos cervezas más!—volvió a decir el hombre. Después añadió:

—Otra cosa, señor. Nunca verá usted un cielo azul en Luvina. Allí todo el horizonte está desteñido; nublado siempre por una mancha caliginosa que no se borra nunca. Todo el lomerío pelón,
20 sin un árbol, sin una cosa verde para descansar los ojos; todo envuelto en el calín ceniciento. Usted verá eso: aquellos cerros apagados como si estuvieran muertos y a Luvina en el más alto, coronándolo con su blanco caserío como si fuera una corona de muerto . . .

25 Los gritos de los niños se acercaron hasta meterse dentro de la tienda. Eso hizo que el hombre se levantara, fuera hacia la puerta y les dijera: «¡Váyanse más lejos! ¡No interrumpan! Sigan jugando, pero sin armar alboroto.»

Luego, dirigiéndose otra vez a la mesa, se sentó y dijo:

30 —Pues sí, como le estaba diciendo. Allá llueve poco. A mediados de año llegan unas cuantas tormentas que azotan la tierra y la desgarran, dejando nada más el pedregal flotando encima del tepetate. Es bueno ver entonces cómo se arrastran las nubes, cómo andan de un cerro a otro dando tumbos como si fueran vejigas
35 infladas; rebotando y pegando de truenos igual que si se quebraran en el filo de las barrancas. Pero después de diez o doce días se van

y no regresan sino al año siguiente, y a veces se da el caso de que no regresen en varios años.

«. . . Sí, llueve poco. Tan poco o casi nada, tanto que la tierra, además de estar reseca y achicada como cuero viejo, se ha llenado de rajaduras y de esa cosa que allí llaman ‹pasojos de agua›, que no son sino terrones endurecidos como piedras filosas, que se clavan en los pies de uno al caminar, como si allí hasta a la tierra le hubieran crecido espinas. Como si así fuera.»

Bebió la cerveza hasta dejar sólo burbujas de espuma en la botella y siguió diciendo:

—Por cualquier lado que se le mire, Luvina es un lugar muy triste. Usted que va para allá se dará cuenta. Yo diría que es el lugar donde anida la tristeza. Donde no se conoce la sonrisa, como si a toda la gente le hubieran entablado la cara. Y usted, si quiere, puede ver esa tristeza a la hora que quiera. El aire que allí sopla la revuelve, pero no se la lleva nunca. Está allí como si allí hubiera nacido. Y hasta se puede probar y sentir, porque está siempre encima de uno, apretada contra de uno, y porque es oprimente como una gran cataplasma sobre la viva carne del corazón.

«. . . Dicen los de allí que cuando llena la luna, ven de bulto la figura del viento recorriendo las calles de Luvina, llevando a rastras una cobija negra; pero yo siempre lo que llegué a ver, cuando había luna en Luvina, fue la imagen del desconsuelo . . . siempre.

«Pero tómese su cerveza. Veo que no le ha dado ni siquiera una probadita. Tómesela. O tal vez no le guste así tibia como está. Y es que aquí no hay de otra. Yo sé que así sabe mal; que agarra un sabor como a meados de burro. Aquí uno se acostumbra. A fe que allá ni siquiera esto se consigue. Cuando vaya a Luvina la extrañará. Allí no podrá probar sino un mezcal que ellos hacen con una yerba llamada hojasé, y que a los primeros tragos estará usted dando de volteretas como si lo chacamotearan. Mejor tómese su cerveza. Yo sé lo que le digo.»

Allá afuera seguía oyéndose el batallar del río. El rumor del aire. Los niños jugando. Parecía ser aún temprano, en la noche.

El hombre se había ido a asomar una vez más a la puerta y había vuelto. Ahora venía diciendo:

—Resulta fácil ver las cosas desde aquí, meramente traídas por el recuerdo, donde no tienen parecido ninguno. Pero a mí no me cuesta ningún trabajo seguir hablándole de lo que sé, tratándose de Luvina. Allá viví. Allá dejé la vida . . . Fui a ese lugar con mis ilusiones cabales y volví viejo y acabado. Y ahora usted va para allá . . . Está bien. Me parece recordar el principio. Me pongo en su lugar y pienso . . . Mire usted, cuando yo llegué por primera vez a Luvina . . . ¿Pero me permite antes que me tome su cerveza? Veo que usted no le hace caso. Y a mí me sirve de mucho. Me alivia. Siento como si me enjuagaran la cabeza con aceite alcanforado . . . Bueno, le contaba que cuando llegué por primera vez a Luvina, el arriero que nos llevó no quiso dejar ni siquiera que descansaran las bestias. En cuanto nos puso en el suelo, se dio media vuelta:

—«Yo me vuelvo—nos dijo.

—«Espera, ¿no vas a dejar sestear tus animales? Están muy aporreados.

—«Aquí se fregarían más—nos dijo—. Mejor me vuelvo.

«Y se fue, dejándose caer por la cuesta de la Piedra Cruda, espoleando sus caballos como si se alejara de algún lugar endemoniado.

«Nosotros, mi mujer y mis tres hijos, nos quedamos allí, parados en mitad de la plaza, con todos nuestros ajuares en los brazos. En medio de aquel lugar donde sólo se oía el viento . . .

«Una plaza sola, sin una sola yerba para detener el aire. Allí nos quedamos.

«Entonces yo le pregunté a mi mujer:

—«¿En qué país estamos, Agripina?

«Y ella se alzó de hombros.

—«Bueno, si no te importa, ve a buscar dónde comer y dónde pasar la noche. Aquí te aguardamos—le dije.

«Ella agarró al más pequeño de sus hijos y se fue. Pero no regresó.

«Al atardecer, cuando el sol alumbraba sólo las puntas de los cerros, fuimos a buscarla. Anduvimos por los callejones de Luvina, hasta que la encontramos metida en la iglesia: sentada mero en medio de aquella iglesia solitaria, con el niño dormido entre sus piernas.

—«¿Qué haces aquí, Agripina?

—«Entré a rezar—nos dijo.

—«¿Para qué?—le pregunté yo. 5

«Y ella se alzó de hombros.

«Allí no había a quién rezarle. Era un jacalón vacío, sin puertas, nada más con unos socavones abiertos y un techo resquebrajado por donde se colaba el aire como por un cedazo.

—«¿Dónde está la fonda? 10

—«No hay ninguna fonda.

—«¿Y el mesón?

—«No hay ningún mesón.

—«¿Viste a alguien? ¿Vive alguien aquí?—le pregunté.

—«Sí, allí enfrente . . . Unas mujeres . . . Las sigo viendo. Mira, 15 allí tras las rendijas de esa puerta veo brillar los ojos que nos miran . . . Han estado asomándose para acá . . . Míralas. Veo las bolas brillantes de sus ojos . . . Pero no tienen qué darnos de comer. Me dijeron sin sacar la cabeza que en este pueblo no había de comer . . . Entonces entré aquí a rezar, a pedirle a Dios por noso- 20 tros.

—«¿Por qué no regresaste allí? Te estuvimos esperando.

—«Entré aquí a rezar. No he terminado todavía.

—«¿Qué país es éste, Agripina?

«Y ella volvió a alzarse de hombros. 25

«Aquella noche nos acomodamos para dormir en un rincón de la iglesia, detrás del altar desmantelado. Hasta allí llegaba el viento, aunque un poco menos fuerte. Lo estuvimos oyendo pasar por encima de nosotros, con sus largos aullidos; lo estuvimos oyendo entrar y salir por los huecos socavones de las puertas; golpeando 30 con sus manos de aire las cruces del viacrucis: unas cruces grandes y duras hechas con palo de mezquite que colgaban de las paredes a todo lo largo de la iglesia, amarradas con alambres que rechinaban a cada sacudida del viento como si fuera un rechinar de dientes.

«Los niños lloraban porque no los dejaba dormir el miedo. Y 35 mi mujer, tratando de retenerlos a todos entre sus brazos. Abrazando su manojo de hijos. Y yo allí, sin saber qué hacer.

«Poco antes del amanecer se calmó el viento. Después regresó. Pero hubo un momento en esa madrugada en que todo se quedó 5 tranquilo, como si el cielo se hubiera juntado con la tierra, aplastando los ruidos con su peso . . . Se oía la respiración de los niños ya descansada. Oía el resuello de mi mujer ahí a mi lado:

—«¿Qué es?—me dijo.

—«¿Qué es qué?—le pregunté.

10 —«Eso, el ruido ese.

—«Es el silencio. Duérmete. Descansa, aunque sea un poquito, que ya va a amanecer.

«Pero al rato oí yo también. Era como un aletear de murciélagos en la oscuridad, muy cerca de nosotros. De murciélagos de grandes 15 alas que rozaban el suelo. Me levanté y se oyó el aletear más fuerte, como si la parvada de murciélagos se hubiera espantado y volara hacia los agujeros de las puertas. Entonces caminé de puntitas hacia allá, sintiendo delante de mí aquel murmullo sordo. Me detuve en la puerta y las vi. Vi a todas las mujeres de Luvina con 20 su cántaro al hombro, con el rebozo colgado de su cabeza y sus figuras negras sobre el negro fondo de la noche.

—«¿Qué quieren?—les pregunté—. ¿Qué buscan a estas horas?

«Una de ellas respondió:

—«Vamos por agua.

25 «Las vi paradas frente a mí, mirándome. Luego, como si fueran sombras, echaron a caminar calle abajo con sus negros cántaros.

«No, no se me olvidará jamás esa primera noche que pasé en Luvina.

«. . . ¿No cree usted que esto se merece otro trago? Aunque sea 30 nomás para que se me quite el mal sabor del recuerdo.

—Me parece que usted me preguntó cuántos años estuve en Luvina, ¿verdad . . .? La verdad es que no lo sé. Perdí la noción del tiempo desde que las fiebres me lo enrevesaron; pero debió haber sido una eternidad . . . Y es que allá el tiempo es muy largo. 35 Nadie lleva la cuenta de las horas ni a nadie le preocupa cómo van amontonándose los años. Los días comienzan y se acaban. Luego viene la noche. Solamente el día y la noche hasta el día de la muerte, que para ellos es una esperanza.

«Usted ha de pensar que le estoy dando vueltas a una misma idea. Y así es, sí señor . . . Estar sentado en el umbral de la puerta, mirando la salida y la puesta del sol, subiendo y bajando la cabeza, hasta que acaban aflojándose los resortes y entonces todo se queda quieto, sin tiempo, como si se viviera siempre en la eternidad. Eso hacen allí los viejos.

«Porque en Luvina sólo viven los puros viejos y los que todavía no han nacido, como quien dice . . . Y mujeres sin fuerzas, casi trabadas de tan flacas. Los niños que han nacido allí se han ido . . . Apenas les clarea el alba y ya son hombres. Como quien dice, pegan el brinco del pecho de la madre al azadón y desaparecen de Luvina. Así es allí la cosa.

«Sólo quedan los puros viejos y las mujeres solas, o con un marido que anda donde sólo Dios sabe dónde . . . Vienen de vez en cuando como las tormentas de que le hablaba; se oye un murmullo en todo el pueblo cuando regresan y uno como gruñido cuando se van . . . Dejan el costal del bastimento para los viejos y plantan otro hijo en el vientre de sus mujeres, y ya nadie vuelve a saber de ellos sino al año siguiente, y a veces nunca . . . Es la costumbre. Allí le dicen la ley, pero es lo mismo. Los hijos se pasan la vida trabajando para los padres como ellos trabajaron para los suyos y como quién sabe cuántos atrás de ellos cumplieron con su ley . . .

«Mientras tanto, los viejos aguardan por ellos y por el día de la muerte, sentados en sus puertas, con los brazos caídos, movidos sólo por esa gracia que es la gratitud del hijo . . . Solos, en aquella soledad de Luvina.

«Un día traté de convencerlos de que se fueran a otro lugar, donde la tierra fuera buena. ‹¡Vámonos de aquí!—les dije,—No nos faltará el modo de acomodarnos en alguna parte. El Gobierno nos ayudará.›

«Ellos me oyeron, sin parpadear, mirándome desde el fondo de sus ojos de los que sólo se asomaba una lucecita allá muy adentro.

—«¿Dices que el Gobierno nos ayudará, profesor? ¿Tú conoces al Gobierno?

«Les dije que sí.

—«También nosotros lo conocemos. Da esa casualidad.[3] De lo que no sabemos nada es de la madre del Gobierno.

«Yo les dije que era la Patria. Ellos movieron la cabeza diciendo que no. Y se rieron. Fue la única vez que he visto reír a la gente de Luvina. Pelaron sus dientes molenques y me dijeron que no, que el Gobierno no tenía madre.

«Y tienen razón, ¿sabe usted? El señor ese sólo se acuerda de ellos cuando alguno de sus muchachos ha hecho alguna fechoría acá abajo. Entonces manda por él hasta Luvina y se lo matan. De hay en más no saben si existen.

—«Tú nos quieres decir que dejemos Luvina porque, según tú, ya estuvo bueno de aguantar hambres sin necesidad—me dijeron—. Pero si nosotros nos vamos, ¿quién se llevará a nuestros muertos? Ellos viven aquí y no podemos dejarlos solos.

«Y allá siguen. Usted los verá ahora que vaya. Mascando bagazos de mezquite seco y tragándose su propia saliva para engañar el hambre. Los mirará pasar como sombras, repegados al muro de las casas, casi arrastrados por el viento.

—«¿No oyen ese viento?—les acabé por decir—. Él acabará con ustedes.

—«Dura lo que debe de durar. Es el mandato de Dios—me contestaron—. Malo cuando deja de hacer aire. Cuando eso sucede, el sol se arrima mucho a Luvina y nos chupa la sangre y la poca agua que tenemos en el pellejo. El aire hace que el sol se esté allá arriba. Así es mejor.

«Ya no les volví a decir nada. Me salí de Luvina y no he vuelto ni pienso regresar.

«. . . Pero mire las maromas que da el mundo. Usted va para allá ahora, dentro de pocas horas. Tal vez ya se cumplieron quince años que me dijeron a mí lo mismo: ‹Usted va a ir a San Juan Luvina.›

[3] *Da esa casualidad.*—It so happens.

«En esa época tenía yo mis fuerzas. Estaba cargado de ideas . . . Usted sabe que a todos nosotros nos infunden ideas. Y uno va con esa plasta encima para plasmarla en todas partes. Pero en Luvina no cuajó eso. Hice el experimento y se deshizo . . .

«San Juan Luvina. Me sonaba a nombre de cielo aquel nombre. 5 Pero aquello es el purgatorio. Un lugar moribundo donde se han muerto hasta los perros y ya no hay ni quien le ladre al silencio; pues en cuanto uno se acostumbra al vendaval que allí sopla, no se oye sino el silencio que hay en todas las soledades. Y eso acaba con uno. Míreme a mí. Conmigo acabó. Usted que va para allá 10 comprenderá pronto lo que le digo . . .

«¿Qué opina usted si le pedimos a este señor que nos matice unos mezcalitos? Con la cerveza se levanta uno a cada rato y eso interrumpe mucho la plática. ¡Oye, Camilo, mándanos ahora unos mezcales! 15

«Pues sí, como le estaba yo diciendo . . .»

Pero no dijo nada. Se quedó mirando un punto fijo sobre la mesa donde los comejenes ya sin sus alas rondaban como gusanitos desnudos.

Afuera seguía oyéndose cómo avanzaba la noche. El chapoteo 20 del río contra los troncos de los camichines. El griterío ya muy lejano de los niños. Por el pequeño cielo de la puerta se asomaban las estrellas.

El hombre que miraba a los comejenes se recostó sobre la mesa y se quedó dormido. 25

Paso del Norte[1]

—Me voy lejos, padre, por eso vengo a darle el aviso.

—¿Y pa ónde te vas, si se puede saber?

—Me voy pal Norte.

—¿Y allá pos pa qué? ¿No tienes aquí tu negocio? ¿No estás metido en la merca de puercos? 30

[1] From *El llano en llamas (cuentos)*, *Fondo de Cultura Económica.*

—Estaba. Ora ya no. No deja. La semana pasada no conseguimos pa comer y en la antepasada comimos puros quelites. Hay hambre, padre; usté ni se las huele porque vive bien.

—¿Qué estás áhi diciendo?

5 —Pos que hay hambre. Usté no lo siente. Usté vende sus cuetes y sus saltapericos y la pólvora y con eso la va pasando. Mientras haiga funciones, le lloverá el dinero; pero uno no, padre. Ya naide cría puercos en este tiempo. Y si los cría pos se los come. Y si los vende, los vende caros. Y no hay dinero pa mercarlos, demás de

10 esto. Se acabó el negocio, padre.

—Y ¿qué diablos vas a hacer al Norte?

—Pos a ganar dinero. Ya ve usté, el Carmelo volvió rico, trajo hasta un gramófono y cobra la música a cinco centavos. De a parejo, desde un danzón hasta la Anderson[2] esa que canta can-

15 ciones tristes; de a todo, por igual, y gana su buen dinerito y hasta hacen cola para oír. Así que usté ve; no hay más que ir y volver. Por eso me voy.

—¿Y ónde vas a guardar a tu mujer con los muchachos?

—Pos por eso vengo a darle el aviso, pa que usté se encargue de

20 ellos.

—¿Y quién crees que soy yo, tu pilmama? Si te vas, pos áhi que Dios se las ajuarié con ellos.[3] Yo ya no estoy pa criar muchachos, con haberte criado a ti y tu hermana, que en paz descanse, con eso tuve de sobra. De hoy en delante no quiero tener compromisos. Y

25 como dice el dicho: «Si la campana no repica es porque no tiene badajo.»[4]

—No le hallo qué decir, padre, hasta lo desconozco. ¿Qué me gané con que usté me criara?, puros trabajos. Nomás me trajo al mundo al averíguatelas como puedas.[5] Ni siquiera me enseñó el

30 oficio de cuetero,[6] como para que no le fuera a hacer a usté la competencia. Me puso unos calzones y una camisa y me echó a los

[2] *De a parejo, . . . la Anderson*—The same (price), from a *danzón* to (Marian) Anderson. [3] *que Dios se las ajuarié con ellos.*—let God look after them. [4] *«Si la campana . . . no tiene badajo.»*—"You can't get blood out of a turnip." (literally: "If the bell doesn't ring, it's because it doesn't have a clapper.") [5] *al averíguatelas como puedas.*—on a "you're on your own" basis. [6] *el oficio de cuetero,—cuetero* for *cohetero;* the fireworks maker's trade.

caminos pa que aprendiera a vivir por mi cuenta y ya casi me echaba de su casa con una mano adelante y otra atrás.[7] Mire usté, éste es el resultado: nos estamos muriendo de hambre. La nuera y los nietos y éste su hijo, como quien dice toda su descendencia, estamos ya por parar las patas y caernos bien muertos.[8] Y el coraje que da es que es de hambre. ¿Usté cree que eso es legal y justo? 5

—Y a mí qué diablos me va o me viene.[9] ¿Pa qué te casaste? Te fuiste de la casa y ni siquiera me pediste el permiso.

—Eso lo hice porque a usté nunca le pareció buena la Tránsito. Me la malorió siempre que se la truje[10] y, recuérdeselo, ni siquiera voltió a verla la primera vez que vino: «Mire, papá, ésta es la muchachita con la que me voy a coyuntar.» Usté se soltó hablando en verso[11] y que dizque la conocía de íntimo, como si ella fuera una mujer de la calle. Y dijo una bola de cosas que ni yo se las entendí. Por eso ni se la volví a traer. Así que por eso no me debe usté guardar rencor. Ora sólo quiero que me la cuide, porque me voy en serio. Aquí no hay ya ni qué hacer, ni de qué modo buscarle. 10 15

—Ésos son rumores. Trabajando se come y comiendo se vive.[12] Apréndete mi sabiduría. Yo estoy viejo y ni me quejo. De muchacho ya ni se diga; tenía hasta pa conseguir mujeres de a rato. El trabajo da pa todo y contimás pa las urgencias del cuerpo. Lo que pasa es que eres tonto. Y no me digas que eso yo te lo enseñé. 20

—Pero usté me nació. Y usté tenía que haberme encaminado, no nomás soltarme como caballo entre las milpas.

—Ya estabas bien largo cuando te fuiste. ¿O a poco querías que te mantuviera para siempre? Sólo las lagartijas buscan la misma covacha hasta cuando mueren. Di que te fue bien y que conociste mujer y que tuviste hijos, otros ni siquiera eso han tenido en su vida, han pasado como las aguas de los ríos, sin comerse ni beberse.[13] 25

—Ni siquiera me enseñó usted a hacer versos, ya que los sabía. 30

[7] *con una mano adelante y otra atrás.*—almost naked. [8] *estamos ya . . . bien muertos.*—we are of a mind to call it quits and kick the bucket. [9] *Y a mí qué diablos me va o me viene.*—What the devil's that to me. [10] *Me la malorió siempre que se la truje*—*truje* for *traje;* You called her names every time I brought her. [11] *Usté se soltó hablando en verso*—You began to sound off. [12] *Trabajando se come y comiendo se vive.*—You work to eat, and eat to live. [13] *han pasado como . . . ni beberse.*—they have come and gone without leaving a trace.

Aunque sea con eso hubiera ganado algo divirtiendo a la gente como usté hace. Y el día que se lo pedí me dijo: «Anda a mercar güevos, eso deja más.» Y en un principio me volví güevero y aluego gallinero y después merqué puercos y, hasta eso, no me iba mal, si
5 se puede decir. Pero el dinero se acaba; vienen los hijos y se lo sorben como agua y no queda nada después pal negocio y naide quiere fiar. Ya le digo, la semana pasada comimos quelites, y ésta, pos ni eso. Por eso me voy. Y me voy entristecido, padre, aunque usté no lo quiera creer, porque yo quiero a mis muchachos, no como usté
10 que nomás los crió y los corrió.

—Apréndete esto, hijo: en el nidal nuevo, hay que dejar un güevo.[14] Cuando te aletié la vejez aprenderás a vivir, sabrás que los hijos se te van, que no te agradecen nada; que se comen hasta tu recuerdo.

15 —Eso es puro verso.

—Lo será, pero es la verdá.

—Yo de usté no me he olvidado, como usté ve.

—Me vienes a buscar en la necesidá. Si estuvieras tranquilo te olvidarías de mí. Desde que tu madre murió me sentí solo; cuando
20 murió tu hermana, más solo; cuando tú te fuiste vi que estaba ya solo pa siempre. Ora vienes y me quieres remover el sentimiento; pero no sabes que es más dificultoso resucitar un muerto que dar la vida de nuevo. Aprende algo. Andar por los caminos enseña mucho. Restriégate con tu propio estropajo, eso es lo que has de
25 hacer.

—¿Entonces no me los cuidará?

—Áhi déjalos, nadie se muere de hambre.

—Dígame si me guarda el encargo, no quiero irme sin estar seguro.

30 —¿Cuántos son?

—Pos nomás tres niños y dos niñas y la nuera que está rejoven.

—Rejodida, dirás.

—Yo fui su primer marido. Era nueva. Es buena. Quiérala, padre.

[14] *en el nidal . . . un güevo.—güevo* for *huevo;* one must leave an egg in the new nest (a woman with child).

—¿Y cuándo volverás?

—Pronto, padre. Nomás arrejunto el dinero y me regreso. Le pagaré al doble lo que usté haga por ellos. Déles de comer, es todo lo que le encomiendo.

De los ranchos bajaba la gente a los pueblos; la gente de los pueblos se iba a las ciudades. En las ciudades la gente se perdía; se disolvía entre la gente. «¿No sabe ónde me darán trabajo?» «Sí, vete a Ciudá Juárez. Yo te paso por docientos pesos. Busca a fulano de tal y dile que yo te mando. Nomás no se lo digas a nadie.» «Está bien, señor, mañana se los traigo.»

—Oye, dicen que por Nonoalco necesitan gente pa la descarga de los trenes.

—¿Y pagan?

—Claro, a dos pesos la arroba.

—¿De serio? Ayer descargué como una tonelada de plátanos detrás de la Mercé y me dieron lo que me comí. Resultó conque los había robado y no me pagaron nada y hasta me cusiliaron a los gendarmes.[15]

—Los ferrocarriles son serios. Es otra cosa. Hay verás si te arriesgas.

—¡Pero cómo no!

—Mañana te espero.

Y sí, bajamos mercancía de los trenes de la mañana a la noche y todavía nos sobró tarea pa otro día. Nos pagaron. Yo conté el dinero: sesenta y cuatro pesos. Si todos los días fueran así.

—Señor, aquí le traigo los docientos pesos.

—Está bien. Te voy a dar un papelito pa nuestro amigo de Ciudá Juárez. No lo pierdas. Él te pasará la frontera y de ventaja llevas hasta la contrata. Aquí va el domicilio y el teléfono pa que lo localices más pronto. No, no vas a ir a Texas. ¿Has oído hablar de Oregón? Bien, dile a él que quieres ir a Oregón. A cosechar manzanas, eso es, nada de algodonales. Se ve que tú eres un hombre listo. Allá te presentas con Fernández. ¿No lo conoces? Bueno,

[15] *y hasta me cusiliaron a los gendarmes.*—and they even sicked the cops on me.

preguntas por él. Y si no quieres cosechar manzanas, te pones a pegar durmientes. Eso deja más y es más durable. Volverás con muchos dólares. No pierdas la tarjeta.

—Padre, nos mataron.

5 —¿A quiénes?

—A nosotros. Al pasar el río. Nos zumbaron las balas[16] hasta que nos mataron a todos.

—¿En dónde?

—Allá, en el Paso del Norte, mientras nos encandilaban las lin-
10 ternas, cuando íbamos cruzando el río.

—¿Y por qué?

—Pos no lo supe, padre. ¿Se acuerda de Estanislado? Él fue el que me encampanó pa irnos pa allá. Me dijo cómo estaba el teje y maneje del asunto[17] y nos fuimos primero a México y de allí al
15 Paso. Y estábamos pasando el río cuando nos fusilaron con los máuseres. Me devolví porque él me dijo: «Sácame de aquí paisano, no me dejes.» Y entonces estaba ya panza arriba, con el cuerpo todo agujereado, sin músculos. Lo arrastré como pude, a tirones, haciéndomele a un lado a las linternas que nos alumbraban
20 buscándonos. Le dije: «Estás vivo», y él me contestó: «Sácame de aquí, paisano.» Y luego me dijo: «Me dieron.»[18] Yo tenía un brazo quebrado por un golpe de bala y el güeso se había ido de allí de donde se salta del codo. Por eso lo agarré con la mano buena y le dije: «Agárrate fuerte de aquí.» Y se me murió en la orilla, frente
25 a las luces de un lugar que le dicen la Ojinaga, ya de este lado, entre los tules que siguieron peinando el río como si nada hubiera pasado.

«Lo subí a la orilla y le hablé: ‹¿Todavía estás vivo?› Y él no me respondió. Estuve haciendo la lucha por revivir al Estanislado
30 hasta que amaneció; le di friegas y le sobé los pulmones para que resollara, pero ni pío volvió a decir.[19]

[16] *Nos zumbaron las balas*—The bullets pinged around us. [17] *cómo estaba el teje y maneje del asunto*—the ins and outs of the affair. [18] *«Me dieron.»*—"They got me."; "I'm hit." [19] *ni pío volvió a decir.*—not a peep out of him again.

«Él de la migración se me arrimó por la tarde.

—«Ey, tú, ¿qué haces aquí?

—«Pos estoy cuidando este muertito.

—«¿Tú lo mataste?

—«No, mi sargento—le dije. 5

—«Yo no soy ningún sargento. ¿Entonces quién?

«Como lo vi uniformado y con las aguilitas esas, me lo figuré del ejército, y traía tamaño pistolón que ni lo dudé.

«Me siguió preguntando: ‹¿Entonces quién, eh?› Y así se estuvo dale y dale hasta que me zarandió de los cabellos y yo ni metí las 10 manos, por eso del codo dañado que ni defenderme pude.

«Le dije:—No me pegue, que estoy manco.

«Y hasta entonces le paró a los golpes.

—«¿Qué pasó?, dime—me dijo.

«Pos nos clarearon anoche.[20] Íbamos regustosos, chifle y chifle 15 del gusto de que ya íbamos pal otro lado cuando merito en medio del agua se soltó la balacera. Y ni quien se la quitara. Éste y yo fuimos los únicos que logramos salir y a medias, porque mire, él ya hasta aflojó el cuerpo.[21]

—«¿Y quiénes fueron los que los balacearon? 20

—«Pos ni siquiera los vimos. Sólo nos aluzaron con sus linternas, y pácatelas y pácatelas, oímos los riflonazos, hasta que yo sentí que se me voltiaba el codo y oí a éste que me decía: ‹Sácame del agua, paisano.› Aunque de nada nos hubiera servido haberlos visto. 25

—«Entonces han de haber sido los apaches.

—«¿Cuáles apaches?

—«Pos unos que así les dicen y que viven del otro lado.

—«¿Pos que no están las Tejas del otro lado?

—«Sí, pero está llena de apaches, como no tienes una idea. Les 30 voy a hablar a Ojinaga pa que recojan a tu amigo y tú prevente pa que regreses a tu tierra. ¿De dónde eres? No te debías de haber salido de allá. ¿Tienes dinero?

[20] *Pos nos clarearon anoche.*—Well, they drilled (plugged) us last night.
[21] *él ya hasta aflojó el cuerpo.*—he's already given up the ghost.

—«Le quité al muerto este tantito. A ver si me ajusta.

—«Tengo áhi una partida pa los repatriados.[22] Te daré lo del pasaje; pero si te vuelvo a devisar por aquí, te dejo a que revientes. No me gusta ver una cara dos veces. ¡Ándale, vete!

5 «Y yo me vine y aquí estoy, padre, pa contárselo a usté.»

—Eso te ganaste por creido y por tarugo. Y ya verás cuando te asomes por tu casa; ya verás la ganancia que sacaste con irte.

—¿Pasó algo malo? ¿Se me murió algún chamaco?

—Se te fue la Tránsito con un arriero. Dizque era re buena, 10 ¿verdá? Tus muchachos están acá atrás dormidos. Y tú vete buscando ónde pasar la noche, porque tu casa la vendí pa pagarme lo de los gastos. Y todavía me sales debiendo treinta pesos del valor de las escrituras.

—Está bien, padre, no me le voy a poner renegado. Quizá 15 mañana encuentre por aquí algún trabajito pa pagarle todo lo que le debo. ¿Por qué rumbo dice usté que arrendó el arriero con la Tránsito?

—Pos por áhi. No me fijé.

—Entonces orita vengo, voy por ella.

20 —¿Y por ónde vas?

—Pos por áhi, padre, por onde usté dice que se fue.

No oyes ladrar los perros[1]

—Tú que vas allá arriba, Ignacio, dime si no oyes alguna señal de algo o si ves alguna luz en alguna parte.

—No se ve nada.

25 —Ya debemos estar cerca.

—Sí, pero no se oye nada.

—Mira bien.

—No se ve nada.

—Pobre de ti, Ignacio.

[22] *Tengo áhi . . . repatriados.*—I have a stake there (in this business) for those repatriated.

[1] From *El llano en llamas* (*cuentos*), *Fondo de Cultura Económica.*

La sombra larga y negra de los hombres siguió moviéndose de arriba abajo, trepándose a las piedras, disminuyendo y creciendo según avanzaba por la orilla del arroyo. Era una sola sombra, tambaleante.

La luna venía saliendo de la tierra, como una llamarada redonda.

—Ya debemos estar llegando a ese pueblo, Ignacio. Tú que llevas las orejas de fuera, fíjate a ver si no oyes ladrar los perros. Acuérdate que nos dijeron que Tonaya estaba detrasito del monte. Y desde qué horas que hemos dejado el monte. Acuérdate, Ignacio.

—Sí, pero no veo rastro de nada.

—Me estoy cansando.

—Bájame.

El viejo se fue reculando hasta encontrarse con el paredón y se recargó allí, sin soltar la carga de sus hombros. Aunque se le doblaban las piernas, no quería sentarse, porque después no hubiera podido levantar el cuerpo de su hijo, al que allá atrás, horas antes, le habían ayudado a echárselo a la espalda. Y así lo había traído desde entonces.

—¿Cómo te sientes?

—Mal.

Hablaba poco. Cada vez menos. En ratos parecía dormir. En ratos parecía tener frío. Temblaba. Sabía cuándo le agarraba a su hijo el temblor por las sacudidas que le daba, y porque los pies se le encajaban en los ijares como espuelas. Luego las manos del hijo, que traía trabadas en su pescuezo, le zarandeaban la cabeza como si fuera una sonaja.

Él apretaba los dientes para no morderse la lengua y cuando acababa aquello le preguntaba:

—¿Te duele mucho?

—Algo—contestaba él.

Primero le había dicho: «Apéame aquí . . . Déjame aquí. Vete tú solo. Yo te alcanzaré mañana o en cuanto me reponga un poco.» Se lo había dicho como cincuenta veces. Ahora ni siquiera eso decía.

Allí estaba la luna. Enfrente de ellos. Una luna grande y colorada que les llenaba de luz los ojos y que estiraba y oscurecía más su sombra sobre la tierra.

—No veo ya por dónde voy—decía él.

Pero nadie le contestaba.

5 El otro iba allá arriba, todo iluminado por la luna, con su cara descolorida, sin sangre, reflejando una luz opaca. Y él acá abajo.

—¿Me oíste, Ignacio? Te digo que no te veo bien.

Y el otro se quedaba callado.

10 Siguió caminando, a tropezones. Encogía el cuerpo y luego se enderezaba para volver a tropezar de nuevo.

—Éste no es ningún camino. Nos dijeron que detrás del cerro estaba Tonaya. Ya hemos pasado el cerro. Y Tonaya no se ve, ni se oye ningún ruido que nos diga que está cerca. ¿Por qué no 15 quieres decirme qué ves, tú que vas allá arriba, Ignacio?

—Bájame, padre.

—¿Te sientes mal?

—Sí.

—Te llevaré a Tonaya a como dé lugar. Allí encontraré quien te 20 cuide. Dicen que allí hay un doctor. Yo te llevaré con él. Te he traído cargando desde hace horas y no te dejaré tirado aquí para que acaben contigo quienes sean.

Se tambaleó un poco. Dio dos o tres pasos de lado y volvió a enderezarse.

25 —Te llevaré a Tonaya.

—Bájame.

Su voz se hizo quedita, apenas murmurada:

—Quiero acostarme un rato.

—Duérmete allí arriba. Al cabo te llevo bien agarrado.

30 La luna iba subiendo, casi azul, sobre un cielo claro. La cara del viejo, mojada en sudor, se llenó de luz. Escondió los ojos para no mirar de frente, ya que no podía agachar la cabeza agarrotada entre las manos de su hijo.

—Todo esto que hago, no lo hago por usted. Lo hago por su 35 difunta madre. Porque usted fue su hijo. Por eso lo hago. Ella me reconvendría si yo lo hubiera dejado tirado allí, donde lo encontré y no lo hubiera recogido para llevarlo a que lo curen, como estoy haciéndolo. Es ella la que me da ánimos, no usted. Comenzando porque a usted no le debo más que puras dificultades, puras mortificaciones, puras vergüenzas.

Sudaba al hablar. Pero el viento de la noche le secaba el sudor. Y sobre el sudor seco, volvía a sudar.

—Me derrengaré, pero llegaré con usted a Tonaya, para que le alivien esas heridas que le han hecho. Y estoy seguro de que, en cuanto se sienta usted bien, volverá a sus malos pasos.[2] Eso ya no me importa. Con tal que se vaya lejos, donde yo no vuelva a saber de usted. Con tal de eso . . . Porque para mí usted ya no es mi hijo. He maldecido la sangre que usted tiene de mí. La parte que a mí me tocaba la he maldecido. He dicho: «¡Que se le pudra en los riñones la sangre que yo le di!» Lo dije desde que supe que usted andaba trajinando por los caminos, viviendo del robo y matando gente . . . Y gente buena. Y si no, allí está mi compadre Tranquilino. El que lo bautizó a usted. El que le dio su nombre. A él también le tocó la mala suerte de encontrarse con usted. Desde entonces dije: «Ése no puede ser mi hijo.»

—Mira a ver si ya ves algo. O si oyes algo. Tú que puedes hacerlo desde allá arriba, porque yo me siento sordo.

—No veo nada.

—Peor para ti, Ignacio.

—Tengo sed.

—¡Aguántate! Ya debemos estar cerca. Lo que pasa es que ya es muy noche y han de haber apagado la luz en el pueblo. Pero al menos debías de oír si ladran los perros. Haz por oír.

—Dame agua.

—Aquí no hay agua. No hay más que piedras. Aguántate. Y aunque la hubiera, no te bajaría a tomar agua. Nadie me ayudaría a subirte otra vez y yo solo no puedo.

—Tengo mucha sed y mucho sueño.

—Me acuerdo cuando naciste. Así eras entonces. Despertabas con hambre y comías para volver a dormirte. Y tu madre te daba agua, porque ya te habías acabado la leche de ella. No tenías llena-

[2] *volverá a sus malos pasos.*—you will go back to your evil ways.

dero.[3] Y eras muy rabioso. Nunca pensé que con el tiempo se te fuera a subir aquella rabia a la cabeza . . . Pero así fue. Tu madre, que descanse en paz, quería que te criaras fuerte. Creía que cuando tú crecieras irías a ser su sostén. No te tuvo más que a ti. El otro 5 hijo que iba a tener la mató. Y tú la hubieras matado otra vez si ella estuviera viva a estas alturas.[4]

Sintió que el hombre aquel que llevaba sobre sus hombros dejó de apretar las rodillas y comenzó a soltar los pies, balanceándolos de un lado para otro. Y le pareció que la cabeza, allá arriba, se 10 sacudía como si sollozara.

Sobre su cuello sintió que caían gruesas gotas, como de lágrimas.

—¿Lloras, Ignacio? Lo hace llorar a usted el recuerdo de su madre, ¿verdad? Pero nunca hizo usted nada por ella. Nos pagó siempre mal. Parece que, en lugar de cariño, le hubiéramos reta- 15 cado el cuerpo de maldad. ¿Y ya ve? Ahora lo han herido. ¿Qué pasó con sus amigos? Los mataron a todos. Pero ellos no tenían a nadie. Ellos bien hubieran podido decir: «No tenemos a quién darle nuestra lástima.» ¿Pero usted Ignacio?

Allí estaba ya el pueblo. Vio brillar los tejados bajo la luz de la 20 luna. Tuvo la impresión de que lo aplastaba el peso de su hijo al sentir que las corvas se le doblaban en el último esfuerzo. Al llegar al primer tejabán, se recostó sobre el pretil de la acera y soltó el cuerpo, flojo, como si lo hubieran descoyuntado.

Destrabó difícilmente los dedos con que su hijo había venido 25 sosteniéndose de su cuello y, al quedar libre, oyó cómo por todas partes ladraban los perros.

—¿Y tú no los oías, Ignacio?—dijo—. No me ayudaste ni siquiera con esta esperanza.

[3] *No tenías llenadero.*—There was no filling you. [4] *a estas alturas.*—at this (late) date; now.

CARLOS FUENTES

(MÉXICO 1929)

Cuando Fuentes publicó su primer libro, *Los días enmascarados* (cuentos, 1954), se advertía en la literatura de su país un fuerte movimiento de rebelión contra el tipo de regionalismo impuesto por los novelistas de la Revolución Mexicana. Los escritores jóvenes comenzaban a destruir los mitos de barro que habían servido para oscurecer el verdadero trance del pueblo en la época revolucionaria. A la actitud crítica de ensayistas y poetas, como Octavio Paz, correspondió en la novela un proceso de confesión violenta y desorbitada. Agustín Yáñez abrió, entonces, una zona profunda de la subconsciencia provinciana en *Al filo del agua* y sacó a la luz los remordimientos de quienes sentían, pero no confesaban, la ineficacia del sacrificio de sangre colectivo. Juan Rulfo insistió y abrió más la herida. Tres años después de la publicación de *Pedro Páramo*, Fuentes lanza su primera novela: *La región más transparente* (1958). De ella dije en mi *Breve historia de la novela hispanoamericana:*

«En su novela experimenta con todo el caudal técnico que absorbiera en sus abundantes lecturas de los maestros de la novela moderna europea y norteamericana: hay contrapunto, a la manera de Huxley y Dos Passos, monólogo interior y asociación libre de ideas, al modo de Joyce, mitología contemporánea, al estilo de Kafka y Faulkner, brutales incisiones en la realidad ambiente, en la mejor tradición existencialista. Por los resquicios de tan apretado y complejo aparato técnico vislumbramos la fisonomía del pueblo mexicano en un instante crítico de su desenvolvimiento social . . . Por ahora le domina la técnica . . . ¿Qué dirección asumirá su obra futura? Es difícil predecirlo. Me inclino a pensar que empezará su regreso a la realidad, a una neo-realidad de formas más sencillas, pero de fondo especulativo cada vez más trascendental.» (p. 245)

Las buenas conciencias (1959) confirmó tal predicción. En esta novela de la vida provinciana y de aguda crítica a la hipocresía y oportunismo de una familia encopetada, Fuentes descarta los recursos técnicos de su primer experimento y narra ahora ceñido a normas de objetividad intachable. No participa directamente en la querella de su héroe: la expone con sencillez deliberada, pero sin sacrificar la riqueza de su complejidad psicológica. Lejos está ya del simbolismo kafkiano de que se valía en sus cuentos para ajusticiar a los culpables de la hecatombe social moderna. Su crítica de entonces, fría y feroz, ha encontrado un poderoso cauce de fondo humanitario.

En su tercera novela, *La muerte de Artemio Cruz* (1962) los límites de la técnica y las proyecciones de su pensamiento social alcanzan un sólido equilibrio. Lo que fue experimental simultaneidad de planos en *La región más transparente* es ahora nítida teoría del tiempo aplicada a la estructura novelesca: Fuentes establece un balance psicológico de las unidades del tiempo y, superando la cronología convencional, logra dar a través de un personaje la visión panorámica de la sociedad mexicana de su época. Alejo Carpentier había ya experimentado con una teoría similar en relatos como *El acoso, El camino de Santiago* y *Viaje a la semilla.* La visión que ofrece Fuentes no se desborda jamás: por el contrario, aparece rigurosamente delineada por la tensión de un lenguaje poético, cargado de símbolos y de experiencia directa de la vida. Es preciso insistir en esa *tensión* característica del estilo de Fuentes: no hay una página suya que sea producto del artificio; su lenguaje fluye con ímpetu natural, motivado siempre por la comprobación del hecho poético que esconde la realidad. El vigor lírico y el tránsito ordenado de las imágenes determinan un aspecto importante de su estilo y constituyen uno de los factores de la tensión que lo individualiza. En *La muerte de Artemio Cruz* hay páginas que, por su fuerza poética, no tienen igual en la literatura mexicana contemporánea.

OBRAS

CUENTOS: *Los días enmascarados*, México, 1954.
NOVELAS: *La región más transparente*, México, 1958. *Las buenas conciencias*, México, 1959. *La muerte de Artemio Cruz*, México, 1962.

(1947: SEPTIEMBRE 11)[1]

Él apartó las cortinas y respiró el aire limpio. Había entrado la brisa temprana, agitando las cortinas para anunciarse. Miró hacia

[1] From *La muerte de Artemio Cruz* (*novela*).

afuera: estas horas del amanecer eran las mejores, las más despejadas, las de una primavera diaria. No tardaría en sofocarlas el sol palpitante. Pero a las siete de la mañana, la playa frente al balcón se iluminaba con una paz fresca y un contorno silencioso. Las olas apenas murmuraban y las voces de los escasos bañistas no alcanzaban a distraer el encuentro solitario del sol naciente, el océano tranquilo y la arena peinada por la marea. Apartó las cortinas y respiró el aire limpio. Tres chiquillos caminaban por la playa con sus cubetas, recogiendo los tesoros de la noche: estrellas, caracoles, maderos pulidos. Un velero se bamboleaba cerca de la costa; el cielo transparente se proyectaba sobre la tierra a través de un filtro del verde más pálido. Ningún automóvil corría por la avenida que separaba al hotel de la playa.

Dejó caer la cortina y caminó hacia el baño de azulejos moriscos. Miró en el espejo ese rostro hinchado por un sueño que, sin embargo, era tan breve, tan distinto. Cerró la puerta con suavidad. Abrió los grifos y taponeó el lavabo. Arrojó la camisa del pijama sobre la tapa del excusado. Escogió una hoja nueva, la despojó de su envoltura de papel ceroso y la colocó en el rastrillo dorado. Luego dejó caer la navaja en el agua caliente, humedeció una toalla y se cubrió el rostro con ella. El vapor empañó el cristal. Lo limpió con una mano y encendió el cilindro de luz neón colocado sobre el espejo. Exprimió el tubo de un nuevo producto norteamericano, la crema de afeitar de aplicación directa; embarró la sustancia blanca y refrescante sobre las mejillas, el mentón y el cuello. Se quemó los dedos al sacar la navaja del agua. Hizo un gesto de molestia y con la mano izquierda extendió una mejilla y comenzó a afeitarse, de arriba abajo, con esmero, torciendo la boca. El vapor le hacía sudar; sentía correr las gotas por las costillas. Ahora se descañonaba lentamente y después se acariciaba el mentón para asegurarse de la suavidad. Volvió a abrir los grifos, a empapar la toalla, a cubrirse la cara con ella. Se limpió las orejas y se roció el rostro con una loción excitante que le hizo exhalar con placer. Limpió la hoja y volvió a colocarla en el rastrillo, y éste en su estuche de cuero. Tiró del tapón y contempló, por un instante, la succión del charco

gris de jabón y vello emplastado. Observó las facciones: quiso
descubrir al mismo de siempre, porque al limpiar de nuevo el vaho
que empañaba el cristal, sintió sin saberlo—en esa hora temprana,
de quehaceres insignificantes pero indispensables, de malestares
5 gástricos y hambres indefinidas, de olores indeseados que rodeaban
la vida inconsciente del sueño—que había pasado mucho tiempo
sin que, mirándose todos los días al espejo de un baño, se viera.
Rectángulo de azogue y vidrio y único retrato verídico de este
rostro de ojos verdes y boca enérgica, frente ancha y pómulos
10 salientes. Abrió la boca y sacó la lengua raspada de islotes blancos;
luego buscó en el reflejo los huecos de los dientes perdidos. Abrió
el botiquín y tomó los puentes que dormían en el fondo de un vaso
con agua. Los enjuagó rápidamente y, dando la espalda al espejo,
se los colocó. Embarró la pasta verdosa sobre el cepillo y se limpió
15 los dientes. Hizo gárgaras y se desprendió del pantalón del pijama.
Abrió los grifos de la regadera. Tomó la temperatura con la palma
de la mano y sintió el chorro desigual sobre la nuca, mientras
pasaba el jabón sobre el cuerpo magro, de costillas salientes, el
estómago flácido y los músculos que aún conservaban cierta tiran-
20 tez nerviosa, pero que ahora tendían a colgarse hacia adentro, de
una manera que le parecía grotesca, si él no mantenía una vigilan-
cia enérgica y postiza . . . y sólo cuando era observado, como estos
días, por esas miradas impertinentes del hotel y la playa. Dio la
cara a la regadera, cerró los grifos y se frotó con la toalla. Volvió a
25 sentirse contento cuando se fregó el pecho y las axilas con el agua
de lavanda y pasó el peine sobre la cabellera crespa. Tomó del
closet el calzón de baño azul y la camisa blanca de polo. Calzó las
zapatillas italianas de lona y cuerda y abrió con lentitud la puerta
del baño.

30 La brisa continuaba agitando las cortinas y el sol no acababa de
brillar; sería una lástima, una verdadera lástima que el día se echara
a perder. En septiembre nunca se sabe. Miró hacia la cama matrimonial. Lilia seguía durmiendo, con esa postura espontánea,
libre: la cabeza apoyada en el hombro y el brazo extendido sobre
35 la almohada, la espalda al aire y una rodilla doblada, fuera de la

sábana. Se acercó al cuerpo joven, sobre el cual esa luz primera jugaba grácilmente, iluminando el vello dorado de los brazos y los rincones húmedos de los párpados, los labios, la axila pajiza. Se agachó para mirar las perlas de sudor sobre los labios y sentir la tibieza que ascendía del cuerpo de animalillo en reposo, tostado por el sol, inocentemente impúdico. Extendió los brazos, con el deseo de voltearla y ver el frente del cuerpo. Los labios entreabiertos se cerraron y la muchacha suspiró. Él bajó a desayunar.

Cuando terminó el café, se limpió los labios con la servilleta y miró a su alrededor. Siempre, a esta hora, parecían desayunar los niños, acompañados de las nanas. Las cabezas lisas y húmedas eran de los que no habían resistido la tentación de un baño antes del desayuno y ahora se disponían a regresar, con las trusas mojadas, a la playa que acogía ese tiempo sin tiempo en el que sólo la imaginación de cada niño daría el ritmo querido a las horas, largas o cortas, de castillos y murallas en construcción, de alegres prólogos de enterramiento, de paseos chapoteados y juegos revolcados, de cuerpos tendidos sin tiempo al tiempo del sol, de griterías en la envoltura intangible del agua. Era extraño verlos, tan niños, buscando ya en el espacio abierto la guarida singular de un entierro ficticio, de un palacio de arena. Ahora se retiraban los niños y entraban los huéspedes adultos del hotel.

Encendió un cigarillo y se dispuso a ese marco leve que de unos meses a esta parte acompañaba siempre a la primera bocanada del día. Dirigió la mirada lejos del comedor, hacia la curva de la playa recortada que se iba serpenteando en espuma desde el extremo del océano abierto hasta la media luna más recogida de la bahía, ahora punteada de veleros y un rumor ascendente de actividad. Un matrimonio conocido pasó a su lado y le saludó con un gesto. Él inclinó la cabeza y volvió a tomar una bocanada de humo.

Aumentaron los ruidos del comedor: los cubiertos sobre los platos, las cucharillas batidas dentro de las tazas, las botellas destapadas y el burbujeo de agua mineral, las sillas acomodadas, las conversaciones de las parejas, de los grupos de turistas. Y el rumor creciente del oleaje, que no se resignaba a que lo venciera el rumor humano. Desde la mesa, se veía la explanada del nuevo frente moderno de Acapulco, levantado con premura para satisfacer la comodidad del gran número de viajeros norteamericanos, a los que la guerra había privado de Waikiki, Portofino o Biarritz, y también para ocultar el traspatio chaparro, lodoso, de los pescadores desnudos y sus chozas con niños barrigones, perros sarnosos, riachuelos de aguas negras, triquina y bacilos. Siempre los dos tiempos, en esta comunidad jánica, de rostro doble, tan lejana de lo que fue y tan lejana de lo que quiere ser.

Fumaba, sentado, con un ligero entumecimiento en las piernas que ya no toleraban, ni siquiera a las once de la mañana, esta ropa veraniega. Se frotó disimuladamente la rodilla. Debía ser un frío dentro de él, porque la mañana estallaba en una sola luz redonda y el cráneo del sol hervía con un penacho naranja. Y Lilia entraba, con los ojos escondidos detrás de gafas oscuras. Él se puso de pie y acercó la silla a la muchacha. Hizo una seña al mozo. Notó el cuchicheo del matrimonio conocido. Lilia pidió papaya y café.

—¿Dormiste bien?

La muchacha asintió, sonrió sin separar los labios y acarició la mano morena del hombre, recortada sobre el mantel.

—¿No habrán llegado los periódicos de México?—dijo mientras recortaba en trocitos la rebanada de fruta.—¿Por qué no miras?

—Sí. Apúrate, que a las doce nos espera el yate.

—¿Dónde vamos a comer?

—En el club.

El hombre caminó hacia la administración. Sí, sería un día como el de ayer, de conversación difícil, de preguntas y respuestas ociosas. Pero la noche, sin palabras, era otra cosa. ¿Por qué iba a pedir más? El contrato, tácito, no exigía verdadero amor, ni siquiera una semblanza de interés personal. Quería una chica para las vacaciones. La tenía. El lunes todo terminaría, no la volvería a ver. ¿Quién iba a exigir más? Compró los diarios y subió a ponerse unos pantalones de franela.

En el automóvil, Lilia se metió en los periódicos y comentó algunas noticias de cine. Cruzó las piernas bronceadas y dejó que una zapatilla se le descolgara. Él encendió el tercer cigarrillo de la mañana, no le dijo que ese periódico lo editaba él, se distrajo observando los anuncios que coronaban los nuevos edificios y esa extraña transición del hotel de quince pisos y el restaurant de hamburguesas a la montaña rapada, de entrañas descubiertas por la pala mecánica, que caía con su vientre rojizo sobre la carretera.

Cuando Lilia saltó graciosamente a la cubierta y él trató de equilibrarse y al fin dio pie en el yate, el otro ya estaba allí y fue quien les dio la mano para que pasaran del muelle bamboleante.

—Xavier Adame.

Casi desnudo, con un traje de baño muy corto y el rostro oscuro, aceitado alrededor de los ojos azules y las cejas espesas y juguetonas. Tendió la mano con un movimiento de lobo inocente: audaz, cándido, secreto.

—Don Rodrigo dijo que no se les importaba compartir el barco conmigo.

Él asintió y buscó un lugar en la cabina sombreada. Adame le decía a Lilia:

—. . . el viejo me lo tenía ofrecido desde hace una semana y luego se le olvidó . . .

Lilia sonrió y extendió la toalla sobre la popa asoleada.

—¿No apeteces nada?—le preguntó el hombre a Lilia cuando el mozo de a bordo se acercó con el carro de las bebidas y las botanas.

Lilia, acostada, dijo que no con un dedo. Él acercó el carro y picoteó las almendras mientras el mozo le preparaba un gin-and-tonic. Xavier Adame había desaparecido sobre el toldo de la cabina. Se escucharon sus pisadas firmes, un diálogo rápido con alguien que estaba sobre el muelle, después el movimiento del cuerpo al recostarse sobre el toldo.

El pequeño yate salió lentamente de la bahía. Él tomó su gorra con visera transparente y se reclinó a beber el gin-and-tonic.

Frente a él, el sol se untaba sobre Lilia. La muchacha deshizo el nudo del sostén y ofreció la espalda. Todo el cuerpo hizo un gesto de alegría. Levantó los brazos y se anudó el pelo suelto, de un cobrizo brillante, sobre la nuca. Un sudor finísimo le corría por
5 el cuello, lubricando la carne suave y redonda de los brazos y la espalda lisa, de separación acentuada. La miraba desde el fondo de la cabina. Ahora se dormiría en la misma postura de la mañana. Recargada sobre el hombro, con una rodilla doblada. Vio que se había afeitado la axila. El motor arrancó y las olas se abrieron en
10 dos crestas veloces, levantando una llovizna salada, pareja, cortada, que caía sobre el cuerpo de Lilia. El agua de mar mojó el pantaloncillo de baño y lo pegó sobre las caderas y lo encajó entre las nalgas. Las gaviotas se acercaron, chirriando, a la nave veloz y él sorbió lentamente los popotes de su bebida. Ese cuerpo joven, lejos de
15 excitarlo, lo llenaba de contención, de una especie de austeridad malévola. Jugaba, sentado sobre la silla de lona al fondo de la cabina, al aplazamiento de sus deseos, a su almacenamiento para la noche silenciosa y solitaria, cuando los cuerpos desaparecían en la oscuridad y no podían ser objeto de comparaciones. En la noche,
20 sólo tendría para ella las manos experimentadas, amantes de la lentitud y la sorpresa. Bajó la mirada y vio esas manos morenas, de venas verdosas, prominentes, que suplían el vigor y la impaciencia de otras edades.

Se encontraban en mar abierto. La costa deshabitada, de mato-
25 rrales desgreñados y bastiones de roca, levantaba sobre sí misma un reverberar ardiente. El yate dio un viraje en el mar picado y una ola se estrelló, empapó el cuerpo de Lilia: gritó alegremente y levantó el busto, detenido por esos botones rosados que parecían atornillar los senos duros. Volvió a recostarse. El mozo se acercó
30 con una bandeja olorosa de ciruelas maguyadas, duraznos y naranjas peladas. Él cerró los ojos y dio paso a una sonrisa difícil impuesta por el pensamiento: ese cuerpo lúbrico, ese talle estrecho, esos muslos llenos, también llevaban escondidos en una célula ahora minúscula, el cáncer del tiempo. Maravilla efímera, ¿en qué

se distinguiría, al cabo de los años, de este otro cuerpo que ahora la poseía? Cadáver al sol chorreando aceites y sudor, sudando su juventud rápida, perdida en un abrir y cerrar de ojos, capilaridad marchita, muslos que se ajarían con los partos y la pura, angustiosa permanencia sobre la tierra y sus rutinas elementales, siempre repetidas, exhaustas de originalidad. Abrió los ojos. La miró. 5

Xavier se descolgó del toldo. Él vio aparecer las piernas velludas, luego el nudo del sexo escondido, en fin los pechos ardientes. Sí: caminaba como lobo, al agacharse para entrar a la cabina abierta y tomar dos duraznos del platón depositado sobre una fuente de 10 hielo. Le dirigió una sonrisa y salió con la fruta empuñada. Se puso en cuclillas frente a Lilia, con las piernas abiertas frente al rostro de la muchacha: le tocó el hombro. Lilia sonrió y tomó uno de los duraznos ofrecidos con unas palabras que él no pudo entender, sofocadas por el motor, la brisa, las olas veloces. Ahora esas dos 15 bocas mascaban a un tiempo y el jugo les escurría por las barbillas. Si al menos . . . Sí. El joven cerró las piernas y se recargó, extendiéndolas, a babor. Levantó los ojos sonrientes, frunciendo el ceño, al cielo blanco del mediodía. Lilia lo miraba y movía los labios. Xavier indicó algo, movió el brazo y señaló hacia la costa. Lilia 20 trataba de mirar hacia allá, tapándose los senos. Xavier se volvió a acercar y ambos rieron cuando él le amarró el sostén de tela y ella se sentó con el busto húmedo y dibujado y se tapó la frente con una mano para ver lo que él señalaba en la línea lejana de una playuela caída, como una concha amarilla, entre el espesor de la 25 selva. Xavier se puso de pie y gritó una orden al lanchero. El yate dio un nuevo viraje y enfiló hacia la playa. La joven también se recostó a babor y acercó el bolso para ofrecerle un cigarillo a Xavier. Hablaban.

Él veía los dos cuerpos, sentados lado a lado, parejamente oscu- 30 ros y parejamente lisos, hechos de una sola línea sin interrupciones, de la cabeza a los pies extendidos. Inmóviles pero tensos con una espera segura; identificados en su novedad, en su afán apenas disimulado de probarse, de exponerse. Sorbió los popotes y se puso las gafas negras, que unidas a la gorra de visera casi disfrazaban el rostro.

Hablaban. Terminaban de chupar el hueso del durazno y dirían:

5 —Sabe bien,

o quizás,

—Me gusta . . .,

algo que nadie había dicho antes, dicho por cuerpos, por presencias que estrenaban la vida. Dirían . . .

10 —¿Por qué no nos hemos visto antes? Yo siempre ando por el club . . .

—No, yo no . . . Anda, vamos a tirar los huesos. A la una . . .

Los vio arrojar los huesos a un tiempo, con una risa que no llegó hasta él; vio la fuerza de los brazos.

15 —¡Te gané!—dijo Xavier cuando los huesos se estrellaron sin ruido, lejos del yate. Ella rio. Volvieron a acomodarse.

—¿Te gusta esquiar?

—No sé.

—Ándale, te enseño . . .

20 ¿Qué dirían? Tosió y acercó el carro para prepararse otra bebida. Xavier averiguaría la clase de pareja que formaban Lilia y él. Ella contaría su pequeña y sórdida historia. Él se encogería de hombros, la obligaría a preferir el cuerpo de lobo, por lo menos para una noche, para variar. Pero amarse . . . amarse . . .

25 —Es cuestión de mantener los brazos rígidos, ¿ves?, no doblar los brazos . . .

—Primero veo cómo lo haces tú . . .

—Cómo no. Deja que lleguemos a la playita.

¡Ah, sí! Ser joven y rico.

30 El yate se detuvo a unos metros de la playa escondida. Se meció, cansado, y dejó escapar su aliento de gasolina, manchando el mar de cristales verdes y fondo blanco. Xavier tomó los esquíes y los arrojó al agua; después se zambulló, emergió sonriendo y los calzó.

—¡Tírame la cuerda!

35 La muchacha buscó la agarradera y la arrojó al joven. El yate volvió a arrancar y Xavier se levantó del agua, siguiendo la estela

de la nave con un brazo de saludo en alto mientras Lilia lo contemplaba y él bebía el gin-and-tonic; esa franja de mar que separaba a los jóvenes los acercaba de una manera misteriosa; los unía más que una cópula apretada y los fijaba en una cercanía inmóvil, como si el yate no surcara el Pacífico, como si Xavier fuese una estatua esculpida para siempre, arrastrada por la nave, como si Lilia se hubiese detenido sobre una, cualquiera, de las olas que en apariencia carecían de sustancia propia, se levantaban, se estrellaban, morían, volvían a integrarse—otras, las mismas—siempre en movimiento y siempre idénticas, fuera del tiempo, espejo de sí mismas, de las olas del origen, del milenio perdido y del milenio por venir. Hundió el cuerpo en ese sillón bajo y cómodo. ¿Qué iba a elegir ahora? ¿Cómo escaparía a ese azar colmado de necesidades que huían del dominio de su voluntad?

Xavier soltó la agarradera y cayó al mar frente a la playa. Lilia se zambulló sin mirarlo, sin mirarlo a él. Pero la explicación llegaría. ¿Cuál? ¿Lilia le explicaría a él? ¿Xavier le pediría una explicación a Lilia? ¿Lilia le daría una explicación a Xavier? Cuando la cabeza de Lilia, iluminada en mil vetas extrañas por el sol y el mar, apareció en el agua junto a la del joven, supo que nadie, salvo él, osaría pedir una explicación; que allá abajo, en el mar tranquilo de esta rada transparente, nadie buscaría las razones o detendría el encuentro fatal, nadie corrompería lo que era, lo que debía ser. ¿Qué cosa se levantaba entre los jóvenes? ¿Este cuerpo hundido en la silla, vestido con camisa de polo, pantalón de franela y gorra de visera? ¿Esta mirada impotente? Allá abajo, los cuerpos nadaban en silencio y la borda le impedía ver lo que sucedía. Xavier chifló. El yate arrancó y Lilia apareció, por un instante, sobre la superficie del mar. Cayó; el yate se detuvo. Las risas redondas, abiertas, llegaron hasta su oído. Nunca la había escuchado reír así. Como si acabara de nacer, como si no hubiera atrás, siempre atrás, lápidas de historia e historias, sacos de vergüenza, hechos cometidos por ella, por él.

Por todos. Ésa era la palabra intolerable. Cometidos por todos.

La mueca agria no pudo contener esa palabra que le desbordaba. Que rompía todos los resortes del poder y la culpa, del dominio singular de otros, de alguien, de una muchacha en su poder, comprada por él, para hacerlos ingresar a un mundo ancho de actos comunes, destinos similares, experiencias sin etiquetas de posesión. ¿Entonces esa mujer no había sido marcada para siempre? ¿No sería, para siempre, una mujer poseída ocasionalmente por él? ¿No sería ésa su definición y su fatalidad: ser lo que fue porque en un momento dado fue suya? ¿Podía Lilia amar como si él nunca hubiese existido?

Se incorporó, caminó hacia la popa y gritó:

—Se hace tarde. Hay que regresar al club para comer a tiempo.

Sintió su propio rostro, toda su figura, rígidos y cubiertos de un almidón pálido cuando se dio cuenta de que su grito no era escuchado por nadie, pues mal podían oír dos cuerpos ligeros que nadaban bajo el agua opalina, paralelos, sin tocarse, como si flotaran en una segunda capa de aire.

Xavier Adame los dejó en el muelle y volvió al yate: quería seguir esquiando. Se despidió desde la proa. Agitó la blusa y en sus ojos no había nada de lo que él hubiese querido ver. Como durante el almuerzo a la orilla de la rada, bajo el techo de palma, hubiese querido ver lo que no encontró en los ojos castaños de Lilia. Xavier no había preguntado. Lilia no había contado esa triste historia de melodrama que él saboreaba para sus adentros mientras distinguía los sabores mezclados del Vichyssoise. Ese matrimonio de clase media, con el lépero de siempre, el machito, el castigador, el pobre diablo; el divorcio y la putería. Quisiera contárselo—ah, quizás debiera contárselo—a Xavier. Le costaba recordar la historia, sin embargo, porque había huido de los ojos de Lilia, esta tarde, como si durante la mañana el pasado hubiese huido de la vida de la mujer.

Pero el presente no podía huir porque lo estaban viviendo, sentados sobre esos sillones de paja y comiendo mecánicamente el almuerzo especialmente ordenado: Vichyssoise, langosta, Côtes du Rhone, Baked Alaska. Estaba sentada allí, pagada por él. Detuvo el pequeño tenedor de mariscos antes de llegar a la boca: pagada por él, pero se le escapaba. No podía tenerla más. Esa tarde, esa misma noche, buscaría a Xavier, se encontrarían en secreto, ya habían fijado la cita. Y los ojos de Lilia, perdidos en el paisaje de veleros y agua dormida, no decían nada. Pero él podría sacárselo, hacer una escena . . . Se sintió falso, incómodo y siguió comiendo la langosta . . . Ahora cuál camino . . . un encuentro fatal que se sobrepone a su voluntad . . . Ah, el lunes todo terminaría, no la volvería a ver, no volvería a buscarla a oscuras, desnudo, seguro de encontrar esa tibieza reclinada entre las sábanas, no volvería . . .

—¿No tienes sueño?—murmuró Lilia cuando les sirvieron el postre.—¿No te da mucha modorra el vino?

—Sí. Un poco. Sírvete.

—No; no quiero helado . . . Quisiera dormir la siesta.

Al llegar al hotel, Lilia se despidió con una seña de los dedos y él atravesó la avenida y pidió a un muchacho que le colocase una silla bajo la sombra de las palmeras. Le costó encender el cigarrillo: un viento invisible, sin localización en la tarde calurosa, se empeñaba en apagarle los fósforos. Ahora algunas parejas jóvenes siesteaban cerca de él; abrazadas, algunas entrelazando las piernas, otras con las cabezas escondidas debajo de las toallas. Comenzó a desear que Lilia bajase y recostara su cabeza sobre las rodillas enfraneladas, delgadas, duras. Sufría o se sentía herido, molesto, inseguro. Sufría con el misterio de ese amor que no podía tocar. Sufría con el recuerdo de esa complicidad inmediata, sin palabras, pactada ante su mirada con actitudes que en sí nada decían, pero que en presencia de ese hombre, de ese hombre hundido en una silla de lona, hundido detrás de la visera, las gafas oscuras . . . Una de las jóvenes recostadas se desperezó con un ritmo lánguido en los brazos y empezó a chorrear, con la mano, una lluvia de arena fina sobre el cuello de su compañero. Gritó cuando el joven saltó fingiendo cólera y la tomó del talle. Los dos rodaron por la arena; ella se levantó y corrió; él detrás, hasta volver a tomarla, jadeante, nerviosa y llevarla en brazos hacia el mar. Él se despojó de las zapatillas italianas y sintió la arena caliente bajo las plantas de los pies. Recorrer la playa, hasta su fin, solo. Caminar con la mirada puesta en sus propias huellas, sin advertir que la marea las iba 5 borrando y que cada nueva pisada era el único, efímero testimonio de sí misma.

El sol estaba a la altura de los ojos.

Los amantes salieron del mar—él, confuso, no pudo medir el tiempo de ese coito prolongado, casi a la vista de la playa, pero 10 arropado en la sábanas del mar argentino del poniente—y aquel alarde juguetón con el que entraron al agua sólo era, esta vez, dos cabezas unidas en silencio y la mirada baja de esa muchacha espléndida, morena, joven . . . Joven. Los jóvenes volvieron a recostarse, tan cerca de él, y a taparse las cabezas con la misma toalla. También 15 se cubrían de la noche, la lenta noche del trópico. El negro que alquilaba las sillas empezó a recogerlas. Él se levantó y caminó hacia el hotel.

Decidió darse un chapuzón en la piscina antes de subir. Entró al desvestidor situado junto a la alberca y volvió a quitarse, sentado 20 sobre un banco, las zapatillas. Los closets de fierro donde se guardaba la ropa de los huéspedes lo escondían. Se escucharon unos pasos húmedos sobre el tapete de goma, a espaldas de él; unas voces sin respiración rieron; se secaron los cuerpos con las toallas. Él se quitó la camisa de polo. Del otro lado del locker, se levantó 25 un olor penetrante de sudor, tabaco negro y agua de colonia.

—Hoy no aparecieron la bella y la bestia.

—No hoy no.

—Está cuerísimo la vieja . . .

—Lástima. El pajarraco ese no le ha de cumplir.

30 —De repente se muere de apoplejía.

—Sí. Apúrate.

Volvieron a salir. Él calzó las zapatillas y salió poniéndose la camisa.

Subió por la escalera a la recámara. Abrió la puerta. No tenía de qué sorprenderse. Allí estaba la cama revuelta de la siesta, pero Lilia no. Se detuvo a la mitad del cuarto. El ventilador giraba como un zopilote capturado. Afuera, en la terraza, otra noche de grillos y luciérnagas. Otra noche. Cerró la ventana para impedir que el olor escapara. Sus sentidos tomaron ese aroma de perfume recién derramado, sudor, toallas mojadas, cosméticos. No eran ésos sus nombres. La almohada, aún hundida, era jardín, fruta, tierra mojada, mar. Se movió lentamente hacia el cajón donde ella . . . Tomó entre las manos el sostén de seda, lo acercó a la mejilla. La barba naciente lo raspó. Debía estar preparado. Debía bañarse, afeitarse de nuevo para esta noche. Soltó la prenda y caminó con un nuevo paso, otra vez contento, hacia el baño.

Prendió la luz. Abrió el grifo del agua caliente. Arrojó la camisa sobre la tapa del excusado. Abrió el botiquín. Vio esas cosas, cosas de los dos. Tubos de pasta dental, crema de afeitar mentolada, peines de carey, cold cream, tubo de aspirina, pastillas contra la acidez, tapones higiénicos, agua de lavanda, hojas de afeitar azules, brillantina, colorete, píldoras contra los espasmos, gargarizante amarillo, preservativos, leche de magnesia, bandas adhesivas, botella de yodo, frasco de shampoo, pinzas, tijeras para las uñas, lápiz labial, gotas para los ojos, tubo nasal de eucalipto, jarabe para la tos, desodorante. Tomó la navaja. Estaba llena de vellos castaños, gruesos, prendidos entre la hoja y el rastrillo. Se detuvo con la navaja entre las manos. La acercó a los labios y cerró, involuntariamente, los ojos. Al abrirlos, ese viejo de ojos inyectados, de pómulos grises, de labios marchitos, que ya no era el otro, el reflejo aprendido, le devolvió una mueca desde el espejo.

AUGUSTO ROA BASTOS

(PARAGUAY 1917)

«Yo tenía una madre a la que le gustaba hacer versos y cantar canciones nostálgicas. Tal vez debido a ella escribí siempre, desde mi infancia. Pero había que sobrevivir y me empleé en un banco. Después, me salí y me dediqué al periodismo: viajaba por los yerbales haciendo notas para un periódico. También hacía audiciones de literatura inglesa en una radio, lo que me valió una beca del British Council, con la que estudié nueve meses en Inglaterra, luego viajé por toda Europa. En uno de los violentos cambios de gobierno de los que hay tantos en mi patria, tuve que salir y me radiqué en Buenos Aires y fue allí donde empecé a escribir seriamente, haciéndome cargo de mi vocación y de mi obligación. Si no hubiese salido del Paraguay es posible que hubiera sido camionero toda mi vida.»

Roa Bastos no es ya camionero, sino escritor profesional de mucho éxito y, en su papel de exilado político, un defensor de las libertades democráticas cuya voz se escucha con respeto en toda América. Entre 1960 y 1962 ha obtenido tres premios consagratorios: el Primer Premio del Concurso Internacional de Novela de la Editorial Losada, por *Hijo de hombre;* el Primer Premio de guión cinematográfico del Festival de Santa Margherita, Italia, por *Alias Gardelito* (basado en un cuento de Bernardo Kordon), y uno de los premios de la revista *Life*, (1961), por dos capítulos de *Hijo de hombre.*

Nacido en el pueblo de Iturbe, Paraguay, Roa Bastos pasó su infancia entre mensús y cazadores de carpinchos. Su padre era modesto trabajador en un ingenio de azúcar. A los ocho años Roa recibió como regalo de sus amigos campesinos su primer par de zapatos y, con ellos apretándole los pies, marchó a la escuela. Toda su educación académica consistió en cinco años de escuela primaria. A los 17 años se alistó en el ejército e hizo la campaña del Chaco. Jamás olvidaría la lección que allí aprendió: según sus propias palabras, el drama que desangró a los dos pueblos hermanos nada tuvo que ver con sentimientos patrióticos, sino con maniobras de intereses imperialistas apoyados por la oligarquía criolla. Ésta fue idea básica de sus campañas periodísticas y causa directa del exilio a que se le condenó. Su voluntad de lucha y celo democrático no se pierden en su obra novelística, por el contrario, se afinan ganando en profundidad y universalismo.

Hijo de hombre, su obra cumbre, encierra un mensaje de vasto contenido social. Concebida como una pintura mural que, de panel en panel, despliega el drama de la nación paraguaya, primero en un plano, luego en otro y en otro, como si la visión objetiva del pueblo rectificara obstinadamente la visión subjetiva—distorsionada a través del recuerdo—del narrador, *Hijo de hombre* es una épica defensa de los valores humanos ante la carga implacable de la explotación económica, los prejuicios raciales y la persecución política que constituyen la marca de los regímenes dictatoriales. Pudiera decirse también que hay en esta novela un factor lírico de primaria importancia. Roa humaniza el paisaje por medio de imágenes poéticas y, frecuentemente, convierte esas imágenes en símbolos. Sencillo y profundo en su arte de narrar, nos revela la acción oculta que ejercitan el hombre y la naturaleza y que tiende a resolverse en su novela en una cópula de misteriosa grandeza dramática. En ello reside el dinamismo de su creación literaria y el amplio movimiento de su narrativa. Como otros grandes novelistas épicos del siglo XX, Roa Bastos deja que sus sentimientos humanitarios busquen las raíces ancestrales de su pueblo para definirlas y orientarlas y dar con ellas un sentido a la vida: un sentido de justicia y de dignidad.

OBRAS

POESÍA: *El naranjal ardiente* (poemas en español y guaraní), Asunción, 1949.
CUENTOS: *El trueno entre las hojas*, Buenos Aires, 1953.
NOVELA: *Hijo de hombre*, Buenos Aires, 1959.

MADERA Y CARNE[1]

1

—*¡ Allá va el Doctor!*

Dice la gente de mañanita cuando, envuelto en tierra y rocío, Sapukai gira lentamente hacia la salida del sol con su caserío

[1] From *Hijo de hombre* (*novela*).

aborregado en torno a la iglesia mocha, a las ruinas de la estación.

Junto a los rieles que se pierden en el campo con sus tajos brillantes y en arco como los de una luna nueva, los escombros ennegrecidos tiritan, coagulados todavía de noche. Los cuadrilleros están rellenando poco a poco el socavón dejado por las bombas, pero el agujero parece no tener fondo. Allí yacen también las víctimas de la explosión: unas dos mil personas, entre mujeres, hombres y niños. Cada tanto tumban adentro carretadas de tosca, tierra y pedregullo, pero siempre falta un poco para llegar al ras.

Las encías de fierro flotan en el aire temblequeando peligrosamente sobre los pilotes provisionales, cada vez que pasa el tren sobre el cráter.

Puede ser que el relleno se vaya sumiendo por grietas hondas y haya que seguir echando más, hasta que ese pueblo de muertos enterrado bajo las vías, se aquiete de una vez.

En todas partes, alrededor, se notan todavía los lengüetazos de la metralla, los vagones destrozados, restos de lava negra sobre la tierra roja, coágulos de la erupción. Porque aquello fue realmente como si reventara un volcán bajo los pies de la gente.

Hay muchas paredes parchadas con adobe, techos de paja o de cinc remendados con troncos de palmera partidos por la mitad y con mazos de paja brava, que van tomando hacia las crucetas el calor del maíz maduro bajo el naciente sol.

Por el camino que viene de Costa Dulce, donde están las olerías, y que sale al pueblo costeando la vía férrea, avanzan el perro y el dueño, olvidados del desastre, indiferentes a todo.

Es decir, ahora viene el perro solo.

Los pastos bostezan su aliento de agua, el camino su aliento de tierra. El perro anda despacio, sin apuro, entre el vaho que le come las patas y lo pone soñoliento y barcino como perro de ceniza. Colgado de los dientes, el canasto de palma se bambolea a cada movimiento de la cabeza pelecha.

El Pueblo puede decirse que acaba de despertarse a su paso.

Los carreteros han salido hace rato hacia las capueras, cuando el lucero desteñía su fuego en el último cuarto de cielo. Los hacheros también hacia el monte, con el ojo del hacha al hombro brillando entre dos luces. Pocos hombres, porque los que no fueron liquidados por la explosión y por la degollina y los fusilamientos que siguieron después, se dispersaron a los cuatro vientos. Las olerías de Costa Dulce quedaron despobladas por completo. Nadie quedó allí, porque todos se habían plegado a la rebelión de los agrarios. Nadie después, en mucho tiempo, tuvo interés en seguir cortando adobes y quemándolos en los hornos para nuevas construcciones en ese pueblo, que desde el momento mismo de fundación, el año del cometa, parecía cargar sobre sí un destino aciago.

Ciado, aigüe, decían los naturales, pensando en el signo nefasto.

Así que para esta hora temblorosa del alba, también las mujeres, los viejos y los chicos se van a las chacras, a los plantíos, al corralón del faenamiento. Por un rato, a esta hora más que a ninguna otra, el pueblo quedaba desmayado, como muerto, con el solo chirriar de alguna roldana sobre un pozo o el monótono retumbo de algún mortero en el ñembisó a dos palos del maíz para el locro o la mazamorra de alguna casa principal.

Fuera de este taquicárdico corazón de madera o el insistente pespunte de los gallos, el alba en Sapukai no tiene el sonoro despertar de otros pueblos, pese al taller de reparaciones del ferrocarril, que ahora está cerrado.

No hay repiques en la iglesia, desde que la explosión descuajó también el campanario y volteó la campana, que ahí quedó de boca enterrándose a medias entre las ortigas, manchada por las deyecciones de las palomas.

A esa hora muerta del pueblo, cuando el sol se trepa a la cordillera de Itakurubí hinchando como un forúnculo morado el Cerro Verde, pasa el perro cerca de las vías. Y si no sale el sol pasa lo mismo. Todos los días, haga tiempo bueno o malo, temático el animal estrena el camino que viene del monte donde se halla abandonado a medias el tabuco del Doctor, rodeado por los ranchos de los leprosos, entre el cementerio y las olerías de Costa Dulce.

Ni las lluvias consiguen detenerlo.

—*¡ Allá va el Doctor !*

No lo dicen con palabras; lo dicen sin ironía, sólo con el pensamiento acostumbrado ya a esa sombra familiar y en cierto modo benéfica todavía, a pesar de lo ocurrido.

Porque un tiempo el Doctor fue el amigo, el protector de Sapukai.

5 Había caído allí cuando aún no estaban cicatrizadas del todo las marcas del luctuoso acontecimiento, de modo que sin proponérselo quizás contribuyó primero a desviar la atención de los sapuqueños absortos todavía, a pesar de los años, más de un lustro, en su desgracia. Luego se dedicó a ayudar a los más necesitados y 10 desvalidos, sin que en eso hubiera tampoco cálculo o interés, llegando a fundar a la vera de su rancho esa leprosería que ha ido prosperando.

Un hombre así era el Doctor. Casi lo ven andando todavía tras el perro.

2

15 Recostada en un horcón del rancho que está cerca del cementerio, la María Regalada también lo mira pasar con los ojos dormidos para afuera, recordando.

Detrás del perro ve la sombra alta y delgada, que para ella no es sombra. Como tampoco para el perro. Pero no hay sombra. Va 20 el perro solo, lento, neblinoso, husmeando por el camino un rastro que sólo él entiende, que ya no está, acompañado por el olor de su dueño, los ojos legañosos, sin más que la canasta rota y sucia, donde gotea su baba sin soltarse en dos largos hilos de plata. Ida y vuelta la legua y media, desde el monte al almacén de don Matías 25 Sosa, pasando por el cementerio, cerca del cual está el rancho de la María Regalada.

Así desde hace seis meses, que se van a cumplir para la primavera, justo los seis que falta el Doctor de Sapukai y que está nadie sabe dónde, pues se ha ido como el humo, dejando su sola presen- 30 cia pegada al íngrimo perro que viene todos los días con la canasta entre los dientes, como cuando él estaba y venían juntos, a esta hora, a comprar las escasas provistas pagadas con el misérrimo dinero de las curaciones.

Sigue haciendo el mismo camino con una rara puntualidad; pequeño planeta lanudo dando vueltas en esa órbita misteriosa donde lo vivo y lo muerto se mezclan de tan extraña manera. Al llegar al almacén, suelta el ayaká de mimbre sobre el suelo, delante de la puerta, se espulga pacientemente o se queda con las orejas lacias. Las moscas revuelan a su alrededor. La cabezota gira de pronto como el rayo y atrapa alguna de un lengüetazo. ¡Buen tiro!, diría si lo viera don Matías. Se queda quieto con la cabeza gacha, como avergonzado o con remordimiento, hasta que el ruido de la tranca y el rechinar de la puerta lo empujan de su inmovilidad.

—¡Buen día, Doctor!—lo saluda el bolichero, sin asomo de burla, con la opacidad de la costumbre, como si junto al perro estuviera de verdad el dueño silencioso.—¡Mi mejor cliente, cómo podía faltar! ¿Qué le ponemos hoy? ¿Harina y caña?—pregunta aspirando la hache, en un tosco remedo.—No. Se acabó la harina. Caña solamente, ¿ayepa? ¡jha . . ., ni el pelo![2]

El perro lo mira con los ojos tranquilos, cremosos. Sacude la cola y las orejas. Se pone confianzudo, sin perder su gravedad.

—¡Jho . . ., perro loco como tu patrón!

Don Matías trata ahora al perro, según su humor. Ya no se siente obligado. A veces le arroja dentro de la canasta un pedazo de carne con hueso, más hueso que carne, unas galletas enmohecidas o la punta de tal butifarra averiada. Otras, le obsequia sólo un puntapié; las más de las veces se olvida de él y no le da nada.

El perro recoge el ayaká con los dientes y regresa por el camino, resignado a todo, a las patadas del bolichero, a los bodoques que algún mitaí le dispara con la goma para ensayar la puntería, o a las culebras y sapos muertos que otros le cargan al descuido en la canasta. Él ni se da cuenta, ocupado, en su rastro. Se ha olvidado hasta de ladrar. Sólo ese aullido finito que a veces, en ciertas noches de cuarto menguante, le sale todavía de la garganta, antes de dormirse hecho un ovillo junto a la puerta de la cabaña vacía.

La María Regalada lo espera siempre en el cruce del camino al cementerio, para ayudarlo, para suavizar los abusos. Pasa la mano por la piel apelechada, masca y pega con saliva hojas de llantén

[2] *¡jha. . . , ni el pelo!*—Whew. . . , not a speck!

sobre el raspón de los bodoques, limpia la canasta de bichos muertos y, si está vacía del todo, pone en ella algún alimento. Luego se van juntos hacia la vivienda solitaria, pues la María Regalada siente, como el perro, que el Doctor está con ellos, que puede regresar de un momento a otro y saborea su esperanza.

Esto es lo que hermana a la muchacha y al perro y los identifica en eso que se parece mucho a una obsesión y que no es tal vez sino una resignada y silenciosa manera de aceptar los hechos sin renunciar a su espera.

La María Regalada, pese a su gravidez, continúa realizando los quehaceres que ella misma se ha impuesto: la limpieza del rancho, la comida para los leprosos, el cuidado de la huerta donde crecen tomates colorados como puños y donde la enredadera de los porotos, llena de vainas repletas y gordas como dedos, dobla con su peso la quincha de tacuarillas, que ella misma levantó cuando todavía estaba el Doctor.

Lo único que no puede arreglar son las imágenes degolladas.

No se ha atrevido a tocarlas, ni siquiera con la rama de ca'avó que utiliza como escoba. Teme que si las mueve, puedan echar de pronto sangre de su negra madera, una sangre negra, emponzoñada por el castigo de Dios.

3

—*¡Allá va el Doctor!*

Creen haberlo conocido. Pero no saben de él mucho más que cuando llegó al pueblo, algunos años después de aplastada la rebelión de los campesinos en aquella hecatombe que provocaron las bombas.

Lo bajaron poco menos que a empellones de un tren, en medio del alboroto de los pasajeros y los gritos e insultos de los guardatrenes.

En la estación se rumoreó que había querido robar el chico de una mujer, o que lo había arrojado por la ventanilla en un momento de rabia o de locura. Nada cierto ni positivo, para decir así, fue esto o lo otro, o lo de más allá, y poder abrir desde el principio un juicio, una sospecha o una condenación basada en algo más consciente que las meras habladurías surgidas de los comentarios de los soldados o las chiperas de la estación.

Estuvo detenido dos o tres días en la jefatura de policía, tumbado en el piso de tierra de la prevención, callado, sin responder siquiera a los interrogatorios, quizás porque no sabía expresarse en castellano y menos en guaraní, o simplemente porque no quería hablar ni justificarse ni explicar nada. Acaso porque era realmente inocente y a él no le importaba su inocencia o su culpa.

Finalmente lo soltaron. Pero él no se fue. Se quedó en el pueblo, como si cualquier lugar le resultara ya indiferente.

Durante un tiempo anduvo dando vueltas, mientras sus ropas y sus botas de media caña se le acababan de deteriorar.

Tomó una pieza en la fonda y posada de Ña Lolé Chamorro, una casa semidestruida en la orilla, donde pernoctaban los troperos de Paraguarí de paso a las Misiones y los inspectores de impuestos internos, los que a veces se regalaban con las sirvientitas conchavadas para «todo servicio».

El forastero no hablaba con nadie, ni siquiera con la vieja charlatana, gorda como un pipón. Se pasaba todo el tiempo encerrado en el húmedo cuartucho no más amplio y cómodo que el calabozo de la prevención.

No salía más que para ir al boliche.

4

La primera vez que entró, don Matías dijo por lo bajo a sus parroquianos:

—Parece que al gringo le falta el aire.

—Lo que le ha de faltar es guaripola—dijo Dejesús Altamirano, secretario de la municipalidad, que también empinaba el codo[3] en lo de don Matías y vivía de las coimas que sacaba a los propietarios de alambiques clandestinos.

Se aproximó al mostrador.

[3] *empinaba el codo*—used to bend the elbow (drink).

—¿Qué se le ofrece, don?—preguntó el bolichero, obsequioso, menos por el posible gasto del extraño que por la curiosidad.

—Caña—fue lo único que dijo, sin saludar ni pedir amistad, ni siquiera cordialidad o comprensión, como hace todo hombre acorralado, por encima de los idiomas, las razas, por encima de las intransferibles y comunes desdichas.

Bebió el vaso de un sorbo. Pagó y se fue.

—Veremos hacia dónde tira—dijo don Matías Sosa.

—Ya se sabe—dijo Altamirano.—La cabra al monte, el chancho al chiquero.[4]

—Éste no es ni cabra ni chancho—dijo el bolichero.—No es un vagabundo cualquiera. Me huele a poguasú juido de algún país de las Uropas. A mí no me engaña. Ya se irá amansando. Lo haré entrar en confianza. Ya hablará. Un cristiano no puede callar tanto tiempo sus cosas.

—Si es cristiano—dijo Dejesús Altamirano.

—Yo le haré hablar.

—Si no le hace hablar Ña Lolé, me parece medio difícil.

—Éste es especial. No es para ella.

—Vamos a ver . . .

Poco es lo que vieron; no más que el forastero seguía dando vueltas. No parecía decidido a largarse. Volvió al boliche varias veces. Siempre pedía caña, en la misma actitud de indiferencia pero no de altanería, de desesperanza quizás, pero no de orgullo. Él y su silencio. No poseía otra cosa. Aun el perro y la canasta vendrían después. Y todo lo demás.

5

Por aquellos días comenzó la construcción de la estación nueva y reabrieron el taller de reparaciones del ferrocarril. Por encima del cráter, que era un osario bajo las vías, por encima de todo lo que había pasado, Sapukai estaba tratando de dar un salto hacia el progreso, luego de ese plantón trágico de más de un lustro.

[4] *La cabra al monte, el chancho al chiquero.*—Every animal wallows in its own muck; everyone according to his own nature.

También la comisión pro templo,[5] presidida por el cura, pudo iniciar la refacción de la torre destroncada. Remontaron la campana con un complicado sistema de poleas y hasta un reloj mandaron traer de Asunción, un extraño reloj que marcaba las horas hacia atrás, porque el albañil lo empotró en la torre al revés. 5

Por un tiempo, pues, los estacioneros tuvieron motivos de diversión y comentarios y se olvidaron del gringo.

Había dejado la fonda. Dejó también de ir al bolicho. Se le habría acabado el dinero. Dormía bajo los árboles o en el corredor de la iglesia, cuando llovía. Él fue quien compuso la marcha del 10 reloj cangrejo. En pago, el Paí Benítez le permitió ese privilegio, contra las protestas de la comisión de damas[6] que no miraban al forastero con buenos ojos, porque él las ignoraba por completo.

Por entre los rasgones de la camisa se le veían ya tiras de la blanca piel ampollada por el sol. Se iba poniendo cada vez más 15 flaco. Le creció la barba, los cabellos rubios se le enmelenaron sobre los hombros, bajo el sombrero de paja que había reemplazado al de fieltro, cuando éste acabó de destrozarse contra las lajas y los yuyales, pues también lo usaba de almohada. Las botas se cambiaron en unas alpargatas, compradas también como el som- 20 brero y el ponchito en el almacén de don Matías, tal vez con el último patacón, porque dejó los reales del vuelto sobre el mostrador.[7] Y tuvo que pasar algún tiempo para que volviera.

Parecía otro hombre. Únicamente los enrojecidos ojos celestes permanecían iguales, con miradas de ciego, por lo fijas y opacas. 25

6

Entretanto, algo había llegado a saberse del forastero.

En las tertulias de la fonda y del almacén, entre Ña Lolé, don Matías, el jefe político Atanasio Galván y Altamirano, barajando y canjeando datos, impresiones, conjeturas, sacaron en limpio[8] que el forastero era un emigrado ruso. 30

[5] *pro templo,*—in favor of the Church. [6] *la comisión de damas*—the ladies' society or league. [7] *dejó los reales . . . el mostrador*—he left the few cents change on the counter. [8] *sacaron en limpio*—they ascertained.

El que más sabía era Atanasio Galván, el ex telegrafista, que por haber delatado a los revolucionarios había ascendido desde entonces a máxima autoridad del pueblo. Estaba en contacto directo con el ministerio del Interior.

5 —Yo vi el pasaporte—dijo, tamborileando sobre la mesa el mensaje de la delación cristalizado ya en un tic nervioso bajo la yema de los dedos.—Estaba en regla,[9] visado por el cónsul de su país en Buenos Aires. Su nombre es Alexis Dubrovsky—lo deletreó con esfuerzo.—¡Cerrado el gringo![10] No le pude sacar una 10 sola palabra, aunque lo amenacé con el teyú-ruguai.

Una de las chivatas de Ña Lolé, mientras él estaba en el bolicho, había visto una arrugada fotografía entre sus papeles. Se la mostró a la patrona; luego la volvieron a guardar.

—Era él—dijo inmensa y arrepollada, desembuchando el secreto 15 con los ojos en blanco.—Sin barba, mucho más joven. Pero era él. Vestía un complicado uniforme de gala, parecido al del coronel Albino Jara. Más buen mozo que él todavía, con lo buen mozo que era el coronel. ¿Se acuerdan cuando pasó hacia Kaí Puente a inaugurar el ferrocarril? Bueno, pintado.[11] Bajó al andén con los 20 señores de la comitiva. Parecía un San Gabriel Arcángel de bigotito negro. Todas las muchachas se quedaron sin poder respirar. Hasta yo . . . Con eso les digo todo . . .

Hizo una pausa para cargar aire.[12]

—¿Y eso qué tiene que ver con el gringo?—dijo Altamirano.

25 —Es para contar que se parecía al coronel Jara. Pero en rubio. También las muchachas de allá habrán suspirado por él. Pero es casado. En la fotografía está de pie junto a una mujer joven, muy linda, que tiene en brazos a una criatura.

—¿Qué habrá venido a buscar aquí?—dijo el juez de paz, Cli- 30 maco Cabañas.

—Habrá escapado de la revolución de los bolcheviques—dijo el Paí Benítez.—Allá están degollando a los nobles.

Explicó algo del zar de todas las Rusias, que acababa de ser

[9] *Estaba en regla,*—It was in order. [10] *¡Cerrado el gringo!*—Tight-lipped, that gringo! [11] *Bueno, pintado.*—Well, his living image. [12] *Hizo una pausa para cargar aire.*—She paused to come up for air.

fusilado con todos los miembros de su familia sobre el techo de una casa.

—¿Por qué sobre un techo?—preguntó el secretario municipal.

—Para ajusticiarlos en las alturas—dijo el bolichero desde el mostrador.—¡A un zar, mi amigo, no se lo puede fusilar en una zanja! ¿No es verdad, don Climaco? 5

—El asunto es que allá triunfaron los revolucionarios—farfulló preocupado el juez, desplazándose a un costado de la silla.

—Allá . . . —dijo con desprecio el ex telegrafista ascendido a jefe político.—Porque lo que es aquí sabemos cómo tratar a los revolucionarios que quieren alzarse contra el poder constituido. ¿Se acuerdan cómo los liquidamos? 10

No necesitaban que el delator aludiera a aquello.

Sin mirarse, todos pensaban sin duda en el levantamiento de los agrarios. Pese a los años, a las refecciones, al cráter por fin nivelado, las huellas no acababan de borrarse. Sobre todo, las que estaban dentro de cada uno. 15

El penacho de fuego levantado por la bomba en la luctuosa noche del 1º de marzo de 1912, había inmovilizado con su fogonazo la instantánea del desastre. Estarían viendo otra vez, de seguro, el convoy aprontado por los insurrectos al mando del capitán Elizardo Díaz, para caer por sorpresa sobre la capital con sus dos mil aguerridos expedicionarios, entre soldados de línea y campesinos. Hasta dos obuses de 75 tenían. Era la última carta de la revolución. Un verdadero golpe de azar, pero que aún podía dar en tierra con el poder central. El telegrafista Atanasio Galván, con la barrita amarilla del Morse[13] avisó al cuartel de Paraguarí, en poder de los gubernistas, lo que se tramaba. 20 25

—¡Yo los derroté!—solía jactarse.—¡Mi probada lealtad al partido! 30

Fue entonces cuando el comando de Paraguarí lanzó la locomotora llena de bombas al encuentro del convoy rebelde. El choque no se produjo en pleno campo, como lo habían previsto los autores de la contramaniobra. La huida del maquinista de los insurrectos alteró la hora de partida comunicada por el telegrafista. El gigan- 35

[13] *con la barrita amarilla del Morse*—with the yellow, telegrapher's keys,

tesco torpedo montado sobre ruedas, con su millar y medio de shrapnells alemanes, estalló en plena estación de Sapukai, produciendo una horrible matanza en la multitud que se había congregado a despedir a los revolucionarios. Luego vino la persecución y el metódico exterminio de los sobrevivientes. El telegrafista convertido en jefe político por su «heroica acción de contribuir a defender el orden y a las autoridades constituidas»—solía repetir a menudo con énfasis los considerandos de su nombramiento[14]—, presidió los últimos fusilamientos en masa, el restablecimiento de la tranquilidad pública y luego, al cabo de los años, las obras de reconstrucción del pueblo de Sapukai.

Ninguno de los que allí estaban, salvo el jefe político, recordaba con gusto estas cosas. Y aun ese tic telegráfico que le hacía tamborilear a menudo con la uña, maquinalmente, no salía sin duda de una conciencia muy tranquila.

De modo que aquella noche volvieron al tema del fugitivo eslavo.

—Y si por un suponer, el gringo es un malevo internacional, ¿no es mejor echarlo a tiempo de aquí?—dijo Altamirano.

—Mientras no haga nada feo, no—dijo el juez.—¿No sabés la Constitución?

—Digo—insistió un poco humillado el secretario,—a lo mejor se entiende con los revolú.

—¿Con los de allá?—preguntó despectivo Galván.

—No, con los de aquí.

—Eso dejá por mi cuenta—le sobró el jefe sacando pecho.[15]—Si este tipo es un espía, lo voy a saber por sus movimientos. Y entonces le daré su merecido. Yo no lo voy a fusilar sobre un techo . . ., ja . . .

Pero hasta entonces era todo lo que sabían de él. Nada más que eso: un nombre para ellos difícil de pronunciar, la sombra de un hombre quemado por el destino. Lo demás, sospechas, rumores, el polvillo de su hollín que les entraba su basurita en el ojo.[16]

[14] *los considerandos de su nombramiento*—the whys and wherefores of his appointment. [15] *le sobró el jefe sacando pecho.*—The chief said boastfully, outdoing him. [16] *el polvillo . . . en el ojo.*—the dust of their suspicions that got in their eyes.

No se le vio más por el pueblo.

7

Un tiempo después alguien vino con la noticia de que estaba levantando su rancho en el monte hacia Costa Dulce, sobre el Kaañavé, entre el cementerio y las olerías abandonadas. Un rancho redondo, distinto a los demás. Sus actos continuaban siendo incomprensibles. Se alimentaría de los pakuríes y naranjas agrias que abundaban en el monte, o cazaría mulitas y esas nutrias parduscas del estero, sabrosas al asador.

Tampoco pasaban de ser suposiciones.

El pesquisa destacado por el jefe en su seguimiento, contó que se pasaba al borde del arroyo pescando, o bien tirado en el suelo del tabuco. No le había podido tampoco sonsacar una sola palabra.

—Sea lo que sea—dijo el cura esa noche, en un intervalo del truco.—Ese hombre ha renunciado al mundo, a sus pompas y a sus obras . . .

—¡Pero no a la caña!—le interrumpió el coimeador de los alambiques clandestinos.

—. . . como los antiguos ermitaños—concluyó algo corrido el cura.

—¿También se emborrachaban?—chusqueó de nuevo Altamirano.

Cuando se calmaron las risas, el juez se puso de costado en la silla, como lo hacía cada vez que le venían los dolores del recto, y dijo algo sentenciosamente:

—Puede ser como usted dice, Paí. Pero un hombre como éste . . ., tiene mucha vida. Es joven todavía. Todo eso que está detrás. No sé. Me parece que no tiene pasta de ermitaño.[17] Se puede regar sal sobre un campo para que no crezca nada, ni siquiera los yuyos. Pero es difícil matar la tierra del todo. De repente las viejas semillas prenden otra vez por los agujeros que abren las lluvias . . ., o los gusanos, y echan por allí todo su vicio. El hombre también.

[17] *no tiene pasta de ermitaño.*—he isn't cut out to be a hermit.

—¡Pucha, este don Climaco sabe hablar!—dijo el secretario, no se sabía bien si halagándolo o burlándose.

—No es más que la pura verdad—dijo el juez, sin darse por entendido.—Usted sabe eso mejor que nosotros, Paí. De balde[18] se echa uno ceniza sobre la cabeza, si se tiene la sangre fuerte. Veremos ése cuánto aguanta . . .

8

Después sucedió aquello que iba a cambiar su nombre y su posición en Sapukai, dando en parte la razón al párroco.

Una tarde, al pasar por el cementerio, el gringo vio que la María Regalada se revolcaba entre las cruces, gimiendo de dolor, ante las impotentes miradas de su padre.

Entró a grandes zancadas, auscultó a la muchacha. La alzó en vilo y la llevó a casa del sepulturero.

Él mismo puso a hervir agua, tomó un cuchillo pequeño y empezó a sacarle filo sobre una piedra, sin pronunciar palabra y sin que el sepulturero se atreviera a interrumpir sus rápidos y precisos preparativos.

Una sola vez preguntó:

—¿Qué va a hacer, señor?

Como el otro ni aparentó haberlo oído, el pobre Taní Caceré se quedó mudo, revoleando los ojos angustiados al vaivén del gringo.

La María Regalada yacía inerte; apenas alentaba ya débilmente. La puso sobre una mesa y rasgó las ropas. El extranjero se lavó cuidadosamente las manos y lavó el sitio donde haría el tajo. Retiró el cuchillo del agua hirviendo y sajó el vientre moreno que latía al sol de la parralera.

Lo que parecía inconcebible se realizó. Taní Caceré, atragantándose, refirió los extraños manipuleos del gringo hasta el momento en que cosió de nuevo el vientre abierto de su hija.

Nadie lo quería creer. Lo cierto fue que la María Regalada sanó. Las mujeres vieron la herida que empezaba a cicatrizarse con

[18] *De balde*—In vain.

seis estrellitas a cada lado. Ña Lolé Chamorro vino expresamente del pueblo en una carreta para ver el prodigio. Y de allí mismo se fue al tabuco del gringo para mostrarle el lobanillo que tenía en la nuca.

9

A los pocos días la muchacha pudo volver a su trabajo, que para ella era como un juego.

María Regalada tenía por entonces quince años. Mientras su padre cavaba de tanto en tanto un nuevo hoyo, ella correteaba bajo las casuarinas del cementerio, carpiendo los yuyos alrededor de las cruces de madera, arreglando y zurciendo las deshilachadas estolas o tirando las flores que se pudrían. Era casi como trabajar en una chacra. Ella lo hacía con gusto. Sabía a quién pertenecía cada una de las cruces. Entre las sepulturas estaban la de su madre, la de su abuelo José del Rosario, las de otros parientes, de amigos. En el centro del campo santo se apiñaban innumerables crucecitas sobre la gran fosa común donde habían hacinado los cadáveres que se salvaron de ser enterrados en el cráter.

Para la María Regalada todos los muertos eran iguales. Formaban su vecindario. Ella cuidaba de su sueño y de su bienestar bajo tierra. Les tenía respeto, pero no miedo. La muerte no era así para ella más que la contracara quieta de la vida.

El puesto de sepulturero ha sido siempre codiciado en Sapukai.

El éxodo de la Guerra Grande llenó de «entierros» esta región de valles azules. Tres siglos atrás los jesuitas tenían en ellos sus estancias cuyas cabeceras llegaban hasta el cerro de Paraguarí, donde los Padres habían dejado la leyenda de la aparición de Santo Tomé, superponiéndola hábilmente, delicadamente, como lo hacían siempre, al mito Zumé de los indios, que también había aparecido por allí en tiempos en que el sol era todavía una deidad menor que la luna. Los indios hicieron como que creyeron. Pero ahora eso no importaba ya a nadie.

En una caverna del cerro, marcadas hondamente en el basalto, se ven las huellas de los pies del santo patrono de la yerba mate, y cuando hay viento se oye su voz resonando gravemente en las concavidades.

Sobre estos valles, especialmente sobre los de Paraguarí Pirayú y Sapukai, en noches de amenaza de mal tiempo suelen revolotear 5 a flor de tierra[19] las mariposas fosforescentes de los fuegos fatuos. Aun hoy suele ocurrir que al cavarse una tumba nueva salga desenterrado un cántaro con su tripa de monedas y chafalonías del Éxodo o un santo de madera del tiempo de los jesuitas, para dar lugar al muerto.

10 El puesto de sepulturero en Sapukai es casi una dignidad.

Pero también desde la Guerra Grande, cuando menos, una generación tras otra, los hombres de la familia Caceré, la más pobre de todas, la más humilde y letrada, se han transmitido esta dignidad de un modo dinástico. Y nadie les ha discutido este 15 derecho.

El cementerio es así mucho más antiguo que el pueblo, fundado por el año del Centenario, casi todavía bajo el brillo del cometa. No es quizás el único lugar del Paraguay donde más de un pueblo nuevo ha sido fundado junto a algún cementerio secular.

20 Allí fue donde José del Rosario, abuelo de la María Regalada, encontró una talla de San Ignacio, al cavar una fosa al pie de un laurel macho de más de cien años.

Cuando el gringo salvó a su hija, Taní Caceré llevó la talla para obsequiársela. El otro se resistió gesticulando, pero Taní fue más 25 terco que él.

—Usté curó a mi hija—le dijo en guaraní.—No tengo dinero. No voy a esperar a que usted se muera para pagarle con mi trabajo. Últimamente, el santo es suyo y se acabó . . .

Le dejó la imagen recostada contra la tapia.

10

30 Sapukai empezó a hacerse lenguas de la «zapallada» del forastero.[20]

[19] *a flor de tierra*—at ground level. [20] *Sapukai empezó . . . del forastero.*—Sapukai began to buzz over the foreigner's stroke of luck.

Poco después extirpó a Ña Lolé el quiste sebáceo del cogote. En seguida curó a un tropero, a quien había conocido en la fonda, y que incluso toda una mañana se pasó haciendo burlas del gringo con las chivatas embravecidas por la primavera.

El tropero llegó al tabuco boqueando malamente sobre el caballo, ahogado por el garrotillo. El gringo lo salvó de ir a parar a uno de los hoyos de Taní Caceré. Tampoco quiso recibir el dinero ni el revólver ni el caballo del tropero agradecido. Sólo le aceptó el perro, que durante los tres días de estar en el tabuco se había encariñado extrañamente con el silencioso morador.

Luego curó del asma a la mujer de Atanasio Galván y a él de cierta cosa que no se sabía y que demandó un largo tratamiento con depurativos a base de milhombre y zarzaparrilla. Al juez de paz le aplacó sus viejas almorranas que le tenían siempre inclinado sobre la silla, con una nalga afuera. Y hasta el mal hígado del cura mejoró con los remedios del gringo, que se reveló como un experto herbolario. Se metía en el monte y salía con brazadas de plantas y yuyos medicinales. Sus pojhá-ñaná se hicieron famosos e infalibles.

Desde entonces lo llamaron el Doctor.

Los recelos, las burlas, las murmuraciones, se cambiaron gradualmente en respeto y admiración. Ya nadie hablaba mal de él. Una vaga denuncia de los médicos de Villarrica y Asunción por ejercicio ilegal de la medicina, se perdió en el vacío de un largo expedienteo, parado por el influyente ex telegrafista.

Había dejado de ser el gringo y no era todavía el hereje.

11

La gente comenzó a agolparse todos los días alrededor del tabuco redondo, cada vez en mayor cantidad. Desde las compañías más distantes y hasta de los pueblos vecinos venían enfermos y tullidos en busca de curación, a pie, a caballo, en carreta. También los leprosos. El Doctor los atendía a todos, uno por uno, calladamente, pacientemente, sin hacer distinciones, negándose a cobrar a los más pobres, que optaron entonces, por traerle algunos una gallinita; otros, huevos y bastimentos, o telas de aó-poí, para remudar sus andrajos.

Construyó un alambique rudimentario donde destilaba esencia de hojas de naranja y un bálsamo medicinal para los lazarientos, que reemplazaba con ventaja al aceite de chalmugra.

Las damas de la comisión parroquial se hacían atender, casi todas, por el Doctor, a quien en sus tiempos de vagabundo, no habían querido permitir que durmiera en el corredor de la iglesia.

Por aquella época atendió también y curó a un lunático enfermo de terciana, que habitaba uno de los vagones destrozados por la explosión, en compañía de su mujer y de un hijo de corta edad. Se llamaba Casiano Amoité. Cuando regresó al pueblo después de una larga ausencia, pocos reconocieron en él a Casiano Jara, el cabecilla de las olerías de Costa Dulce.

Ese vagón fue el que más tarde parecía alejarse misteriosamente por el campo sobre ruedas de fuego.

Claro, una leyenda, otro rumor más, de los que viboreaban entre esa pobre gente a la que el infortunio había echado en brazos de la superstición.

12

Desde que sanó, la María Regalada iba también por su cuenta a la cabaña de troncos llevando al Doctor ollitas de locro, que éste compartía con el perro, fragantes sopas paraguayas y mbeyús mestizos.

Nunca le agradeció sus atenciones ni le dirigió la palabra, ni siquiera después de la muerte del sepulturero. A Taní Caceré no lo pudo salvar, por más que hizo, del vómito negro que lo consumió en pocos días y lo tumbó en una de las fosas que él acostumbraba cavar por adelantado, «para que el trabajo no me caiga encima de repente», decía. No le cayó más el trabajo, pero le cayó encima la tierra. Alguien bisbiseó que el Doctor lo había dejado morir adrede.

La María Regalada ocupó su lugar, el que dinásticamente le correspondía, por primera vez una mujer, a lo largo de generaciones. No dejó por eso de ir a la choza del monte, puesto que el morador no se lo prohibía.

—Tiene mal la cabeza por él . . .—decía Ña Lolé en la fonda a los troperos e inspectores de alcohol, que a veces preguntaban todavía con interés por la sepulturera, a quien suponían dueña de unos buenos cántaros de «entierro».[21] 5

—¿Y el gringo, qué hace?

—Nada. Ni le habla. Quiere más al perro, parece. Pero eso es lo que la tiene mal a María Regalada.

—Seguro se entienden. 10

—No. Lo hubiera sabido. A mí no se me escapa nada.

—A lo mejor, para casarse.

—El Doctor es casado.

—Nunca se sabe de los gringos. Saben engañar a nuestras mujeres. 15

—¿Y entonces qué les queda a ustedes, amancebados viejos? ¡Sinvergüenzas, que tienen engañadas a sus mujeres toda la vida!

Los interlocutores reían. La mujerona del fondín sabía poner el dedo en la llaga,[22] pero también sabía ser agradable. Más de una de sus chivatas se había ido como barragana de alguno de sus 20 huéspedes. Y había una, bien colocada, que le enviaba regalitos todos los años, por el día de la Virgen de los Dolores,[23] que era el de su cumpleaños.

—El Doctor no es mal hombre . . .

Su voz ronca rezumaba gratitud. Después de aquel tumorcillo 25 de sebo, le había curado una pulmonía.

La María Regalada se libró así tanto de las murmuraciones como del galanteo de los hombres de paso, que mirarían no sus ojos verdosos de moneda[24] sino las verdes monedas oxidadas de los cántaros sin ojos de los Caceré. 30

Alternaba el cuidado de sus cruces con el cultivo de la huerta, con el barrido del patio y la cocción del puchero para la veintena de leprosos, que esperaban como ella el retorno del Doctor.

[21] *unos buenos cántaros de «entierro».*—several jars of "buried treasure" ("loot"). [22] *poner el dedo en la llaga,*—to hit the nail on the head. [23] *Virgen de los Dolores,*—Our Lady of Sorrows, (one of the titles given Christ's mother). [24] *ojos verdosos de moneda*—money-green eyes.

No se animaba a entrar en el rancho. Sentía acaso que allí, en esa habitación cerrada y llena con esos despojos que sabía, el Doctor estaba más distante de ella que sus muertos del cementerio o que esos moribundos deformes de los ranchos. A las cruces, a sus 5 muertos, por lo menos, podía contarles sus cosas, hablarles de él, sin vergüenza.

El vagón de los Amoité seguía avanzando imperceptiblemente. Tal vez los leprosos ayudaban a los tres moradores a empujarlo.

Cuando lo estaba por averiguar, el jefe político también murió 10 de muerte natural con los auxilios de la santa religión.[25]

Los únicos que estuvieron en el entierro, además de su mujer y del Paí Benítez, que hizo el responso, fueron los soldados de la jefatura, que llevaron turnándose de árbol en árbol, bajo el rajante sol, el solitario ataúd negro.

15 La sepulturera le asignó el rincón más distante y agreste del campo santo, casi ya en el campo campo, no en sagrado,[26] pese a las protestas del cura y al gimoteo ininteligible de la mujer, la que después de todo parecía contenta de derramar esas lágrimas.

Era la única sepultura que no tenía paño y que siempre estaba 20 llena de yuyos.

13

Un atardecer la María Regalada estaba regando los almácigos de la huerta. Había llegado como siempre, casi furtivamente, por el atajo del monte, después de cerrar el portón del cementerio.

De pronto escuchó un ruido sordo como el de un cuerpo que se 25 desploma. Se incorporó golpeada por un mal presentimiento y se quedó escuchando el silencio. Después se aproximó poco a poco y espió la choza a través de la maleza. Vio un bulto oscuro yaciendo en el piso. Pero no era el Doctor.

Se acercó un poco más entre las plantas y entonces lo que vio se 30 le antojó un sueño.

[25] *con los auxilios de la santa religión.*—with the last rites of the Holy Faith.
[26] *casi ya en el campo campo, no en sagrado,*—almost in the open fields, not in hallowed ground.

El Doctor estaba arrodillado en el suelo. De sus manos caía un chorro de monedas de oro y plata que brillaban a los últimos reflejos, formando entre sus piernas un pequeño montón.

Le vio el rostro desencajado. Los ojos celestes estaban turbios, al borde de la capitulación, como la vez en que no pudo salvar a su padre, como otras veces en que también había sido vencido por la muerte.

La rubia cabellera, al ir agachándose sobre el montón de monedas, acabó de taparle por completo la cara. A la muchacha le pareció oír algo semejante a un quejido. Luego de un largo rato lo vio erguirse de nuevo y comenzó a recoger las monedas con los dedos crispados y a embolsarlas en unos trapos viejos, cada vez con mayor rapidez y desesperación.

A su lado estaba volcada la talla del San Ignacio.

14

Nadie lo supo, porque desde entonces la puerta de tacuaras no se abrió para nadie, ni siquiera para la María Regalada. Él salía con los ojos brillantes y ansiosos, como si ahora de veras le faltara el aire.

Cerró con una pared de estaqueo un pequeño trascuarto en la culata del rancho. Allí atendió a partir de entonces a los enfermos.

Nadie se explicó por qué el Doctor empezó a rechazar los presentes de los más pobres o el escaso dinero que aceptaba a los más pudientes, y pedía, lo exigían sus gestos y palabras febriles, que le pagaran las curaciones con viejas tallas, con las imágenes más antiguas que sus pacientes pudieran conseguir.

La gente de Sapukai creyó que el Doctor se había vuelto de repente religioso, místico; pensó que él iba también para santo con sus alpargatas rotosas, su larga cabellera, el bastón, el perro y el ayaká de palma.

—¡Si se parece cada vez más al Señor San Roque![27]—murmuraba Ña Lolé al verlo pasar, tocada también ella por el hálito nuevo y tremendo que manaba del Doctor.

[27] *Señor San Roque*—saint invoked against epidemics.

Pero este efecto chocaba con otro, no menos inexplicable.

Comenzó a ir de nuevo al boliche, a cualquier hora. Bebía caña hasta salir a los tumbos, tembloroso, desgreñado.

No atendía ya sino a los que llegaban al tabuco con alguna 5 vieja imagen al hombro. Él la sopesaba ávidamente en el aire, los ojos de maníaco hurgueteando las grietas de la talla. Luego la entraba con un nuevo gesto de anticipada decepción en el rostro flaco y demacrado. Sólo después miraba los ojos de sus pacientes, no con la celeste serenidad de otro tiempo sino con turbia desgana, 10 como ausente.

Anduvo así unos meses, borracho, enloquecido, más callado que nunca.

Al fin desapareció.

15

La María Regalada fue la primera en descubrir las imágenes 15 degolladas. No se animó a tocarlas por temor de que sangrasen a través de sus heridas la sangre negra del castigo de Dios.

Ignora por qué el Doctor ha querido destruirlas a hachazos. No lo supo cuando las vio así por primera vez, la noche de la víspera en que el Doctor iba a desaparecer con el mismo misterio con que 20 llegó.

Esa noche, borracho, endemoniado, farfullando a borbotones su lengua incomprensible, la retuvo con él y la poseyó salvajemente entre las tallas destrozadas.

Fue la única vez que entró en el rancho, la última noche de su 25 estada en el pueblo.

No sabe por qué ha sucedido todo eso. No lo supo entonces. Tal vez no lo sabrá nunca.

La imagen de San Ignacio es la única intacta entre tanto destrozo. Al caer de su peana, el choque la desfondó. Un hueco pro- 30 fundo ha quedado al descubierto en su interior. Por su peso, la María Regalada imaginó siempre que fuera maciza. Tampoco esto le importaba. Pero lo que no cesa de preguntarse es por qué el

Doctor respetó esta sola imagen. Aun la destrucción de las otras es un enigma. Pero ella no quiere saber. Quiere seguir estando en medio de ese sueño despierto que le embota la cabeza y el corazón, pero no su esperanza de que regrese el Doctor.

16

Al día siguiente de su huida, la María Regalada volvió al rancho. En una hendija del piso encontró un tostón de oro, sucio de tierra. Sobre él entrevió algo que se le antojó el perfil barbudo y lejano del Doctor. Lo pulió hasta que tomó el color del sol y lo guardó caliente en el seno.

Los leprosos, primero, vinieron a gemir en torno a la ausencia del Doctor.

Poco después todo Sapukai desfiló por la cabaña de troncos para ver el estropicio.

Y entonces el Doctor fue el hereje que, en un ataque de rabia o de locura, como cuando quiso tirar al chico por la ventanilla del tren, había degollado a los santos.

Nadie, sin embargo, se atreve a hablar mal del Doctor.

—Yo dije que no iba a aguantar . . .—sentencia el juez ladeándose en las disminuidas tertulias.

Algo hay en el fondo de todo esto difícil de comprender para todos. La gente de Sapukai sigue pensando que el Doctor no fue un mal hombre. Perdura su presencia, el recuerdo de lo bueno que hizo, pero también de su locura final, que parece prolongarse mansamente en la muchacha y en el perro. En ella, de otra manera.

La María Regalada no habla con nadie. Ella sólo habla de sus cosas con sus muertos. Y con el perro, cuando viene del bolicho con la canasta entre los dientes, en medio de la cerrazón que el polvo y el rocío levantan por las mañanitas.

En torno al tabuco abandonado se agitan los fantasmas muermosos que van a beber al arroyo. Fuera de ellos una paz, una inmovilidad casi vegetal, se extiende sobre la tierra negra de Costa Dulce.

Sólo el destrozado vagón parece seguir avanzando, cada vez un poco más, sin rieles, no se sabe cómo, sobre la llanura sedienta y agrietada. Tal vez el mismo vagón del que arrojaron años atrás al Doctor, de rodillas, sobre el rojo andén de Sapukai, en medio de 5 las ruinas.

RENÉ MARQUÉS

(PUERTO RICO 1919)

No conozco datos de la vida de René Marqués sino a través de una autobiografía muy breve, pero muy completa y franca, que él mismo puso en su antología *Cuentos puertorriqueños de hoy* (San Juan, Puerto Rico, 1959). A juzgar por sus declaraciones, el teatro ha sido la pasión de su vida, y la novela y el cuento, géneros de interés secundario. El teatro le ha valido éxitos en Puerto Rico, España y Estados Unidos, y una beca de la Fundación Rockefeller. Sin embargo, es a través de sus narraciones que más se le conoce en Hispanoamérica y por ellas se le considera como a uno de los auténticos estilistas entre los escritores de la generación de 1940.

Para mí, Marqués es un virtuoso del lenguaje. Pocos escritores de su generación consiguen un grado tan alto de plasticidad en el manejo de las imágenes y un poder tan sorprendente de sugerencia poética. Sus frases se levantan por impulso propio y parecen esperar el vuelo de otras y otras para soltar la imagen que encierran y, a su vez, descargar un mecanismo de seguridad en las recién llegadas, provocando una sucesión interminable de efectos sensoriales e intelectuales. En su autobiografía citada dice Marqués:

«El cuento es para mí, de modo esencial y en último análisis, la dramática revelación que en un ser humano—hecho personaje literario—se opera, a través de determinada crisis, respecto al mundo, la vida o su propia alma. Lo psicológico es, por lo tanto, lo fundamental en el cuento. Todo otro elemento estético ha de operar en función del personaje . . . Dada la brevedad que, en términos de extensión, dicta el género, el cuento se presta, quizás más que otras expresiones en prosa, al uso afortunado del símbolo como recurso de síntesis poética.» (pag. 107)

Imágenes poéticas son los cuentos de Marqués, pero imágenes poéticas por las cuales va una gruesa corriente de sangre. Nada es estático en sus manos. Puede ser que los personajes se muevan con lentitud: esperan la descarga pasional inevitable («La hora del dragón»). La cólera secreta que despiertan en René Marqués los dramas sociales («Dos vueltas de llave y un arcángel») o la discriminación racial y la dominación extranjera («En una ciudad llamada San Juan») o el matriarcado puertorriqueño a la moda norteamericana («En la popa hay un cuerpo reclinado»), se resuelve en un dinamismo dramático de alta tensión.

Que en Puerto Rico se llegue a crear un estilo literario como el de René Marqués, hecho de castiza calidad lírica, de profundidad psicológica y de honrado y valiente enojo ante el drama de su patria, es algo que la crítica hispana debe celebrar y exaltar como ejemplo para los escritores jóvenes del Caribe y de la América Central.

OBRAS

TEATRO: *El hombre y sus sueños*, 1948. *Palm Sunday*, 1949. *El sol y los MacDonald*, 1950. *La carreta*, 1952. *Juan Bobo y la Dama de Occidente*, 1956. *La muerte no entrará en palacio*, 1957. *Los soles truncos*, 1958. *Un niño azul para esa sombra*, 1959. *La casa sin reloj*, 1961. *Carnaval afuera, carnaval adentro*, 1962.

CUENTOS: *Otro día nuestro*, San Juan, 1955. *Cuentos puertorriqueños de hoy*, San Juan, 1959. *En una ciudad llamada San Juan*, México, 1960.

NOVELA: *La víspera del hombre*, San Juan, 1958.

ENSAYOS: *Pesimismo literario y optimismo político: su coexistencia en el Puerto Rico actual*, México, 1959. *El puertorriqueño dócil*, México, 1962.

En la popa hay un cuerpo reclinado[1]

A pesar del sol inmisericorde, los ojos se mantenían muy abiertos. Las pupilas, ahora, con esta luz filosa, adquirían una transparencia de miel. La nariz, proyectada al cielo, y el cuello en tensión, parecían modelados en cera: ese blanco cremoso de la cera, esa luminosidad mate del panal convertido en cirio. Lástima que el collar de seda roja ciñera la piel tan prietamente. Lucía bien el rojo sobre el blanco cremoso de la piel. Pero daba una inquietante sensación de incomodidad, de zozobra casi.

El cuerpo desnudo estaba reclinado suave, casi graciosamente,

[1] From *En una ciudad llamada San Juan* (*cuentos*).

en la popa del bote. Desnudo no. Los senos, un poco caídos por la posición del torso, lograban a medias ocultarse tras la pieza superior de la trusa azul.

Remaba lenta, rítmicamente. No le acuciaba prisa alguna. No sentía fatiga. El tiempo estaba allí inmovilizado, tercamente inmóvil, obstinándose en ignorar su destino de eternidad. Pero el bote avanzaba. Avanzaba ingrávido, como si no existiese el peso del cuerpo semidesnudo reclinado suave, casi graciosamente, sobre la popa . . .

El bote pesa menos que el sentido de mi vida junto a ti. Y los remos trasmitían la levedad del peso a sus manos. Sus músculos, en la flexión rítmica, apenas si formaban relieve en los bíceps; meras cañas de bambú, apenas nudosos, sin la forma envidiada de otros brazos, a pesar de las vitaminas que en el anuncio del diario garantizaban la posesión de un cuerpo de Atlas, de atleta al menos.

Observó su propio pecho hundido. *Debo hacer ejercicio. Es una vergüenza.* La franja estrecha de vellos negros separando apenas las tetillas. *Dejaré de fumar el mes próximo. Me estoy matando.* No sentía el sol encendido en su espalda. Quizás por la brisa. Era una brisa acariciante, suave, fresca, como si en vez de salitre trajera humedad de hoja de plátano o rocío de helechos. Resultaba extraño. Ninguna de sus sensaciones correspondía a la realidad inmediata. Pero el bote avanzaba. Y su propio vientre escuálido formaba arrugas más arriba del pantaloncito de lana. Y abajo, entre sus piernas, el bulto exagerado a pesar de lo tenso del elástico.

Porque hay un absurdo cruel en el sentido de equilibrio de ese alguien responsable de todo; que no es equilibrio, que no tiene en verdad sentido, que no es igual a mantener el bote a flote con dos cuerpos, ni hacer que el mundo gire sobre un eje imaginario, porque estar aquí no lo he pedido yo, del mismo modo que nunca pedí nada. Pero exigen, piden, demandan, de mí, de mí sólo. Eres tan niño. Y tienes ya cosas de hombre. *Y no supe si lo decía porque escribía a escondidas o por lo otro. Pero no debió decirlo. Porque una madre haría bien en estrujar cuidadosamente las palabras en su corazón antes de darles calor en sus labios. Y nunca se sabe. Aunque por saberlo acepté ir con Luis a la casa de balcón en ruinas donde vivía la vieja Leoncia con las nueve muchachas. Y comprobaron todas que sí, que yo tenía cosas de hombre, y gozaron mucho, sobre todo la bajita de muslos duros y mirada blanda como de níspero. Pero fíjate que eso no es ser hombre. Porque ser hombre es tener uno sentido propio. Y ella lo tenía por mí:* No te cases joven, hijito. *Y el sentido no estaba en el amor. Porque el amor estaba siempre en una muchacha negra, o mulata, o pobre o generosa en demasía con su propio cuerpo. Y no era ése el sentido que ella tenía para mí, sino una blanca y bien nacida. Y tampoco era en escribir:* Deja esas tonterías, hijito, *sino en una profesión, la que fuese, que no podía ser otra sino la de maestro, porque no siempre hay medios de estudiar lo que más se anhela. Y murió al llevarle yo el diploma, no sé si de gusto, aunque el doctor aseguró que era sólo de angina. Pero de todos modos murió. Y yo creí que al fin mi vida tendría un sentido. Pero no se puede llenar una vida vacía de sentido como se ahita una almohada con guano, o con plumas de ganso, o con plumas más suaves de cisne. Porque ya yo era maestro. Y no pasaría necesidades, teniendo una carrera, como había asegurado ella, ni escribiría jamás. Y te conocí a ti que prometías dar amor a mi vida, suavidad a mi vida, como pluma de cisne. Y me casé contigo que entonces tenías los pechitos erguidos y eras de buena cuna, y creí que sería hombre de provecho porque no fui más a la casa vieja de balcón en ruinas (a Leoncia sólo la vi luego cargando el Sepulcro, los Viernes Santos, en la procesión de las cuatro), y me dediqué a trabajar como lo hacen los mansos y a quererte como el que tiene hambre vieja de amor, que eso tenía yo, porque no hay ser que viva con menos amor que el hijo de una madre que dirige con sus manos duras el destino, y es esclava de su hijo. Y esa hambre de amor que yo tenía desde chiquito y que no saciaban las muchachas de la casa vieja (eran nueve las muchachas) estaba en mí para que tú la saciaras, y por eso no escribí ya más, y todo ello para que estés ahora ahí, quieta, en la popa del bote, como si no oyeras ni sintieras nada, como si no supieras que estoy aquí, gobernando la nave, yo, por vez primera, hacia el rumbo que escoja, sin consultar a nadie, ni siquiera a ti, ni a mi madre porque está muerta, ni a la principal de esa escuela donde dicen que soy maestro* («mister», «mister», usted es lindo y me gusta y el mundo se está cayendo), *ni a la senadora que demanda que yo vote por ella, ni a la alcaldesa que pide que yo mantenga su ciudad limpia, ni a la farmacéutica que exige que yo, precisamente yo, le pague la cuenta atrasada, sonriendo, como sonríen los seres que tienen siempre la vida o la muerte en sus manos, ni a la doctora que atendió al nene, ni a todas las que exigen, y obligan, y piden, y sonríen, y dejan a uno vacío, sin saber que ya otra había vaciado de sentido, desde el principio, al hombre que no pidió estar aquí, ni exigió nunca nada; a nadie, ¿entiendes?, a nadie.*

¿Por qué se afinaba tanto la costa? La copa de los cocoteros se fundía ya con las tunas y las uvas playeras. Era una pincelada verde, alargada, como una ceja que alguien depilara sobre el párpado semicerrado de la arena. *El mar parece azul desde la costa, pero es verde aquí, sólo verde.* ¿No había una realidad que fuese inmutable sin importar la distancia?

Cada remo hacía *chas* al hundirse en el agua y luego un *glú-glú* rápido. Y a pesar de ser dos los remos, el sonido era simultáneo, como si fuese uno. El cuerpo en la popa seguía ejerciendo una fascinación indescriptible. No era que los senos parecieran un poco caídos. Eso sin duda se debía a la posición de ella frente a él. Pero el vientre no era tan terso como la noche de bodas.

—No, así no quiero. Los hijos deforman el cuerpo—. Precisamente allí donde la pieza inferior de la trusa azul bordeaba la carne tan apretadamente, se había deformado el vientre.

—Ay, mi pobre cuerpo. Por tu culpa.

Y había crecido ahí, precisamente ahí, en el lugar que había sido terso y que él besara con la pasión de una luna perdida en la búsqueda inútil de su noche. Hasta que no pudo crecer más y rompió la fuente de sangre y gritos.

—Es un niño.

¡Qué débil y frágil es! Como son siempre los niños. Aunque la fragilidad de la embarcación no le impedía llevar el peso de los dos cuerpos rasgando el verde desasosegado del mar. El sol de nadie tenía piedad. Y él remaba sin prisa, el infinito a su espalda. *¡Es tan frágil la infancia!* Tan frágil un cuerpo reclinado suave, casi graciosamente, sobre la popa del bote.

Ahora no sentía el cansancio de las noches y las mañanas.

—El nene está llorando.

—Levántate tú. Yo estoy cansada.

Remaba rítmicamente, sin esfuerzo casi, sin fatiga, la brisa sal-
5 picando de espuma el interior del bote.

—Por mí querido, un televisor.

—No sé si pueda. Este mes . . .

—La vida no tiene sentido sin televisor.

La vida no tenía sentido, pero el sol evaporaba rápidamente las
10 gotas tenues de mar sobre la piel de ella.

—Mañana vence el plazo de la lavadora eléctrica.

Cada remo hacía *chas* al hundirse en el agua y luego un *glú-glú* rápido, huidizo. Pero lento, angustioso, enloquecedor, saliendo de la incisión en la garganta del nene por el tubo de goma con olor a
15 desinfectante.

—Si se obstruye el tubo, muere el niño. (*El niño mío, quería decir ella, el niño que era mi hijo.*)

Café negro y bencedrina. *Aléjate, sueño, aléjate.* Limpiar el tubo, mantener el tubo sin obstrucciones. *Glú-glú,* al unísono, los remos
20 saliendo del agua. *Glú-glú,* el reloj de esfera negra, sobre la mesa de noche.

—Papi, mami está llorando porque se le quemó el arroz. (*Ay, se le quemó el arroz. Otra vez se le quemó el arroz.*)

Glú-glú, y la espuma del tubo, que era preciso limpiar. *Cuidado-*
25 *samente. Cuidadosamente,* con el pedazo de gasa desinfectada.

—Papi, cuando yo sea grande, ¿me casaré también?

Café negro y bencedrina. ¿Por qué los remos empezaban de súbito a sentirse pesados y recios bajo sus manos? *Café negro . . .*

—No puedo más. Quédate tú ahora con el nene.

30 —Yo no. Los nervios me matan. Soy sólo una débil mujer.

Glú-glú. Glú-glú. Minuto a minuto. *Glú-glú,* en el reloj de la mesa. *Glú-glú,* en la punta de los remos. *Glú-glú,* en los párpados pesados de sueño. *Glú-glú. Glú-glú. Glú . . .*

—Otra vez tarde. Y ayer faltó usted a clase.

35 —Ayer enterré a mi hijito.

Ya la tierra no se veía. Ya el horizonte era idéntico a su izquierda o a su derecha, frente a sí, o a sus espaldas. Ya era sólo un bote en el desasosiego del mar. Y ahora que era sólo eso, ahora que no importaban los límites ni los horizontes, los remos empezaban a perder su ritmo lento para moverse a golpes secos, febriles, irregulares.

—Este vecindario se ha vuelto un infierno.

—Era bueno cuando nos mudamos.

—Hay algo que se llama el tiempo, querido. Y que pasa. Pero nosotros . . . *Nosotros somos una pareja de tantas, porque el marido es maestro y la mujer una bien nacida, y peor hubiese sido si soy escritor, aunque no estoy seguro. La principal es mujer, y la alcaldesa es mujer, y la senadora es mujer, y mi madre fue mujer, y yo soy sólo maestro, y en la cama un hombre, y mi mujer lo sabe, pero no es feliz porque la felicidad la traen las cosas buenas que se hacen en las fábricas americanas, como se la trajeron a la supervisora de inglés, y a otras tan hábiles como ella para atraer la felicidad. A mi mujer no. Pero Anita, de la Calle Luna, es feliz cuando me goza, o aparenta que me goza, a pesar de que es mayor que aquellas muchachas de la vieja casa de balcón en ruinas (eran nueve las muchachas y la menor tenía los muslos duros y la mirada de níspero), pero no pide absurdos, sólo lo que le doy, que es bastante en un sentido, mas no exige un traje nuevo para la fiesta de los Rotarios el mismo día en que me ejecutan la hipoteca, y los cuarenta dólares que me descuentan del sueldo por el último préstamo y quince más para el Fondo del Retiro, porque la ley que hizo la senadora es buena y obliga a que yo piense en la vejez (la de mi mujer quiere decir la ley, porque no hay ley que proteja al hombre), aunque antes de llegar a esa vejez que la ley señala no se tenga para el plazo atrasado del televisor* (nadie puede vivir sin televisor, ay, nadie puede), *y ella insiste en que lo eche afuera para conservar el cuerpo bonito y lucir el traje nuevo (no ése, sino el último, el de la faldita bordada en «rhinestones»), si tan siquiera fuese para gozarlo (su cuerpo, digo), pero apenas me deja, con esa angustia de lo incompleto, y todo por no usar la esponja chica, como dijo la trabajadora social de Bienestar Público que es en verdad Malestar Privado o cuando no con aquello de* no, me duele, *que Anita nunca dice porque se conforma con los tragos en la barra y los cinco dólares, más dos del cuarto que usamos esa noche, y no se queja, ni le duele, porque no es bien nacida y tampoco estoy seguro de que sea blanca.*

—¿Es que no tienes vergüenza ni orgullo, querido? La gente decente vive hoy en las nuevas urbanizaciones. Pero nosotros . . .

Las puntas del pañuelo rojo que ceñía el cuello tan justamente flotaban al aire gritando alegres *traps-traps.* Él estaba seguro de haber apretado el lazo con firmeza al notarlo demasiado flojo (por eso ahora parecía un collar de seda), pero lo había hecho con gestos suaves para no incomodarla, para que no se alterara en lo más mínimo la posición graciosa del cuerpo sobre la popa. Por lo demás, el bote avanzaba.

—Si yo fuese hombre ganaría más dinero que tú. Pero soy sólo una débil mujer . . .

Una débil mujer destinada a ser esclava del marido porque yo soy el marido y ella la esclava. Mi madre era también una débil mujer. Y si mi hijo no hubiera muerto también habría sido el amo de dos esclavas y es mejor que muriera. Un maestro no muere, pero precisa tenerlo todo eléctrico, porque no hay servicio y cómo ha de haberlo si las muchachas del campo se van a las fábricas o a los bares de la Calle Luna (a casa de Leoncia no porque murió un Viernes Santo, mientras cargaba el Sepulcro en la procesión de las cuatro), y se niegan a servir, lo cual es una agonía en el tiempo porque creen ser libres, y no lo son si luego aspiran a salir de la fábrica, y tener, y exigir, y el marido agonizar, porque la estufa eléctrica es buena, y la olla de presión también, pero el arroz se amogolla, o se quema, y las habichuelas se ahuman, y los sánwiches de La Nueva Aurora no son alimento para un hombre que trabaja, y hay que gastar en vitaminas que la farmacéutica despacha con su sonrisa eterna, y a veces me dan tentaciones de pedirle veneno, pero en casa no hay ratas, aunque es cierto que tengo una especie de erupción en las ingles, y alguna cosa habrá para esa molestia (me pregunto si la farmacéutica sonreirá también cuando le hable del escozor en mis ingles), un polvo que sea blanco y venenoso porque ahora en el verano es peor (la erupción, quiero decir), y tengo que llevarla a la playa y me dará dolor de cabeza hablándome del auto nuevo que debo comprar, y de las mise-

rias que pasa, y de su condición de mujer débil y humillada, hasta que me estalle la cabeza y me den ganas de echarle plomo derretido en todos los huecos de su cuerpo, pero no le echaré nada porque soy maestro de criaturas inocentes («mister», «mister», esa niña está preñada del conserje), *y para sentirme vivo tengo que ir a la Calle* 5 *Luna, pero a Anita, claro está, yo no le haría daño, y es que es en casa donde soy el amo, hasta que reviente.*

Vio en el fondo del bote sus propios pies desnudos: los dedos largos, retorcidos, encaramándose uno encima del otro. *Me aprietan, madre. Ese número te queda bien hijito. Pero me aprietan, madre.* 10 *Ya los domarás; son bonitos*, como si quisieran protegerse, unos a otros, contra la crueldad del mundo. Y vio luego los pies de ella formando óvalos casi perfectos, con los dedos suaves y pequeños, las uñas de coral encendido.

—¿Para qué estás amolando ese cuchillo tan viejo? 15

—Para mañana. Para abrir unos cocos en la playa mañana.

—Me da dentera.

Observó el vuelo de un ave marina sobre el bote: el plumaje tan blanco, los movimientos tan gráciles, la forma toda tan bellamente encendida de sol. Y el ave se lanzó sobre el agua y volvió a remon- 20 tarse con un pez en sus garras. Y eran unas garras poderosas, insospechadas en la frágil belleza del cuerpo aéreo.

—Tenemos que cambiar la cortina vieja del balcón, querido. ¡Qué vergüenza! Somos el hazmerreír del vecindario.

El vecindario ríe, y oigo su risa, y debe sus cuentas en la misma 25 *farmacia.* La farmacéutica entregándole el pequeño paquete: la calavera roja sobre dos huesos en cruz. «Uso externo.» *¿Veneno para las ratas?* Sonriendo, sonriendo siempre.

El cuchillo viejo estaba a sus pies, en el fondo del bote, las manchas negras oscureciendo el filo. 30

—¡Cuidado, que el coco mancha!

—No importa, queridita. Pruébalo. Es fresco y dulce. (*Uso externo no; interno, interno.*)

—Es demasiado picante.

—No importa, queridita. Vamos a pasear en bote. Y no tendre- 35 mos agua a mano por un buen rato. Bebe.

Remaba ahora con furia, sin sentido del rumbo. El bote, inexplicablemente, describía círculos amplios, más amplios . . .

—No es que yo sea mala, querido. Es que nací para otra vida. ¿Qué culpa tengo, si el dinero . . .?

Los círculos, cortados limpiamente a pesar del desasosiego del agua, daban la sensación de que había en ello un propósito definido. ¿Pero lo había? El bote giraba locamente empezando a estrechar los círculos. *¿Qué busca el bote, qué busca el bote?*

—Mami dice que tú eres un infeliz. ¿Por qué tú eres un infeliz, papi?

El sudor de la frente le caía a goterones sobre los párpados, atravesando las pestañas para dar a la visión del mundo la sensación de un objetivo fuera de foco.

—¿Sabes, querido? Un hombre de verdad le da a su mujer lo que ella no tiene.

Y la nicotina en los bronquios, aglutinándose para obstruir la respiración. El pecho escuálido era un fuelle de angustia y ruidos, la franja estrecha de pelos separando apenas las tetillas. Y era desordenada, exasperante la flexión de los brazos moviendo los remos.

El bote acortaba los círculos, los hacía más reducidos, pero siempre inútiles, furiosamente inútiles, como un torbellino que aparenta tener sentido oculto, sin tenerlo, excepto el único de girar, girar con rabia atroz sobre sí mismo, devorando sus propios movimientos concéntricos.

De pronto, dejó de remar. El bote, huérfano de orientación y mando, osciló peligrosamente. El sudor seguía dando a sus pupilas la visión de un mundo fuera de foco. Pero reinaba el orden porque allí, de súbito, estaba ahora la anciana de pelo blanco, semidesnuda, en la trusa azul, asqueante, su cuerpo expuesto al sol inmisericorde.

—Eres muy joven para pensar en el matrimonio. No pienses en eso *todavía*, hijito.

—No pienso en eso, madre. Lo juro. No pienso en eso, *ya*.

Jadeaba de fatiga, aunque sus brazos permanecían inmóviles, laxos, doloridos, abandonados los remos que flotaban y se deslizaban de sus manos, y se alejaban, sin remedio, en el tiempo, sobre lo verde . . .

—Papi, mami dice que tú no debías . . .

Pero debí hacerlo desde hace años. Debí hacerlo. Porque hay algo que le roe a ella las entrañas, demandando, exigiendo, de mí, que no tengo la culpa de poseer lo que ella no tiene y nunca pedía a nadie. Sólo vivir tranquilo, buscando un sentido a mi vida. O angustiado, no logrando encontrarlo jamás. Pero sin esa presión horrible de la envidia de ella, sin esa exigencia de siempre proporcionar a su vida cosas que no entiendo. Ayer se llevaron la lavadora eléctrica. *Porque piensa que ser hombre es sólo eso.* La casa nueva, querido. *Pero ser hombre es, por lo menos, saber por qué está uno en un bote sobre las aguas verdes que de lejos parecen ser azules. Y sin embargo, si ella lo pide.* Si tú lo pides . . .

Lo pedía, dentro de la trusa azul, reclinada en la popa, aquella criatura radiante y juvenil, de belleza sobrehumana. *Baile en los Rotarios, querido.* El sol de nadie tenía piedad. *¿Me queda bien lo rojo, querido?* El cuchillo a sus pies tuvo un chispazo cegador a pesar de las manchas negruzcas en el filo. *Ni pensar en otro hijo. ¡Y con tu sueldo . . . !* Al inclinarse a agarrarlo, sus ojos resbalaron sobre el abultado relieve entre sus piernas. *Ay, no, querido, que me haces daño.*

Daño en el alma a un hombre que no pide sino buscar el sentido de su vida. Llamada urgente del banco. *Tampoco mi hijo lo hubiese encontrado.* Llamada urgente . . . *Y es mejor que muriera.* Ejecutaron ya . . . *Pero no puedo. Porque antes he de saber por qué estoy aquí.* Sin prórroga . . . *Y no me han dado tiempo.* Muy señor nuestro, lamentamos . . . *No me han dejado paz para la búsqueda.* Telegrama del Departamento. Telegrama . . . *¡Todo lo que quieran por tener la paz!* Lamentamos . . . *Y saber. Saber . . .*

—Cosas de hombre, hijito.

—Sí, madre, del hombre que nunca conociste.

Se puso de pie. El bote osciló bruscamente, pero él logró mantener el equilibrio. En la popa había un cuerpo. Inmóvil ya, era cierto. Pero el mundo, allá en la playa, seguía siendo un mundo de devoradoras y de esclavos. Y acá, era un viaje sin retorno. Introdujo el cuchillo entre su carne y el pantaloncito de baño. Volteó el filo hacia afuera. Rasgó le tela. Hizo lo propio en el lado izquierdo y los trozos de lana, junto a las tiras de elástico, cayeron al fondo del bote entre sus pies desnudos.

5 El bote estaba solo entre el cielo y el mar. Nada había cambiado. El sol era el mismo. Y la brisa seguía arrancando alegres *traps-traps* a las puntas del pañuelo de seda roja. Pero el tiempo, antes inmóvil, empezaba a proyectarse hacia la eternidad. Y ahora él estaba desnudo en el vientre del bote. Y en la popa había un 10 cuerpo reclinado.

—Un hombre da a su mujer . . .

Sí, querida, ya lo dijiste antes. Con la mano izquierda agarró el conjunto de tejido esponjoso y lo separó lo más que pudo de su cuerpo. Levantó el cuchillo al sol y de un tajo tremendo, de 15 espanto, cortó a ras de los vellos negros. El alarido, junto al despojo sangrante, fue a estrellarse contra el cuerpo inmóvil que permanecía apoyado suave, casi graciosamente, sobre la popa del bote.

La hora del dragón[1]

Experimentó la sensación de vértigo, calor y asfixia, y se detuvo. La avalancha humana la empujó brutalmente hacia la entrada de 20 un establecimiento. Aturdida, miró en torno suyo. Y, de inmediato, vio los ojos. No supo más. Sólo eso. No podía haber dicho qué color tenían, cuál era su tamaño. Unos ojos, sencillamente. Y, sin embargo, se sintió morir. Era como si las brasas sobre las cuales parecía posarse su planta hubiesen permeado la epidermis y, de 25 súbito, emprendieran una loca carrera ascendente por su cuerpo devorándolo todo, todo: vientre, pulmones, corazón. Vagamente supo que en medio de la consunción de su cuerpo los paquetes resbalaban al piso con ese crujir exasperante de papel nuevo que se crispa, y que su cuerpo, también su cuerpo, iba a caer, aunque 30 sin ruido, como un fardo de espuma, o una pluma de garza, o una mirada que rueda en el abismo.

[1] From *En una ciudad llamada San Juan* (*cuentos*).

Y ahora era un círculo. Y la circunferencia era un cristal pulido bordeando aquel estanque. Y era una agua tan clara, tan pura, como jamás la vio. Y ahora era un sonido:

Ay, qué noche tan oscura
todo se me ha de volver . . .

Y una lluvia como de arena blanca cayó sobre el estanque. Y un instrumento largo y brillante rompió la superficie y agitóse en el agua. Y el agua no fue clara. Y ahora era la voz: 5

—Es agua con azúcar. Le vendrá bien.

Vio al mozo sonreído detrás del mostrador, sosteniendo aún la cucharilla en la mano. Y supo que todo aquello era real. Con gesto automático se llevó el vaso a los labios y empezó a beber a sorbos largos. Pero estaba tratando, desesperadamente, de poner en orden la confusión de su mente, tratando de situarse a sí misma en el tiempo y el espacio: *Peluquería, luego Casa Camilo, acera izquierda de Calle San Francisco, cinco de la tarde, avalancha enloquecida hacia Plaza de Colón, malestar, puerta abierta, empujón, ojos sin rostro, brumas, vacío . . .* 10 15

Ahora todo era real, tangible, concreto.

Ya no estás más a mi lado, corazón;
en el alma sólo tengo soledad . . .

Pero desconocido. Como si hubiese sido arrebatada por un genio maléfico y transportada a un remoto lugar, ajeno por completo a su mundo cotidiano. Estaba sentada en un taburete, ante algo que podía ser un mostrador. Los paquetes estaban a su lado, en el taburete de la derecha. Había un gramófono automático encendido y, en el disco, una voz de hombre hablaba de sombras, y del bien y del mal. Percibía olores contradictorios de cocina, licores y refresquería. Entonces se dio cuenta de que el local era un poco de todo. Al fondo, frente a ella, y a través del cristal empañado, un hombre con gorro blanco (o que pudo ser blanco) freía pastelillos en una sartén honda. Acá, el hombre de la cucharilla y una chica en traje verde servían indistintamente café, ron, cerveza y coca-cola. Ninguno de los dos era limpio. Y el mostrador 20 25 30 de formica roja estaba pegajoso y opaco. Unas luces de neón azul, colgando frente al cristal de la cocina, habían atraído sobre sí la labor paciente y anónima de infinidad de arañas, mientras abajo las botellas en el anaquel ostentaban con ridícula uniformidad respetables togas de polvo. Todo era (o debía ser) repulsivo y extraño. Y, sin embargo, se sorprendía a sí misma no experimentando repulsión o extrañeza. El agua azucarada se deslizaba suave y refrescante por su garganta y había ahora en todo su cuerpo una inexplicable sensación de blandura, de bienestar casi.

Giró a medias en el taburete y contempló la ancha puerta del local al nivel de la acera, como un marco al cuadro alocado del gentío moviéndose en tumulto hacia la Plaza de Colón. Hizo girar de nuevo el taburete y volvió a encararse al cristal empañado de la cocina. Sus labios, aún húmedos y dulzones, sonrieron.

Había sonreído sin proponérselo. Y trató de buscar, un poco juguetonamente, la razón de aquella sonrisa. Gustó, casi paladeó, la sensación de encontrarse a salvo, al margen de la avalancha que arrastraba y arrastraba, sin sentido ni rumbo. Y supo que era eso. Volvió a sonreír, esta vez a plena conciencia. No sentía cansancio ahora, ni siquiera el aguijoneo candente de los pies. Preguntóse cuántas veces habría pasado frente a aquel local sin sospechar su existencia. Estaba en un punto demasiado céntrico del viejo San Juan para poder calificarle de eso que llaman peligroso. A pocos pasos, en la misma calle, sabía ella que ostentaban sus fachadas el cuartel de la policía y la Iglesia de San Francisco. Y, no obstante, aquello no era algo que pudiera considerarse respetable, nada comparable a su propia idea de lo que era (o debería ser) un restaurante, un bar o una cafetería.

—¿Se siente bien ya?

El mozo, con su pretenciosa chaquetilla blanca deshilachada en los ribetes del cuello y de los puños, manchada hasta lo inverosímil de huevo y café y cerveza, sonreía apoyado indolentemente sobre el mostrador. Y ella pensó que si aquel hombrecito, con semejante facha y gesto familiar, hubiese estado a tal proximidad física de su propio cuerpo en el Casino de Puerto Rico o en el Caribe Hilton o en la Casa de España, ella no sólo se habría sentido ofendida, sino asqueada. Pero allí, en aquel mundo desconocido, sólo percibió el calor humano de la voz, el interés genuino reflejado en el rostro amarillento, como si a él en verdad le importase cómo se sentía ella.

—Me siento muy bien, ya, gracias. 5

Y experimentó una gran turbación. Porque tenía ante sí el vaso que había contenido el agua azucarada y no supo si debía o no pagar por aquel pequeño servicio. Instintivamente echó mano al bolso de cuero. Pero sus dedos se detuvieron indecisos al tocar el broche. Hubiese sido sencillo preguntar. Sin embargo, no sabía si 10 incluso la pregunta era o no pertinente.

—Puede quedarse descansando todo lo que quiera.

—Espere . . .

El mozo se detuvo y volvió a inclinarse sobre el mostrador. Ella buscaba casi angustiosamente un medio de reciprocar sus servicios 15 sin que el gesto resultase demasiado obvio.

—Desearía . . .

—¿Desea tomar algo?

No lo deseaba en verdad.

—Un vermouth, por favor. 20

—¿Italiano, francés o argentino?

Tuvo que hacer un esfuerzo para no sonreír ante la inesperada escrupulosidad del *bar-tender.*

—Italiano—.Y se sintió aliviada.

Ahora que todo estaba en orden, ahora que tenía plena con- 25 ciencia de su ubicación en el mundo, empezó a percibir con claridad la presencia de los otros, de los que se hallaban en su propia zona, en el espacio comprendido entre la barra y la acera. La barra tenía forma de U, trunca en una de sus patas. Y ella estaba casi en la curva de la U. A su derecha había una viejecita sorbiendo lenta- 30 mente su taza de café. Era muy vieja en verdad, y muy encorvada. Y su boca sin dientes se plegaba como un fuelle cada vez que acercaba a los labios secos el borde de la taza. Más allá, una chica en uniforme de colegio católico, y recorte alto (italiano como el vermouth) bebía una coca-cola. Sus labios gruesos y pintados cubrían 35 de un modo casi obsceno el cuello de la botella. Parecía una novilla chica mamando de la ubre. Dos taburetes después, un adolescente color canela, de pie ante la barra, con un vaso de cerveza en su mano izquierda, bailaba solo al compás del bolero en la vellonera, mientras devoraba con ojos alucinados la nuca 5 blanca y tersa de la chica.

A la izquierda, en la pata trunca de la U había un hombre (allá, casi en el extremo). Estaba vuelto de espaldas a ella, mirando hacia la pantalla de un pequeño televisor cuya imagen borrosa y cuyo sonido, ahogado por el bolero de la vellonera, sólo él quizás podría 10 percibir. La camarera de traje verde colocaba en ese instante frente al hombre un vaso que bien podría contener whiskey o ron con soda mientras retiraba el otro vacío. Ella, desde su taburete, esperaba que él se volviese a tomar el vaso, pero el hombre permaneció inmóvil.

15 —Tiene una hermosa cabeza—pensó observando la forma del cráneo, y el cabello negro y rizado. Llevaba una camisa *sport* de inconfundible procedencia europea y en su muñeca izquierda lucía un reloj de oro de tamaño más que regular.

—Se habrá refugiado aquí también, esperando a que pase la 20 avalancha de las cinco—concluyó.

Pero entre el mundo casi apacible de la barra y el mundo infernal de la calle había otro mundo móvil, fluctuante, estableciendo cierta inescapable comunicación entre ambos. Parroquianos que entraban a obtener cigarrillos en la máquina automática, a desli-25 zarse apresuradamente por un pasillo sombrío en el extremo izquierdo donde un letrero en forma de flecha señalaba: *Caballeros*, a vender lotería y periódicos, a comprar pastelillos de carne o queso para llevarlos consigo, a lanzarle una burla (¿o era quizás un piropo?) a la camarera de traje verde, o un saludo ruidoso al 30 mozo de rostro amarillento; parroquianos fugaces, sombras meteóricas cuyos rostros resultaba imposible aprehender. Y en la vellonera, la voz desgarrada:

Es la historia de un amor
como no habrá otro igual,
que me hizo comprender
todo el bien, todo el mal . . .

Vio la copa de vermouth ante sí. Abrió el bolso y, sacando un billete de cinco dólares, se lo alargó al mozo. Apenas se había llevado la copa a los labios, regresó éste con el cambio. Ella calculó rápidamente: cuatro sesenta, el vermouth cuarenta. Metió los cuatro billetes en el bolso y dejó los sesenta centavos de propina. Él fingió distraídamente ignorar la maniobra y se alejó a atender al adolescente de la derecha.

Ahora ya, buenamente, podía irse. Pero no sintió deseos de hacerlo. Pensó que de todos modos debía terminar el vermouth. Se llevó la copa a los labios y bebió otro sorbo. El sabor y la temperatura de la bebida le exigieron perentoriamente un cigarrillo. Sacó la pitillera.

Con el pitillo en los labios buscó afanosamente el encendedor en todos los atiborrados recovecos del bolso. De pronto, sonó el chasquido de un fósforo y dos manos ahuecadas, a modo de parabrisa, sostuvieron ante sus ojos la parpadeante llamita. No tuvo tiempo de mostrar sorpresa. Encendió y entre la primera bocanada de humo le salió la frase:

—Muchas gracias.

Al alzar la vista vio los ojos. Otra vez creyó morir. Los ojos allí como si no pertenecieran a rostro alguno. Pero no sentía ahora el fuego abrasador de antes, sino una paralización total de sí misma y del mundo fuera de ella. Todo quieto, frío, inmóvil. Excepto los ojos. Aunque no podía decir que éstos pestañearan siquiera. Pero sí que generaban la única corriente vital en semejante ausencia de vida. Y ella, inexplicablemente, sólo a través de aquella mirada se sabía viva.

—¿Se siente bien ya?

Eran palabras que había oído antes. Y, sin embargo, tenían ahora un significado distinto, como si de ellas dependiera que volviese al mundo, como si las hubiese esperado ansiosamente, desesperadamente, para cerciorarse de que su vida no estaba perdida, de que el mundo podía permanecer frío e inmóvil, pero ella era capaz de latir, palpitar, dentro de la frialdad súbita que la envolvía. Quiso decir que sí, que estaba bien, que vivía. Pero no pudo. Sólo logró inclinar levemente la cabeza. No estaba segura, sin embargo, de si sus labios habían o no sonreído.

—Por suerte estaba observándola. Pude correr a tiempo para sostenerla. Fue el calor, sin duda . . .

—*Sí, doctor, calor. Unas espantosas oleadas de calor que parece van a matarme.*

—*. . . esto le hará sentir mejor . . . Son los primeros síntomas.*

—*¿Tan pronto, doctor? Yo sólo . . .*

—*. . . algo muy variable. He tenido casos . . .*

—El caso es que si desea un taxi . . .

Se había sentado en el taburete, a su izquierda. Ahora podía ver su rostro y le pareció familiar, quizás porque de algún modo correspondía justamente a su cabeza, que ella había visto de espaldas cuando él, allá en la esquina, observaba la pantalla borrosa del televisor.

—Oh, no, gracias. Sería mucha molestia . . .

Oyó su propia voz con una resonancia extraña, como si la oyera grabada en un disco. Y él sonrió ampliamente, tanto que casi pareció iba a reír.

—No es molestia alguna. Aquí cerca. En la Plaza de Colón.

Había tomado los paquetes y se dirigía a la puerta. Ella cerró bruscamente su bolso, tiró el cigarrillo y lo siguió.

Probablemente el infierno en la calle seguía igual. O, a lo mejor, había amainado. Ella no lo supo. Él iba adelante y ella le seguía. Eso era todo. No había obstáculos ni tropiezos, sino un sendero libre por el cual sólo ella transitaba. Luego, la portezuela abierta. Subió. Iba a decir «Gracias», aunque hubiera querido decir más, pero ya él no estaba allí. Oyó el sonido de otra portezuela al cerrarse. Se volvió sobresaltada. Él estaba en el sitio del chofer, con el rostro vuelto a medias.

—¿A dónde?

Una hora antes se habría reído a carcajadas o, al menos, habría tenido que hacer un esfuerzo sobrehumano para no reír. Ahora, sólo dijo:

—Después de Santa María, carretera del Aeropuerto—e incluso añadió la indicación de rutina.—Por el Condado es el camino más corto—. Luego se recostó sobre el espaldar tapizado de amarillo y cerró los ojos. Oyó el *crac* de la banderilla del metro y casi en seguida el característico *tic-tic-tic*. El auto se puso en marcha.

—Es mejor que te deje el auto, nena. Yo puedo ir a Manresa con Fernández. 5

—No, no, llévatelo. Total, yo no voy a necesitarlo.

—Tampoco yo. Se trata de un retiro espiritual con los jesuitas, no de un «week-end» de juerga . . .

—No importa. Si vas en tu propio auto, no tendrás que depender de nadie. Yo puedo usar un taxi . . . 10

No podía explicarse ahora su propia insistencia, excepto por la satisfacción de saber que él iba al retiro de Manresa. Tampoco podría decir si ella creía que él en verdad necesitaba de aquel retiro. Hasta donde era capaz de conocerlo, él seguía siendo un buen hombre. Y debía conocerle bien. Veintidós años. Veintidós años 15 de monótona bondad inalterable. Al cabo de los cuales se ha obtenido todo lo que puede dar la vida: una casa de diseño ultramoderno, un jardín como sólo se ven en las fotos a colores del *House and Garden*, un Cadillac rosa y negro. Y la nueva y suntuosa iglesia de Santa Teresita no muy lejos del hogar impecable. 20

—Y dedico esta Comunión hoy, Santísimo Sacramento, a la preservación de la felicidad de mi esposo y de mi hijo. Y, también, a que de algún modo se llene este vacío tan grande que siento en mi alma.

El taxi frenó bruscamente. Ella abrió los ojos y vio los de él reflejados en el espejito. 25

—Lo siento. Una luz de tránsito que cambió demasiado pronto.

Volvió a cerrar los ojos. En la vida nada cambia demasiado pronto. ¿O sí?

—Pero, mami, ya soy un hombre. Puedo ir solo a Europa. Sé cuidarme bien. 30

—No es eso, Jorge. Es que aún estás convaleciendo. Irás en la excursión del año próximo.

—No, mami, este año. Tiene que ser este año.

Con esa irracional terquedad del adolescente, del hijo que vino a la vida un poco tarde. ¿Y qué se puede hacer si incluso el médico 35 dice que el viaje ha de ser beneficioso?

«Florencia es una maravilla. Lo mejor de Europa, mami. Estamos gozando mucho. Y me siento como nunca. Mañana salimos para Roma.»

Roma. Roma. El expreso a Roma. Con ese sabor dulzón a ver-
5 mouth en la boca. Y ese vaivén suave del tren en un compartimiento de lujo. Y esa modorra. Y el sueño. Una bruma dorada. Ha caído la noche. Un vaho azul. Un tiempo largo sin fin. El vacío. Y después, nada. Nada. Nada . . .

De pronto, la voz discreta y suave del conductor, en medio del
10 golpeteo monótono del tren.

—Señora.

Y el característico *tic-tic-tic.*

—Señora.

—¿Roma . . .? ¿Ya?

15 Se incorporó y notó que el tren se había detenido. Y que era ya de noche. Pero no vio las luces de la Ciudad Eterna. En cambio, ¡cosa extraordinaria! oyó la voz familiar del coquí. Y, a continuación, otra voz más inmediata, más íntima.

—Perdone que la haya despertado.

20 Vio en la penumbra el rostro de él vuelto hacia ella y supo que estaba en el taxi, pero no podía explicarse por qué era de noche y por qué estaba en un lugar que, así, de pronto, le resultaba imposible de identificar.

—¿Qué ha ocurrido?

25 —Hace rato que hemos pasado Santa María. No me ha quedado otro remedio que despertarla.

—¡Dios santo! ¿Y dónde estamos?

—Frente al Pleamar, en la carretera del aeropuerto.

¿Pleamar? ¿Cuándo había oído ella ese nombre?

30 *—¿Eres tú, nena? Te llamo para decirte que hoy almorzaré en el Pleamar. Asunto de negocios. Aburrido, claro. Puedes ir al Casino, si quieres . . .*

—¡Qué contrariedad! Tan tarde. Tan cansada.

—No sé si podré regresar antes de las seis, Fefa.

35 *—Pues yo tengo que irme a las cinco, señora. Le dejaré la carne preparada.*

La carne estaría aderezada, pero tendría que meterla al horno. Y freír las patatas. Quizás la ensalada estaría lista en la nevera. Sentía una pereza enorme. Se metería en cama sin probar bocado. Pero sabía que debería comer algo. Las luces verdes de neón parpadeaban como cocuyos: *Pleamar*, *Pleamar*, *Pleamar*. Abrió la portezuela.

—Espere aquí, por favor.

Apenas había andado unos pasos hacia la marquesina, sintió un extraño desasosiego. Se detuvo y volvióse a medias.

—Voy a comer. Si desea . . . tomar algo, mientras tanto . . .

Le pareció que él sonreía en la oscuridad. Trató de descubrir sus ojos, pero no pudo. Sin embargo, sentía su mirada sobre sí. Al fin oyó la voz.

—Muchas gracias. Que le aproveche.[2]

Se volvió enfrentándose a la caprichosa arquitectura del edificio que se ocultaba a medias entre un boscaje de almendros. Echó a andar rápidamente hacia la entrada y empujó la puerta de cristales. Sintió, de inmediato, la bocanada de aire acondicionado. Apreció el conjunto de una sola ojeada: el bar encendido de rojo a la izquierda; el salón-comedor a la derecha esfumándose en una luz azul de sueño. El mozo se acercó solícito y le indicó una pequeña mesa al fondo. Ella asintió y le siguió a través de la pista de baile. Sólo pudo ver tres parejas en el salón.

Se había sentado mientras el mozo encendía la vela en la palmatoria de hierro sobre la mesa. A la luz parpadeante de la llama le echó una ojeada al menú. Y ordenó brevemente:

—Ensalada de langosta, flan y café. ¿Tiene pan de centeno?

—Sí, señora.

—Bien tostado, por favor.

—¿Alguna bebida?

—No, gracias.

Le pareció ver una sombra cruzando desde el bar hacia el extremo derecho del comedor. La sombra se detuvo ante el gramófono automático. Oyó el ruido de la moneda deslizándose en las entrañas del aparato. Y casi al segundo, el monstruo se iluminó

[2] *Que le aproveche.*—May you enjoy it.

fantásticamente. Había algo de aterrador en aquella enorme caja de cristal y cromio que, impasible, con infalibilidad de robot, daba al mundo los más variados sonidos, objetivamente, sin emoción, sin sentimiento alguno. Pero había algo también fascinador en la 5 magia hermosa de sus luces cambiantes (verde, rosa, azul, amarillo, rojo) como un arco iris inquieto, angustiado, como una agua viva flotando incierta sobre un mar tembloroso y azul. Los violines preludiaron otro temblor y otra angustia. La sombra se alejó en dirección al bar.

Es la historia de un amor
Como no habrá otro igual,
que me hizo comprender
todo el bien, todo el mal . . .

10 ¿En qué mundo remoto había oído ella aquella música, aquella voz desgarrada . . .? El mozo colocó la copa sobre el mantel azul. Ella le miró sorprendida.

—No he pedido vermouth.

—Obsequio del señor en el bar—dijo, y se alejó diligente.

15 Miró hacia el bar y lo vio de espaldas, la camisa gris ahora con tonalidades rojizas, la cabeza de corte ya familiar con su pelo intensamente rizado, y el reflejo de la luz en la esfera de un gran reloj de oro en su muñeca. Sintió una cruel opresión en el vientre, como si la pequeña faja de seda y goma se hubiese convertido, de pronto, 20 en un instrumento de tortura. Bajó la vista y observó cómo estaba a punto de naufragar el reflejo de la pequeña llama en la bebida color ámbar. Con gesto brusco, apartó la copa.

No supo cuánto tiempo permaneció inmóvil, con la vista fija en el mantel azul, ajena a sí misma y al mundo que la rodeaba. 25 Cuando recobró la conciencia de que existía, había una gran sombra sobre la copa, y su rostro, y la mesa toda.

—Creí que le gustaba el vermouth.

Sintió la urgencia de no alzar la vista, de no mirar sus ojos.

—No debió . . .

30 —Es italiano.

—No debió . . .

—Usted me invitó a comer. Y yo tenía que agradecer de algún modo.

No era cierto. Ella no . . .

—Sólo dije que entraría a comer. Que usted era libre de . . .

—¿Eso dijo?

¿Qué habría dicho ella? ¿Qué había en verdad?

¡ Ay, qué noche tan oscura
todo se me ha de volver !

—Siento mucho haber entendido mal. Si quiere, esperaré en el taxi.

—No. Puede.

¿Qué iba a decir ella ahora? ¿Qué iba a decir?

—Muchas gracias.

No, no quise decir . . . Se había sentado. Exactamente frente a ella. Sólo la llama agonizante entre ambos. Le era fácil ver sus manos grandes y toscas (¿Podrían corresponder esas manos a una cabeza de corte hermoso?) sosteniendo un vaso de ron y soda; la camisa gris, extranjera, *me han dicho que tienen camisas italianas en Glubman, nena,* con finas, apenas perceptibles rayas negras; casi azul bajo la luz del salón; los botones de forma rara dando un terminado exótico a la prenda de seda mate. A pesar de todos sus esfuerzos, los párpados se alzaron para permitirle a su mirada ascender por la pechera gris. Los dos primeros botones estaban fuera de los ojales, formando un improvisado escote en V angosta y larga. Y allí, sobre la piel más clara que la piel de las manos y el cuello, estaba el dragón.

Era un dragón barroco, dibujado en violeta (minuciosa, casi dolorosamente) sobre la piel morena. Y las fauces abiertas y las garras crispadas eran horribles, pero los ojos eran hermosos; podrían fascinar o destruir, pero eran hermosos, y aun en el punto luminoso de cada pupila había algo de verdad y ternura que no era posible ignorar porque despertaba una misteriosa nota dormida en el fondo de cada ser y eso que despertaba con suavidad de un capullo recién bañado en rocío, era dulce y bueno, y debía ser noble. Porque todo lo que despierta como despierta una rosa a la vida, ha de ser bueno y venir de Dios.

Vio la mano de él, grande y tosca, acercarle la copa, y ella tomó 5 la copa en sus manos y la llamita de la vela jugueteó con los brillantes de su anillo, y alzó lentamente la copa y humedeció con unción sus labios en el licor perfumado. Y ya no había nada dentro de ella que le impidiera alzar la vista más allá de la camisa gris y vio la boca sonreída, y la nariz recta de aletas nerviosas y los ojos, 10 estremecedores como los del dragón.

—¿Bailamos?

Era tan sencilla la pregunta. Y ella se levantó con la misma naturalidad con que lo hubiese hecho en la Casa de España si uno de los amigos de su marido hubiera articulado la misma interroga- 15 ción, y sintió el brazo de él rodear su cintura de un modo como jamás le fue dado experimentar, aunque habían sido muchas las ocasiones en que se supo deseada, pero había en sus amigos algo brusco y torpe, desesperado quizás, porque comprendían que aquello no iba a pasar de un deseo frustrado, siendo ella, sin lugar 20 a dudas, una mujer honrada. Y sabiéndolo ellos. Pero esta vez no había brusquedad ni torpeza, y el brazo que la ceñía era suave y seguro como si su talle fuese el lugar en que ese brazo hubiera descansado toda una vida, o como si hubiese aún otra vida por delante para ceñirla y atraerla hacia sí, con aquel mismo y sencillo 25 gesto de posesión.

Percibió en su garganta el aliento candente de las fauces del dragón y en su frente la presión tibia de los labios de él. Y ya no trató de preguntarse nada ni de saber por qué, de pronto, en el mundo pueden ocurrir cosas extrañas e inconcebibles. Y es que 30 una vez se acepta la existencia del dragón, lo maravilloso se acepta sin extrañeza, sin que sean necesarias interrogaciones, o respuestas a esas interrogaciones. Y quizás el vacío que se siente en el cuerpo y el alma se deba precisamente a eso, a que alguien ha cerrado toda puerta hacia lo imprevisto y maravilloso, y la vida es sólo un 35 mecanismo infalible, respondiendo a cuidadosa planificación, como el gramófono automático, mientras el Santísimo Sacramento concede tediosamente las mismas gracias de una felicidad que no rebasa el triángulo formado por Santa María, Caribe Hilton y Casa de España. Y no teniendo siquiera la vida una iluminación de arco iris cambiante y angustiado. Pero si uno mira los ojos del dragón, ya nada importa, ni es preciso saber nada, porque ha traspasado la barrera del sonido, y del tiempo, y hasta las frases vulgares de un diálogo corriente adquieren resonancia de maravilla, bajo la bóveda sideral, que es absoluta y no relativa como asegurara el anciano alemán de los isótopos.

—Me llamo Muratti.

—¡Es un nombre italiano!

Tenía que serlo. Porque el vermouth es italiano, y la camisa es italiana y Florencia es una maravilla, *lo mejor de Europa, mami, y mañana salimos para Roma.*

—Creo que mi abuelo era corso.

Y a ella le vino a los labios una palabra absurda, que no llegó a pronunciar: *Vendetta.*

—Él fue agricultor en Adjuntas. Yo soy marino mercante.

Y para serlo hay que ser libre, ¡libre! Y una aguja candente graba en Shanghai, dolorosamente, la magia de un dragón violeta. Y en Nápoles hay la tentación de una camisa de seda gris como jamás podrá concebirla la producción en serie de América. Y en Marruecos hay la oportunidad de compra del mejor reloj de oro suizo (robado, quizás). Y en Brasil se adquieren los topacios y las turmalinas a granel para luego venderse de contrabando en los puertos del Golfo. Y mujeres, ¡Oh, Dios! mujeres con todos los olores y todos los sabores del mundo. Pero ninguna, ninguna como ella que ha tomado su taxi, que no es suyo sino de su hermano enfermo en el hospital, y él lo trabaja para su hermano hasta pasado mañana en que ha de volver al barco, y nada lo ata, nada, porque él es libre; ni mujer e hijos, porque no los tiene, ni religión tampoco porque la perdió en algún lugar remoto de la inmensidad oceánica, y patria mucho menos porque nació en una colonia que no quiere dejar de serlo, nada, nada, excepto el azul de los manteles que ella veía casi en círculo bajo la luz de sueño del salón, mientras giraba y giraba en sus brazos, y era ya todo un vértigo de brumas, girando, azul, girando en luces, en pasión y vida, y felicidad y angustia.

Se dio vuelta y vio, a través de sus párpados apenas entreabiertos, la pequeña luz roja que, de algún modo, le resultó familiar.
5 No estaba segura aún de si había despertado y deslizó la mano derecha bajo la almohada. De pronto, sin motivo aparente, abrió del todo los ojos. Alzó la vista. El techo era liso, desprovisto de instalaciones eléctricas. Volvió a medias la cabeza y vio la minúscula lámpara de bombillo rojo adosada a la pared. Sonrió. La
10 tenue luz rojiza parecía dar a la habitación una tibieza inefable. O quizás la tibieza emanara de su propio cuerpo, al igual que aquella maravillosa sensación de bienestar. Sentía unos deseos tremendos de reír, y de hablar, o más bien de gritar, de gritar sonidos alegremente, sin que fuese preciso articular palabras.

15 Sacó sus manos de debajo de la almohada y las alzó hacia el techo. Las veía ahora arriba, moviéndose rítmicamente, como si ejecutaran contra el plafón un baile ceremonial, allá, en el extremo de sus brazos, independientes de ella. Sin saber por qué pensó: *¡Vendetta!* Y se echó a reír. El sonido de su voz la asustó un poco
20 y, bruscamente, se sentó en la cama. Había abrazado sus propias piernas, apoyando la frente en sus rodillas y así, acurrucada en sí misma, empezó a balancearse suavemente, sonriendo más y más de su pueril sobresalto, acentuando el balanceo a medida que se acentuaba su sonrisa, hasta que perdió el equilibrio y cayó blanda-
25 mente hacia un costado.

Su mejilla había ido a descansar sobre las fauces del dragón. Le observó moverse rítmicamente al compás de la respiración del hombre, en una especie de danza sensual y exótica. Al alzar la vista vio los ojos de él entreabiertos y una tenue sonrisa en sus
30 labios. Sintió la mano tosca deslizarse por su nuca y la presión que acercaba su rostro más y más a la sonrisa aquella hasta que la extrema proximidad borró toda imagen. Luego él apartó con ambas manos el rostro de ella, le besó los ojos y la hizo apoyar la cabeza bajo su barbilla, como si quisiera acunarla, o protegerla al
35 menos.

—¿Sabes la hora?

Ella no la sabía ni el tiempo en verdad era cosa que importase, estando ella allí, sobre su pecho, con esa sensación remota, ya casi olvidada, de niña en brazos del padre que sabe querer y mimar.

—Son las tres. Debo llevarte ya.

... llevarte a la zarzuela, o a la primera Comunión, o al cumpleaños de Nancy. Llevarte al Colegio o al primer baile o a la Universidad. Llevarte al altar ... 5

—¡No, al altar no!

—A tu casa, quiero decir. ¿Vamos?

Pero no se movió y ella ni siquiera percibió el *tic-tac, tic-tac* del 10 reloj de oro en la muñeca de él.

Aunque ahora el sonido no era el mismo, sino el *tic-tic-tic* del metro y luego el *crac* de la banderilla de metal y después el silencio dentro del taxi, y los coquíes en el jardín. Él había abierto la portezuela y esperaba. Y fue entonces cuando por vez primera sintió un 15 miedo espantoso de enfrentarse a él. Pero no podía prolongar la situación eternamente y, haciendo un esfuerzo, salió del auto.

Los faroles encendidos del taxi bañaban la fachada de la casa. A su luz todo parecía extraño, irreal, incompleto. La casa era sólo fachada; el jardín, un artificio inventado por alguien que no tu- 20 viera sentido del color o la forma. Y miles de ojos, en las sombras, acechando, acechando ...

Abrió el bolso:

—¿Cuánto?

Era una pregunta sencilla y rutinaria, pero apenas pronunció 25 las palabras sintió tanta vergüenza que creyó iba a echarse a llorar. La voz de él sonó tranquila.

—Tres cincuenta.

Sabía que era imposible. El metro debía estar marcando mucho más. Pero no tuvo el valor de cerciorarse. Le alargó un billete de 30 veinte en la esperanza de que cobrara lo justo.

—¿Me puede dar un billete más pequeño? No tengo cambio para tanto—. Hablaba en tono cortés, casi amable y ella hubiese jurado que se estaba sonriendo. Pero no quería alzar la vista hasta él. Buscó un billete de diez y se lo alargó. Vio cómo él sacaba su 35 billetera, metía en ella el billete y le extendía el cambio.

Ella tomó el dinero y se alejó presurosa.

—Espere.

Sintió los pasos a sus espaldas. Miró la puerta, la puerta ancha de la fachada, y tuvo deseos de echar a correr antes de que le diera 5 alcance. Pero ya él estaba a su lado.

—Le falta medio peso del vuelto.

Ella vio la moneda en su mano izquierda (su mano grande y tosca), el reloj de oro, el puño de la camisa gris.

—Es suyo. La propina . . .

10 —No hace falta.

—Es suyo—y su propia voz le sonó a sollozo.

—Gracias.

Pero ella no se movió porque él estaba en su camino y porque su voz al decir «gracias» le había sonado a la misma voz que había 15 escuchado bajo una luz rojiza.

—Si necesita taxi hoy . . .

—¡No!—El grito le dolió en las entrañas.

Hubo una pausa. La mano de él se extendió abierta hacia ella.

—Mi barco sale mañana . . .

20 Mañana no, pasado . . . pero no, era cierto: mañana. Porque el mañana de anoche era ya hoy. Alzó al fin su mirada. Preguntóse entonces por qué había temido mirarle, por qué había creído morir de vergüenza si sus ojos llegaban a alcanzar los de él. Estaban allí sus ojos, mirándola, con una mirada limpia y buena (sin nada 25 turbio, ni atemorizante, ni vergonzoso en ellos).

Y vio su propia mano alzarse, sin obedecer su voluntad siquiera, hasta tocar la otra, y sentirla brevemente estrechada.

—Buenas noches—dijo él. Y no vio más sus ojos.

Oyó los pasos alejándose, la portezuela del auto al cerrarse, el 30 motor en marcha. Y la luz de los faroles empezando a resbalar por la fachada, por el jardín, por su propio cuerpo; alargando grotescamente la figura de su cuerpo en el césped, alejándose, huyendo, diluyéndose en la oscuridad, y el silencio, y la soledad y el vacío. Y ella, sin sombra ya, diluida, rompiéndose en gritos que no llegaba 35 a articular su garganta, echando a correr, definitivamente, hacia la puerta cerrada.

MARIO BENEDETTI

(URUGUAY 1920)

El «reloj de la oficina» pudiera ser el símbolo de la novelística del escritor uruguayo Mario Benedetti. Desde ese reloj y alrededor de él va creciendo una sórdida medida de la ineficacia del hombre en los tiempos modernos, de su angustia metáfisica ante las cadenas que la sociedad ha echado sobre su cuerpo y su alma, y de su docilidad patética que le lleva, respetablemente, al sepulcro. El «reloj de la oficina» es, entonces, una trampa. En ella cae no sólo el funcionario, sino la sociedad que le dio origen, que le mantiene, le envejece y, a la postre, le mata. Benedetti, oficinista de profesión, ha escrito un libro titulado *Poemas de la oficina*, libro que, rehuyendo todo trascendentalismo, fija no obstante, nota a nota, una especie de testamento del burócrata del siglo 20. ¡Qué angustia y qué desesperación se esconden en el humor algo chaplinesco de esos poemas! Digo «chaplinesco» con toda intención, porque Benedetti pone algo de Chaplin en todo lo que escribe y, hasta cierto punto, en mucho de lo que hace. (No puedo pensar en él sin ver particularmente sus bigotes cortos y gruesos, sus ojos algo sorprendidos pero siempre jocosos, su figura pequeña y el ademán ligeramente eléctrico con que se alisa el pelo.)

Los personajes de sus cuentos—*Montevideanos*—parecen llevar a cuestas un papel que es imprescindible representar: es únicamente mientras reflexionan sobre lo absurdo de su condición tragicómica que sucede el cuento. Benedetti les saca un poco, apenas un poco, de la realidad cuotidiana para que nos enseñen su lección. Sus montevideanos son gente ilusionada en vías de desilusionarse, son pacientes o desesperados o excéntricos. Gente de carne y hueso. Ellos, tanto como los personajes de sus novelas, *Quién de nosotros*, *La tregua*, son humildes en su condición y extraordinarios en su desesperación. Benedetti no les mueve casi, les deja estar, a veces hablando («Puntero izquierdo»), a veces intrigando («Corazonada», «Familia Iriarte»), a veces vegetando en el vértice de una tragedia («Los novios»). Les pone un mundo alrededor que no puede ser más uruguayo y, tal vez por eso, le reconocerá como propio el lector de cualquier país. Es decir, es el mundo de la ciudad de cemento y vidrio donde pierde la razón el hombre de nuestro siglo.

Maestro en el uso del diálogo y del dicho criollo, descubridor muy hábil de la ternura que lleva escondida el hombre aparentemente sin sentimientos, narrador directo, rápido, siempre novedoso, irónico o triste o sentimental o airado, Benedetti posee una honda cualidad humana que ilumina placenteramente todo lo que escribe. Sus cuentos, novelas y poemas, le han valido distinciones dentro y fuera de su país. Su obra de carácter periodístico se encuentra principalmente en las revistas *Marcha* y *Número* de Montevideo.

OBRAS

CUENTOS: *Esta mañana*, 1949. *El último viaje y otros cuentos*, 1951. *Montevideanos*, 1959.

NOVELAS: *Quién de nosotros*, 1953. *La tregua*, 1960.

TEATRO: *Ustedes por ejemplo*, 1953. *El reportaje*, 1958. *Ida y vuelta*, 1958.

POESÍA: *La víspera indeleble*, 1945. *Sólo mientras tanto*, 1950. *Poemas de la oficina*, 1956. *Poemas del hoyporhoy*, 1961.

ENSAYOS: *Peripecia y novela*, 1948. *Marcel Proust y otros ensayos*, 1951. *El país de la cola de paja*, 1960. *Mejor es menealle*, 1961.

Familia Iriarte[1]

Había cinco familias que llamaban al Jefe. En la guardia de la mañana yo estaba siempre a cargo del teléfono y conocía de memoria las cinco voces. Todos estábamos enterados de que cada familia era un programa y a veces cotejábamos nuestras sospechas.
5 Para mí, por ejemplo, la familia Calvo era gordita, arremetedora, con la pintura siempre más ancha que el labio;[2] la familia Ruiz, una pituca sin calidad, de mechón sobre el ojo; la familia Durán, una flaca intelectual, del tipo fatigado y sin prejuicios; la familia Salgado, una hembra de labio grueso, de ésas que conven-

[1] From *Montevideanos* (*cuentos*). [2] *con la pintura siempre más ancha que el labio;*—always with an exaggerated lip-line.

cen a puro sexo. Pero la única que tenía voz de mujer ideal era la familia Iriarte. Ni gorda ni flaca, con las curvas suficientes para bendecir el don del tacto que nos da natura; ni demasiado terca ni demasiado dócil, una verdadera mujer, eso es: un carácter. Así la imaginaba. Conocía su risa franca y contagiosa y desde allí inventaba su gesto. Conocía sus silencios y sobre ellos creaba sus ojos. Negros, melancólicos. Conocía su tono amable, acogedor, y desde allí inventaba su ternura.

Con respecto a las otras familias había discrepancias. Para Elizalde, por ejemplo, la Salgado era una petiza sin pretensiones; para Rossi, la Calvo era una pasa de uva; la Ruiz, una veterana más para Correa. Pero en cuanto a la familia Iriarte todos coincidíamos en que era divina, más aún, todos habíamos construido casi la misma imagen a partir de su voz. Estábamos seguros de que si un día llegaba a abrir la puerta de la oficina y simplemente sonreía, aunque no pronunciase palabra, igual la íbamos a reconocer a coro, porque todos habíamos creado la misma sonrisa inconfundible.

El Jefe, que era un tipo relativamente indiscreto en cuanto se refería a los asuntos confidenciales que rozaban la oficina, pasaba a ser una tumba de discreción y de reserva en lo que concernía a las cinco familias. En esa zona, nuestros diálogos con él eran de un laconismo desalentador. Nos limitábamos a atender la llamada, a apretar el botón para que la chicharra sonase en su despacho, y a comunicarle, por ejemplo: «Familia Salgado». Él decía sencillamente «Pásemela» o «Dígale que no estoy» o «Que llame dentro de una hora». Nunca un comentario, ni siquiera una broma. Y eso que sabía que éramos de confianza.

Yo no podía explicarme por qué la familia Iriarte era, de las cinco, la que lo llamaba con menos frecuencia, a veces cada quince días. Claro que en esas ocasiones la luz roja que indicaba «ocupado» no se apagaba por lo menos durante un cuarto de hora. Cuánto hubiera representado para mí escuchar durante quince minutos seguidos aquella vocecita tan tierna, tan graciosa, tan segura.

Una vez me animé a decir algo, no recuerdo qué, y ella me contestó algo, no recuerdo qué. ¡Qué día! Desde entonces acaricié la esperanza de hablar un poquito con ella, más aún, de que ella también reconociese mi voz como yo reconocía la suya. Una mañana tuve la ocurrencia de decir: «¿Podría esperar un instante hasta que consiga comunicación?» y ella me contestó: «Cómo no, siempre que usted me haga amable la espera». Reconozco que ese día estaba medio tarado, porque sólo pude hablarle del tiempo, del trabajo y de un proyectado cambio de horario. Pero en otra ocasión me hice de valor[3] y conversamos sobre temas generales aunque con significados particulares. Desde entonces ella reconocía mi voz y me saludaba con un «¿Qué tal, secretario?» que me aflojaba por completo.

Unos meses después de esa variante me fui de vacaciones al Este. Desde hacía años, mis vacaciones en el Este habían constituido mi esperanza más firme desde un punto de vista sentimental. Siempre pensé que en una de esas licencias iba a encontrar a la muchacha en quien personificar mis sueños privados y a quien destinar mi ternura latente. Porque yo soy definidamente un sentimental. A veces me lo reprocho, me digo que hoy en día vale más ser egoísta y calculador pero de nada sirve. Voy al cine, me trago una de esas cursilerías mejicanas con hijos naturales y pobres viejecitos, comprendo sin lugar a dudas que es idiota, y sin embargo no puedo evitar que se me haga un nudo en la garganta.

Ahora que en eso de encontrar la mujer en el Este, yo me he investigado mucho y he hallado otros motivos no tan sentimentales. La verdad es que en un Balneario uno sólo ve mujercitas limpias, frescas, descansadas, dispuestas a reírse, a festejarlo todo. Claro que también en Montevideo hay mujeres limpias; pero las pobres están siempre cansadas. Los zapatos estrechos, las escaleras, los autobuses, las dejan amargadas y sudorosas. En la ciudad uno ignora prácticamente cómo es la alegría de una mujer. Y eso, aunque no lo parezca, es importante. Personalmente, me considero capaz de soportar cualquier tipo de pesimismo femenino, diría que me siento con fuerzas como para dominar toda especie de

[3] *me hice de valor*—I plucked up my courage.

llanto, de gritos o de histeria. Pero me reconozco mucho más exigente en cuanto a la alegría. Hay risas de mujeres que, francamente, nunca pude aguantar. Por eso en un Balneario, donde todas ríen desde que se levantan para el primer baño hasta que salen mareadas del Casino, uno sabe quién es quién y qué risa es 5 asqueante y cuál maravillosa.

Fue precisamente en el Balneario donde volví a oír su Voz. Yo bailaba entre las mesitas de una terraza, a la luz de una luna que a nadie le importaba. Mi mano derecha se había afirmado sobre una espalda parcialmente despellejada que aún no había perdido el 10 calor de la tarde. La dueña de la espalda se reía y era una buena risa, no había que descartarla. Siempre que podía yo le miraba unos pelitos rubios, casi transparentes que tenía en las inmediaciones de la oreja, y, en realidad me sentía bastante conmovido. Mi compañera hablaba poco, pero siempre decía algo lo bastante 15 soso como para que yo apreciara sus silencios.

Justamente, fue en el agradable transcurso de uno de éstos que oí la frase, tan nítida como si la hubieran recortado especialmente para mí: «¿Y usted qué refresco prefiere?». No tiene importancia ni ahora ni después, pero yo la recuerdo palabra por palabra. Se 20 había formado uno de esos lentos y arrastrados nudos que provoca el tango. La frase había sonado muy cerca, pero esa vez no pude relacionarla con ninguna de las caderas que me habían rozado.

Dos noches después, en el Casino, perdía unos noventa pesos y 25 me vino la loca[4] de jugar cincuenta en una última bola. Si perdía, paciencia; tendría que volver en seguida a Montevideo. Pero salió el 32 y me sentí infinitamente reconfortado y optimista cuando repasé las ocho fichas naranjas de aro que le había dedicado. Entonces alguien dijo en mi oído, casi como un teléfono: «Así se 30 juega; hay que arriesgarse».

Me di vuelta, tranquilo, seguro de lo que iba a hallar, y la familia Iriarte que estaba junto a mí era tan deliciosa como la que yo y los otros habíamos inventado a partir de su voz. A continuación

[4] *me vino la loca*—I got the wild idea.

fue relativamente sencillo tomar un hilo de su propia frase, construir una teoría del riesgo, y convencerla de que se arriesgara conmigo, a conversar primero, a bailar después, a encontrarnos en la playa al día siguiente.

5 Desde entonces anduvimos juntos. Me dijo que se llamaba Doris, Doris Freire. Era rigurosamente cierto (no sé con qué motivo me mostró su carnet) y, además, muy explicable: yo siempre había pensado que las «familias» eran sólo nombres de teléfono. Desde el primer día me hice esta composición de lugar; era 10 evidente que ella tenía relaciones con el Jefe, era no menos evidente que eso lastimaba bastante mi amor propio; pero (fíjense qué buen pero) era la mujer más encantadora que yo había conocido y arriesgaba perderla definitivamente (ahora que el azar la había puesto en mi oído) si yo me atenía desmedidamente a mis 15 escrúpulos.

Además, cabía otra posibilidad. Así como yo había reconocido su voz, ¿por qué no podría Doris reconocer la mía? Cierto que ella había sido siempre para mí algo precioso, inalcanzable, y yo, en cambio, sólo ahora ingresaba en su mundo. Sin embargo, 20 cuando una mañana corrí a su encuentro con un alegre «¿Qué tal, secretaria?», aunque ella en seguida asimiló el golpe, se rio, me dio el brazo y me hizo bromas con una morocha de un jeep que nos cruzamos, a mí no se me escapó que había quedado inquieta, como si alguna sospecha la hubiese iluminado. Después, en cambio, me 25 pareció que aceptaba con filosofía la posibilidad de que fuese yo quien atendía sus llamadas al Jefe. Y esa seguridad que ahora reflejaban sus conversaciones, sus inolvidables miradas de comprensión y de promesa, me dieron finalmente otra esperanza. Estaba claro que ella apreciaba que yo no le hablase del Jefe; y, 30 aunque esto otro no estaba tan claro, era probable que ella recompensase mi delicadeza rompiendo a corto plazo con él. Siempre supe mirar en la mirada ajena, y la de Doris era particularmente sincera.

Volví al trabajo. Día por medio cumplí otra vez mis guardias 35 matutinas, junto al teléfono. La familia Iriarte no llamó más.

Casi todos los días me encontraba con Doris a la salida de su empleo. Ella trabajaba en el Poder Judicial, tenía buen sueldo, era la funcionaria clave de su oficina y todos la apreciaban.

Doris no me ocultaba nada. Su vida actual era desmedidamente honesta y transparente. Pero ¿y el pasado? En el fondo a mí me bastaba con que no me engañase. Su aventura—o lo que fuera—con el Jefe, no iba por cierto a infectar mi ración de felicidad. La familia Iriarte no había llamado más. ¿Qué otra cosa podía pretender? Yo era preferido al Jefe y pronto éste pasaría a ser en la vida de Doris ese mal recuerdo que toda muchacha debe tener.

Yo le había advertido a Doris que no me telefoneara a la oficina. No sé qué pretexto encontré. Francamente, yo no quería arriesgarme a que Elizalde o Rossi o Correa atendieran su llamada, reconocieran su voz y fabricaran a continuación una de esas interpretaciones ambiguas a que eran tan afectos. Lo cierto es que ella, siempre amable y sin rencor, no puso objeciones. A mí me gustaba que fuese tan comprensiva en todo lo referente a ese tema tabú, y verdaderamente le agradecía que nunca me hubiera obligado a entrar en explicaciones tristes, en esas palabras de mala fama que todo lo ensucian, que destruyen toda buena intención.

Me llevó a su casa y conocí a su madre. Era una buena y cansada mujer. Hacía doce años que había perdido a su marido y aún no se había repuesto. Nos miraba a Doris y a mí con mansa complacencia, pero a veces se le llenaban los ojos de lágrimas, tal vez al recordar algún lejano pormenor de su noviazgo con el señor Freire. Tres veces por semana yo me quedaba hasta las once, pero a las diez ella discretamente decía buenas noches y se retiraba, de modo que a Doris y a mí nos quedaba una hora para besarnos a gusto, hablar del futuro, calcular el precio de las sábanas y las habitaciones que precisaríamos, exactamente igual que otras cien mil parejas, diseminadas en el territorio de la República, que a esa misma hora intercambiarían parecidos proyectos y mimos. Nunca la madre hizo referencia al Jefe ni a nadie relacionado sentimentalmente con Doris. Siempre se me dispensó el tratamiento que todo hogar honorable reserva al primer novio de la nena. Y yo dejaba hacer.

A veces no podía evitar cierta sórdida complacencia en saber que había conseguido (para mi uso, para mi deleite) una de esas mujeres inalcanzables que sólo gastan los ministros, los hombres públicos, los funcionarios de importancia. Yo: un auxiliar de
5 secretaría.

Doris, justo es consignarlo, estaba cada noche más encantadora. Conmigo no escatimaba su ternura; tenía un modo de acariciarme la nuca, de besarme el pescuezo, de susurrarme pequeñas delicias mientras me besaba que, francamente, yo salía de allí mareado de
10 felicidad, y, por qué no decirlo, de deseo. Luego, solo y desvelado en mi pieza de soltero, me amargaba un poco pensando que esa refinada pericia probaba que alguien había atendido cuidadosamente su noviciado. Después de todo, ¿era una ventaja o una desventaja? Yo no podía evitar acordarme del Jefe, tan tieso, tan
15 respetable, tan incrustado en su respetabilidad, y no lograba imaginarlo como ese envidiable instructor. ¿Había otros, pues? Pero ¿cuántos? Especialmente, ¿cuál de ellos le había enseñado a besar así? Siempre terminaba por recordarme a mí mismo que estábamos en mil novecientos cuarenta y seis y no en la Edad Media, que
20 ahora era yo quien importaba para ella, y me dormía abrazado a la almohada como en un vasto anticipo y débil sucedáneo de otros abrazos que figuraban en mi programa.

Hasta el veintitrés de noviembre tuve la sensación de que me deslizaba irremediable y graciosamente hacia el matrimonio. Era
25 un hecho. Faltaba que consiguiéramos un apartamento como a mí me gustaba, con aire, luz y amplios ventanales. Habíamos salido varios domingos en busca de ese ideal, pero cuando hallábamos algo que se le aproximaba, era demasiado caro o sin buena locomoción o el barrio le parecía a Doris apartado y triste.

30 En la mañana del veintitrés de noviembre yo cumplía mi guardia. Hacía cuatro días que el Jefe no aparecía por el despacho; de modo que me hallaba solo y tranquilo, leyendo una revista y fumando mi rubio. De pronto sentí que, a mis espaldas, una puerta se abría. Perezosamente me di vuelta y alcancé a ver, asomada e interro-

gante, la adorada cabecita de Doris. Entró con cierto airecito culpable, porque—según dijo—pensó que yo fuese a enojarme. El motivo de su presencia en la Oficina era que al fin había encontrado un apartamento con la disposición y el alquiler que buscábamos. Había hecho un esmerado planito y lo mostraba satisfecha. 5
Estaba primorosa con su vestido liviano y aquel ancho cinturón que le marcaba mejor que ningún otro la cintura. Como estábamos solos se sentó sobre mi escritorio, cruzó las piernas y empezó a preguntarme cuál era el sitio de Rossi, cuál el de Correa, cuál el de Elizalde. No conocía personalmente a ninguno de ellos, pero 10
estaba enterada de sus rasgos y anécdotas a través de mis versiones caricaturescas. Ella había empezado a fumar uno de mis rubios y yo tenía su mano entre las mías, cuando sonó el teléfono. Levanté el tubo y dije: «Hola». Entonces el teléfono dijo: «¿Qué tal, secretario?» y aparentemente todo siguió igual. Pero en los segundos 15
que duró la llamada y mientras yo, sólo a medias repuesto, interrogaba maquinalmente: «¿Qué es de su vida después de tanto tiempo?» y el teléfono respondía: «Estuve de viaje por Chile», verdaderamente nada seguía igual. Como en los últimos instantes de un ahogado, desfilaban por mi cabeza varias ideas sin orden ni 20
equilibrio. La primera de éstas: «Así que el Jefe no tuvo nada que ver con ella», representaba la dignidad triunfante. La segunda era, más o menos: «Pero entonces Doris. . .» y la tercera, textualmente: «¿Cómo pude confundir esta voz?».

Le expliqué al teléfono que el Jefe no estaba, dije adiós, puse el 25
tubo en su sitio. Su mano seguía en mi mano. Entonces levanté los ojos y sabía lo que iba a encontrar. Sentada sobre mi escritorio, en una pose provocativa y grosera, fumando como cualquier pituca, Doris esperaba y sonreía, todavía pendiente del ridículo plano. Era, naturalmente, una sonrisa vacía y superficial, igual a 30
la de todo el mundo, y con ella amenazaba aburrirme de aquí a la eternidad. Después yo trataría de hallar la verdadera explicación, pero mientras tanto, en la capa más insospechable de mi conciencia, puse punto final a este malentendido. Porque, en realidad, yo estoy enamorado de la familia Iriarte. 35

CORAZONADA[1]

Apreté dos veces el timbre y en seguida supe que me iba a quedar. Heredé de mi padre, que en paz descanse, estas corazonadas. La puerta tenía un gran barrote de bronce y pensé que iba a ser bravo sacarle lustre. Después abrieron y me atendió la ex, la que se iba.
5 Tenía cara de caballo y cofia y delantal. «Vengo por el aviso», dije. «Ya lo sé», gruñó ella y me dejó en el zaguán, mirando las baldosas. Estudié las paredes y los zócalos, la araña de ocho bombitas y una especie de cancel.

Después vino la señora, impresionante. Sonrió como una Vírgen,
10 pero sólo como. «Buenos días.» «¿Su nombre?» «Celia.» «¿Celia qué?» «Celia Ramos.» Me barrió de una mirada. La pipeta. «¿Referencias?» Dije tartamudeando la primera estrofa: «Familia Suárez, Maldonado 1346, teléfono 90948. Familia Borrello, Gabriel Pereira 3252, teléfono 413723. Escribano Perrone, Larrañaga
15 3362, sin teléfono». Ningún gesto. «¿Motivos del cese?» Segunda estrofa, más tranquila: «En el primer caso, mala comida. En el segundo, el hijo mayor. En el tercero, trabajo de mula». «Aquí», dijo ella, «hay bastante que hacer». «Me lo imagino.» «Pero hay otra muchacha, y además mi hija y yo ayudamos.» «Sí, señora.»
20 Me estudió de nuevo. Por primera vez me di cuenta que de tanto en tanto parpadeo. «¿Edad?» «Diecinueve.» «¿Tenés novio?» «Tenía.» Subió las cejas. Aclaré por las dudas: «Un atrevido. Nos peleamos por eso». La Vieja sonrió sin entregarse. «Así me gusta. Quiero mucho juicio. Tengo un hijo mozo, así que nada de sonri-
25 sitas ni mover el trasero.» Mucho juicio, mi especialidad. Sí, señora. «En casa y fuera de casa. No tolero porquerías. Y nada de hijos naturales, ¿estamos?» «Sí, señora.» ¡Ula, Marula![2] Después de los tres primeros días me resigné a soportarla. Con todo, bastaba una miradita de sus ojos saltones para que se me pusieran los
30 nervios de punta. Es que la Vieja parecía verle a una hasta el hígado. No así la hija, Estercita, veinticuatro años, una pituca de

[1] From *Montevideanos* (*cuentos*). [2] *¡Ula, Marula!*—an interjection similar to "Holy Cow!" or "Boy, oh boy!"

ocai y rumi[3] que me trataba como a otro mueble y estaba muy poco en casa. Y menos todavía el patrón, don Celso, un bagre con lentes, más callado que el cine mudo, con cara de malandra y ropa de Yriart, a quien alguna vez encontré mirándome los senos por encima de *Acción*.[4] En cambio el joven Tito, de veinte, no precisaba la excusa del diario para investigarme como cosa suya. Juro que obedecí a la Señora en eso de no mover el trasero con malas intenciones. Reconozco que el mío ha andado un poco dislocado, pero la verdad es que se mueve de moto propia.[5] Me han dicho que en Buenos Aires hay un doctor japonés que arregla eso, pero mientras tanto no es posible sofocar mi naturaleza. O sea que el muchacho se impresionó. Primero se le iban los ojos, después me atropellaba en el corredor del fondo. De modo que por obediencia a la Señora, y también, no voy a negarlo, pormigo misma, lo tuve que frenar unas diecisiete veces, pero cuidándome de no parecer demasiado asquerosa. Yo me entiendo. En cuanto al trabajo, la gran siete.[6] «Hay otra muchacha», había dicho la Vieja. Es decir, había. A mediados de mes ya estaba solita para todo rubro. «Yo y mi hija ayudamos», había agregado. A ensuciar los platos, cómo no. A quién va a ayudar la Vieja, vamos, vamos, con esa bruta panza de tres papadas[7] y esa metida con los episodios. Que a mí me gustase Isolina o la Burgueño, vaya y pase y ni así,[8] pero que a ella, que se las tira de avispada[9] y lee *Selecciones* y *Lifenespañol*, no me lo explico ni me lo explicaré. A quién va a ayudar la niña Estercita, que se pasa reventándose los granos, jugando al tenis en Carrasco y desparramando fichas en el Parque Hotel. Yo salgo a mi padre en las corazonadas, de modo que cuando el tres de Junio (fue San Cono bendito[10]) cayó en mis manos esa foto en que Estercita se está bañando en cueros con el menor de los Gómez Taibo en no sé qué arroyo ni a mí qué me

[3] *una pituca de ocai y rumi*—a fashionable girl who says "OK" and plays gin rummy. [4] *Acción.*—a magazine. [5] *de moto propia.*—*moto propia* for *motu proprio;* of its own accord, free will. [6] *la gran siete.*—euphemism for "the great mother whore." [7] *con esa bruta panza de tres papadas*—with that monstrous belly. [8] *vaya y pase y ni así,*—well and good, though I still can't understand it. [9] *que se las tira de avispada*—who gives herself airs of being clever. [10] *San Cono bendito*—the fictitious patron saint of the petty gambler, especially the lottery player.

importa, en seguida la guardé porque nunca se sabe. ¡A quién van a ayudar! Todo el trabajo para mí y aguántate piola.[11] ¿Qué tiene entonces de raro que cuando Tito (el joven Tito, bah) se puso de ojos vidriosos y cada día más ligero de manos, yo le haya aplicado
5 el sosegate y que habláramos claro? Le dije con todas las letras[12] que yo con ésas no iba, que el único tesoro que tenemos los pobres es la honradez y basta. Él se rio muy canchero y había empezado a decirme: «Ya verás, putita», cuando apareció la señora y nos miró como a cadáveres. El idiota bajó los ojos y mutis por el forro.[13]
10 La Vieja puso entonces cara de al fin solos y me encajó bruta trompada en la oreja, en tanto que me trataba de comunista y de ramera. Yo le dije: «Usted a mí no me pega, ¿sabe?» y allí nomás demostró lo contrario. Peor para ella. Fue ese segundo golpe el que cambió mi vida. Me callé la boca pero se la guardé. A la noche
15 le dije que a fin de mes me iba. Estábamos a veintitrés y yo precisaba como el pan esos siete días. Sabía que don Celso tenía guardado un papel gris en el cajón del medio de su escritorio. Yo lo había leído, porque nunca se sabe. El veintiocho, a las dos de la tarde, sólo quedamos en casa la niña Estercita y yo. Ella se fue a
20 sestear y yo a buscar el papel gris. Era una carta de un tal Urquiza en la que le decía a mi patrón frases como ésta: «Xx xxx x xx xxxx xxx xx xxxxx».

La guardé en el mismo sobre que la foto y el treinta me fui a una pensión decente y barata de la calle Washington. A nadie le di mis
25 señas, pero a un amigo de Tito no pude negárselas. La espera duró tres días, Tito apareció una noche y yo lo recibí delante de doña Cata, que desde hace unos años dirige la pensión. Él se disculpó, trajo bombones y pidió autorización para volver. No se la di. En lo que estuve bien porque desde entonces no faltó una noche.
30 Fuimos a menudo al cine y hasta me quiso arrastrar al Parque, pero yo le apliqué el tratamiento del pudor. Una tarde quiso averiguar directamente qué era lo que yo pretendía. Allí tuve una corazonada:

[11] *aguántate piola.*—patience; hang on; courage. [12] *con todas las letras*—without mincing words. [13] *mutis por el forro.*—for *mutis por el foro*, a theatrical expression meaning "exit;" here, "slipped out."

«No pretendo nada, porque lo que yo querría no puedo pretenderlo».

Como ésta era la primera cosa amable que oía de mis labios, se conmovió bastante, lo suficiente para meter la pata. «¿Por qué?» dijo a gritos, «si ése es el motivo, te prometo que . . .» Entonces, como si él hubiera dicho lo que no dijo, le pregunté: «Vos sí . . . pero ¿y tu familia?» «Mi familia soy yo», dijo el pobrecito.

Después de esa compadrada siguió viniendo y con él llegaban flores, caramelos, revistas. Pero yo no cambié. Y él lo sabía. Una tarde entró tan pálido que hasta doña Cata hizo un comentario. No era para menos. Se lo había dicho al padre. Don Celso había contestado: «Lo que faltaba». Pero después se ablandó. Un tipo pierna.[14] Estercita se rio como dos años, pero a mí que me importa. En cambio la Vieja se puso verde. A Tito lo trató de idiota, a don Celso de cero a la izquierda, a Estercita de inmoral y tarada. Después dijo que nunca, nunca, nunca. Estuvo como tres horas diciendo nunca. «Está como loca», dijo el Tito, «no sé qué hacer». Pero yo sí sabía. Los sábados la Vieja está siempre sola, porque don Celso se va a Punta del Este, Estercita juega al tenis y Tito sale con su barrita de La Vascongada. O sea que a las siete me fui a un monedero y llamé al nueve siete cero tres ocho. «Hola», dijo ella. La misma voz gangosa, impresionante. Estaría con su salto de cama verde, la cara embadurnada, la toalla como turbante en la cabeza. «Habla Celia», y antes de que colgara: «No corte,[15] señora, le interesa». Del otro lado no dijeron ni mu. Pero escuchaban. Entonces le pregunté si estaba enterada de una carta de papel gris que don Celso guardaba en su escritorio. Silencio. «Bueno, la tengo yo.» Después le pregunté si conocía una foto en que la niña Estercita aparecía bañándose con el menor de los Gómez Taibo. Un minuto de silencio. «Bueno, también la tengo yo.» Esperé por las dudas, pero nada. Entonces dije: «Piénselo, señora», y corté. Fui yo la que corté, no ella. Se habrá quedado mascando su bronca con la cara embadurnada y la toalla en la cabeza. Bien hecho. A la semana llegó el Tito radiante y desde la puerta gritó: «¡La Vieja

[14] *Un tipo pierna.*—A big bore; a jerk. [15] *No corte,*—Don't hang up.

afloja! ¡La Vieja afloja!». Claro que afloja. Estuve por dar los hurras, pero con la emoción dejé que me besara. «No se opone pero exige que no vengas a casa.» ¿Exige? ¡Las cosas que hay que oír! Bueno, el veinticinco nos casamos (hoy hace dos meses), sin 5 cura pero con juez, en la mayor intimidad. Don Celso aportó un chequecito de mil y Estercita me mandó un telegrama, que—está mal que lo diga—me hizo pensar a fondo: «No creas que salís ganando. Abrazos, Ester».

En realidad, todo esto me vino a la memoria, porque ayer me 10 encontré en la tienda con la Vieja. Estuvimos codo con codo, revolviendo saldos. De pronto me miró de refilón desde abajo del velo. Yo me hice cargo. Tenía dos caminos: o ignorarme o ponerme en vereda.[16]

Creo que prefirió el segundo y para humillarme me trató de 15 usted: «¿Qué tal, cómo le va?». Entonces tuve una corazonada y agarrándome fuerte del paraguas de nailon, le contesté tranquila: «Yo bien, ¿y usted, mamá?».

[16] *ponerme en vereda.*—send me packing.

MARCO DENEVI

(ARGENTINA 1922)

Marco Denevi es uno de los más sorprendentes escritores hispanoamericanos de la hora actual. Hay algo, o mucho, de magia en su producción literaria: magia para ver el mundo y las gentes no en las dimensiones que todos conocemos, sino por debajo de las dimensiones, allí donde toda frontera se borra y los objetos reales adquieren presencia humana, mientras los hombres se desdoblan y empiezan a actuar como enemigos de sí mismos. Es difícil, acaso imposible, prever lo que harán los personajes de Denevi. Quizás el autor no lo sabe tampoco cuando comienza a escribir su historia y se entusiasma con las sorpresas que se avecinan. Da la impresión de que los personajes le buscan—no como en la obra de Pirandello en la que reconocemos un amable e inofensivo truco—sino, más bien, con malas intenciones y por mandato ajeno. Prevalece en su mundo literario una especie de locura activa que al lector le pone los pelos de punta; principalmente, porque es una locura diabólicamente ingeniosa.

Denevi trabaja a base de una realidad minuciosamente observada. Sus ambientes de Buenos Aires son verdaderas joyas de clásico realismo. Nada falta allí: ni las casas, ni las mansiones, ni la luz ni el tiempo, ni los parques ni el río, ni los olores ni la oscuridad, ni los objetos ni los prisioneros de los objetos. Pero esos objetos pretenden sobrevivir a sus dueños. Y en ese duelo comienza el frenesí. En *Rosaura a las diez*—la mejor novela policial que se ha escrito en lengua española, (novela policial sin policías, naturalmente)—se parte de una patética situación dostoievskiana que Denevi meticulosamente desarma en cada uno de sus elementos pasionales para construir, luego, un cuadro de espesos tonos en que la pobre humanidad del barrio bonaerense sueña, ama, castiga, sufre y mata, como parte del diario vivir. Denevi pinta con trazo caprichoso; ve la miseria detrás de la dignidad; el mamarracho de circo bajo la circunspección. Sus apartes, para calificar la actitud o el gesto o la palabra y hasta la condición de un personaje, son de un ingenio asesino. Personaje que describe no se levanta ya como ser humano: llevará varios seres humanos a la siga, pegados igual que parches de un espantapájaros, persiguiéndole eternamente con su trágica impotencia.

Y, junto a eso, ve la poesía excelsa que irradia el ser humano en sus ratos de tranquila angustia. Una mesa o una cama o un cielo sobre el río o una calle al amanecer. Cualquier cosa le basta para que, mirando a través del hombre como si el hombre fuera una grieta en alguna pared del mundo, vea a la vida vibrando, a veces, con honda y seria ternura.

Mago, como he dicho, de inacabable caudal de sorpresas, irónico observador de la miseria humana, Denevi va representado aquí por tres narraciones que pueden leerse como fábulas: «La cola del perro», «El Emperador de la China» y «Boroboboo».

Autor de escasa producción, Denevi ganó el codiciado Primer Premio del concurso de novelas de la revista *Life* con *Ceremonia secreta;* ganó también el Premio Kraft de Novela con *Rosaura a las diez*, su primer libro.

Sus obras de teatro—*Los expedientes, El Emperador de la China* y *Orfeo*,—así como sus personalísimas versiones de viejas fábulas, se mantienen aún inéditas.

Denevi nació en Sáenz Peña, hijo de padre italiano y madre argentina, estudió en la Facultad de Derecho y Ciencias Sociales de la Universidad de Buenos Aires y actualmente se desempeña como funcionario de la Caja Nacional de Ahorro Postal.

OBRAS

NOVELAS: *Rosaura a las diez*, Buenos Aires, 1955. *Ceremonia secreta*, New York, 1960.

Boroboboo[1]

Los animales del bosque vivían felices, aunque en un estado de indescriptible atraso. Si les digo que contaban con los dedos (y sólo hasta trece), y si añado que cuando se sentían enfermos se curaban con hierbas medicinales y una dieta de agua pura, les he
5 dicho todo. De sus métodos de trabajo mejor es que no hable. Y en cuanto a progreso científico, bastará mencionar que adivinaban

[1] In *Atlántida (Buenos Aires), marzo, 1961.*

la llegada del buen tiempo o la proximidad de la tormenta (los dos grandes acontecimientos en la vida de cualquier animal), ¿cómo?, ¿gracias a los servicios de algún observatorio meteorológico? No: espiando la cara de la luna, consultando a la vieja bruja de la codorniz o mediante algunas otras supersticiones por el 5 estilo.

Aquel estado de cosas debía terminar, y terminó.

Una tarde llegó al bosque un emisario de la remota Ciudad de los Monos. Era un mono alto, extremadamente flaco, que se movía elásticamente y con ademanes impecables, como si todo lo 10 tuviera estudiado por anticipado.

—Enchanté—decía, mientras le estrechaba la mano a cada uno de los animales.—Enchanté.

Como en seguida todos lo notaron, no olía a mono. Olía a lavanda. Su voz era nítida, enérgica, y de un timbre agudo y metá- 15 lico como la voz de un fonógrafo al que se le ha dado demasiada cuerda. Además vestía un traje tornasol que hacía recordar, no se sabía por qué, la vestimenta estrafalaria de un cantor de orquesta.

—Enchanté—seguía repitiendo el Mono.—Enchanté.

Y tendía la mano y miraba en los ojos al animal al que en ese 20 momento saludaba. Y el animal, quien quiera que fuese, el León, el Tigre y hasta la mismísima Pantera Negra, se estremecía involuntariamente, no porque, como se suele decir, se tratara de una de esas miradas que parecen hurgar en los más secretos pensamientos de uno y lo hacen ruborizarse (pues quién no esconde, en su fuero 25 íntimo, cosas que, descubiertas, nos avergüenzan hasta la desesperación), sino precisamente por todo lo contrario, porque se hubiera dicho que aquella mirada no hacía ningún caso de uno, lo traspasaba y miraba a través, más allá, detrás de uno, y uno se sentía repentinamente traslúcido como un cristal o, peor aún, inexistente 30 como un fantasma.

Pero, a pesar de la mirada, los animales se vieron inmediatamente atraídos y un poco intimidados por aquel ser que rezumaba refinamiento, inteligencia, don de gentes y una gran seguridad en sí mismo (aunque después, a solas, se mofaran de él y parodiasen 35 su modo de andar y de gesticular. Porque así son siempre de ignorantes los ignorantes: se burlan de lo que no se les asemeja y hacen de su zafiedad un patrón universal).

El Mono, luego de saludar a todos, trepó a un árbol, y desde allí habló a los animales del bosque.

5 —Amigos míos—dijo—, la Compañía Cibernética acaba de inventar una máquina que suma, resta, multiplica y divide; resuelve problemas de regla de tres simple y compuesta, proporcionalidad, compañía, mezcla y aligación; calcula intereses; opera con decimales y quebrados; eleva un número a cualquiera de sus 10 potencias, extrae raíces, logaritmos y antilogaritmos; en menos de un segundo halla la incógnita de una ecuación, microecuación o macroecuación de hasta segundo grado; reduce metros a yardas y libras esterlinas a francos franceses y viceversa; mide ángulos, triángulos, poliángulos y da sus senos y cosenos; traza la bisectriz, 15 la directriz, el eje radiado, las isobaras, las isoclinias, las isohietas y las isonefas; conjuga los verbos regulares y los irregulares; enuncia las reglas ortográficas y sus excepciones, los tropos y las figuras de dicción; dada una palabra, enumera sus sinónimos, antónimos, homónimos, homólogos, homógrafos y homófonos; dada otra 20 palabra, proporciona la lista de sus asonantes y consonantes; redacta correspondencia comercial y privada y ciertos géneros menores de la literatura de ficción, como por ejemplo el apólogo; traduce a cualquier idioma romance, y próximamente también lo hará a las lenguas holofrásticas, aglutinantes, sintéticas, monosilá-25 bicas, vivas y muertas; modela, talla, esculpe, pinta y dibuja; compone música tonal, atonal, serial y concreta; predice el sexo de las criaturas por nacer; da la hora correspondiente a los veinticuatro husos horarios; juega al ajedrez y a la baraja española e inglesa; también canta; detecta el cáncer y la tuberculosis; domina la ciné-30 tica, la termodinámica y la física nuclear; conoce las integrales de Stieltjes y las fórmulas de von Neumann y Morgenstein; piensa, recuerda, pregunta, contesta; está dotada de memoria, voluntad, entendimiento; acumula datos sin límite de saturación, no comete errores, no se fatiga, no se rebela, es amable, dócil y de aspecto 35 agradable. Se llama EXTbbSHank00475Z115EGM, pero para abreviar tiene un sobrenombre: Boroboboo.

Los animales escuchaban fascinados aquel torrente de palabras, la mitad de las cuales ignoraban qué significaban, si es que significaban algo. Y qué vertiginosamente las emitía aquel bendito Mono, sin titubeos, sin que la lengua se le enredara, se hubiera dicho sin respirar, en una especie de trance. Aquel mico era maravilloso. 5

—Amigos míos—prosiguió el orador—, la Compañía Cibernética les ofrece en venta la máquina—. Y aquí dio la cifra del precio, una bagatela.—Piensen en las ventajas de la máquina y en los beneficios de toda índole que les reportará. Piénsenlo. Les concedo un día. Mañana volveré para saber qué han decidido. 10

Bajó del árbol como si fuese un mono (¿Qué estoy diciendo? Pero es que, al cabo de un rato, uno se olvidaba de que era un mono), hizo una reverencia y se fue, tan raudamente como había venido. 15

Los animales del bosque deliberaron. Deliberaron durante horas y horas bajo la presidencia del León. Hubo enconadas discusiones y hasta varios intentos de irse a las manos.[2] ¿Y todo por qué? Porque los más viejos se oponían tercamente a la compra de la máquina. 20

—¿Para qué diablos la necesitamos?—chillaban.

—¡Cómo para qué!—replicaban, enardecidos, los jóvenes.—Una máquina que resuelve problemas de regla de tres y reduce metros a yardas y viceversa.

¿Se imaginan? 25

La verdad es que no, que no se lo imaginaban, porque ninguno sabía qué era un problema de regla de tres y qué un metro y una yarda. Pero aquellas palabras, misteriosas como conjuros, les producían un erizamiento de placer y los hacían poner los ojos en blanco.[3] 30

Y pues los jóvenes alborotaban más que los viejos, la asamblea terminó por decidir que la máquina fuese adquirida. («Siquiera para ver cómo funciona», según dijo insidiosamente la Víbora. «Después la devolvemos pretextando algún desperfecto.») Los

[2] *irse a las manos.*—to come to blows. [3] *poner los ojos en blanco.*—roll their eyes.

animales reunieron todos sus ahorros, que para más de uno eran toda su fortuna, y cuando al día siguiente reapareció el Mono, el León, muy serio y un poco emocionado, comenzó a pronunciar el discurso que se había preparado para tan solemne 5 ocasión:

—Señor representante de la Compañía Cibernética: la asamblea de animales que tengo el honor de presidir . . .

Pero el Mono no dejó que continuase. Le arrebató el fajo de billetes que el León sostenía en una mano, se lo guardó en un bol- 10 sillo de su extravagante chaqueta, extrajo de otro bolsillo unos papeles y colocándolos bajo la nariz del León, dijo:

—Firme aquí.

—¿Qué es esto?—preguntó el León.

—El contrato de compra de la máquina.

15 El León hubiera querido colocarse los lentes, leer un poco qué decían aquellos papelotes, pero el Mono no le dio tiempo. Además, el contrato estaba redactado en un idioma extranjero.

—Y ahora—dijo el Mono—deberé elegir a los más inteligentes entre vosotros para enseñarles a manejar la máquina.

20 Instantáneamente todos los animales (fíjense, todos, hasta la insignificante aguzanieves y el estúpido murciélago de los pantanos) se sonrojaron y esponjaron de orgullo, seguros de ser elegidos. Pero el Mono eligió, no a todos, sino a diez.

Y con esos diez se reunió a la mañana siguiente en un rincón del 25 bosque, y muy en secreto comenzó a impartirles las primeras nociones de Cibernética.

En seguida anunció que los diez elegidos eran pocos y llamó a otros diez. Con lo que fueron veinte. Estos veinte se transformaron pronto en cincuenta, y los cincuenta en ciento.

30 Los cien elegidos se pasaban todo el día en clase y la noche en vela estudiando la lección para el día siguiente. Al poco tiempo estaban ojerosos, macilentos y como en otro mundo. Andaban con un libro permanentemente bajo el brazo y a cada rato lo abrían y lo consultaban. O levantaban la vista y movían los labios como si 35 memorizasen una poesía que seguidamente recitarían. Caminaban al modo de los sonámbulos, sin mirar dónde ponían los pies. (Con

lo que ocurrieron algunos desgraciados accidentes: el Oso se llevó un árbol por delante y se abrió la cabeza, en tanto que la mujer del Tigre se cayó al arroyo y murió ahogada.) A veces se los oía murmurar palabras misteriosas:

—Si hay *overflow*, bifurcar. 5

—La primera vez va a *impriming*.

O se enredaban en ininteligibles polémicas:

—Es sin *bit*.

—Con *bit*, pero inverso.

—Te estaba hablando del código BCD. 10

—El *bit* es para la rutina convencional, no para el código.

—No has entendido nada.

—Tú sí, tú sí has entendido. No sé cómo el Mono te permite asistir al curso.

—Oigan a este imbécil. 15

—Quítenme de encima a este idiota.

Había que separarlos.

Los demás animales no comprendían una palabra. Pero adivinaban que detrás de todo aquel galimatías se ocultaban secretos inefables, y se sentían profundamente desdichados, como si se los 20 excluyera de alguna fiesta.

Su desdicha no iba a durar mucho tiempo, pues el Mono explicó que la máquina era tan endemoniadamente compleja que exigía más servidores. De manera que día a día iba aumentando el número de los elegidos y disminuyendo el de los rechazados. Hasta 25 que la cifra de los rechazados fue cero.

Ese día los animales notaron un pequeño cambio en la cara del Mono. Era la misma cara y era otra. No podían precisar en qué consistía la modificación, pero nadie dejó de percibirla.

El Mono dijo (y también su voz parecía levemente corregida): 30

—Tengo una novedad que comunicarles. Todo lo que han aprendido hasta ahora debe ser olvidado. La máquina ha sido perfeccionada y los métodos para manejarla han cambiado. Empecemos, pues, de nuevo.

Los animales se sintieron morir. ¡Empezar todo de nuevo! Pero, 35 ¿qué podían hacer, los pobres, sino someterse?

Otro día dijo el Mono:

—Estamos a mitad del curso. Ya es hora de elegir el sitio donde la máquina será emplazada.

Fue y vino por el bosque, miró por todas partes y al fin eligió un lugar junto al arroyo, poblado de los más altos, frondosos y venerables árboles.

—Aquí—señaló con el dedo (un dedo donde brillaba una uña esmaltada) y nadie se atrevió a contradecirlo.

Hubo que talar aquellos hermosos árboles.

Después el sitio le pareció demasiado estrecho, y más árboles fueron derribados. Y siempre, a criterio del Mono, el claro destinado a la máquina era insuficiente, y había que ampliarlo. Y la tala de árboles continuó.

Los animales ya no trabajaban, ni jugaban, ni hacían nada, sino estudiar el manejo de la máquina. Vivían para la máquina. Vivían esperándola, soñándola. Pero entretanto el bosque desaparecía, devorado por el hocico frío del hacha. Los pájaros, privados de vivienda, emigraban o morían. El arroyo se evaporó. La tierra, bajo el sol ardiente, se resquebrajaba y restallaba como una costra de salitre. Animales habituados a la penumbra del bosque se resecaban en el aire de fuego y en un minuto se convertían en sus propias momias. Y coronando todos esos padecimientos, las lecciones del Mono, cada vez más difíciles.

Hasta que llegó el día en que el último árbol del bosque cayó. Ya no hubo bosque, ni arroyo, ni nada, sino la llanura amarilla y desnuda como un páramo.

Los animales, calcinados bajo el sol implacable, oían la conferencia del Mono. Habían llegado al curso superior de cibernética, y el lenguaje que usaban era tan altamente científico, que apenas necesitaba de las palabras vulgares.

Decía el Mono:

—Código de bifurcación, subrutina abierta, lectura por carrete. Restaurar los ceros y reubicar los dígitos. Todo a MGM absoluto. Stop.

En ese momento un rayo de sol le dio en los ojos.

La lechuza, que estaba observándolo, repentinamente comprendió. Se puso de pie, miró al Mono de hito en hito, y de golpe le preguntó:

—¿Cómo te llamas?

Y el Mono, sin volverse, respondió con su voz metálica:

—EXTbbSHank00475Z115EGM, alias Boroboboo. 5

El Emperador de la China[1]

Cuando el emperador Wu Ti murió en su vasto lecho, en lo más profundo del palacio imperial, nadie se dio cuenta. Todos estaban demasiado ocupados en obedecer sus órdenes. El único que lo supo fue Wang Mang, el Primer Ministro, hombre ambicioso que aspiraba al trono. No dijo nada y ocultó el cadáver. Transcurrió 10 un año, de increíble prosperidad para el imperio. Hasta que, por fin, Wang Mang mostró al pueblo el esqueleto pelado del difunto emperador.—*¿Veis?*—dijo—*Durante un año un muerto se sentó en el trono. Y quien realmente gobernó fui yo. Merezco ser emperador*—. El pueblo, complacido, lo sentó en el trono y luego lo mató, para 15 que fuese tan perfecto como su predecesor y la prosperidad del imperio continuase.

La cola del perro[1]

Un día el Hombre llamó al Perro.—Perro—le dijo, y frunció las cejas.—Te prohibo que muevas la cola—. El Perro se quedó mudo de estupor. 20

—Pero Amo—articuló, al fin, sospechando que todo fuese una broma—, ¿por qué no quieres que la mueva?

—Porque he decidido eliminar de mi casa todo lo que sea gratuito.

—¿Y qué es gratuito? 25

—Sinónimo de inútil. Hace un momento maté al Pavo Real,

[1] In *Ficción* (*Buenos Aires*), *marzo-junio, 1960, pags. 24–25.*

[1] In *La Nación* (*Buenos Aires*), *4 de diciembre, 1960.*

pues fuera de distraerme de mis ocupaciones con su gran cola petulante, no servía para nada, ni para comerlo al horno. Al Gato le ordené que cace por lo menos un ratón diario, porque no he de tolerar más que se pase el día durmiendo o ronroneando y la noche de juerga. En cuanto al Caballo, basta de trotes, galopes, saltos y ambladuras. Uncido al arado, ayudará a roturar la tierra. Tampoco a los Pájaros les permitiré que vivan en mi casa si no es a condición de que libren de insectos el jardín. Doble ventaja: limpian el jardín y no aturden con sus parloteos. Finalmente, tú. No eres un animal gratuito, lo reconozco, pues me cuidas la casa. Pero hay en ti, lo mismo que en el Gato y el Caballo, elementos gratuitos que es preciso extirpar. Por ejemplo, esas demostraciones de tu cola. No me gustan nada. Las prohibo.

—Amo, toda la vida tuve mi cola y toda la vida la he movido, y me parecía que no te disgustaba, cuando me llamabas y yo corría hacia ti, verme menear el rabo. Y ahora, de pronto . . .

No pudo continuar porque se le hizo un nudo en la garganta.

—Oigan un poco a este imbécil—dijo el Hombre, rudamente.—Respóndeme: ¿cuándo mueves la cola?

«Pobre Amo, se ha vuelto loco de remate», pensó el Perro con ternura, y dijo:

—La muevo cuando estoy alegre. Es natural.

—Sí, Perro. Pero hay alegrías y alegrías. Te repito: ¿cuándo, concretamente, la mueves?

—Cuando juego, cuando me acaricias, cuando me reuno con algún amigo . . .

—Basta. ¿Lo ves? Has confesado.

—¿He confesado qué?

—Que mueves la cola cuando te entregas al ocio y a la frivolidad. Porque no la mueves cuando gruñes a algún desconocido que intenta introducirse en mi casa, ni cuando roes un hueso y alguien, por ejemplo otro perro, quiere quitártelo. En suma: la mueves como cuando yo, antaño, me reía. Pero te notifico que se terminó la risa. La risa vuelve estúpidos a los hombres lo mismo que a los perros. Es lo más gratuito que existe. Basta de risas. Basta de meneos de rabo. No voy a permitir que te pasees entre el Caballo, el Gato y los Pájaros y les des el mal ejemplo de tu risa, silenciosa pero bien visible. No voy a dejar, en una palabra, que te escapes.

—¿Escaparme yo, Amo? Jamás. Estoy muy a gusto aquí.

—Me refiero a tus deberes de perro, Perro. Si te dejase, terminarías por no ver al ladrón que de noche entra a robarme. Resumiendo: a partir de hoy, prohibición absoluta de mover la cola, en público o en privado. 5

Mientras fingía que se miraba las uñas, el Perro murmuró:

—¡Me será imposible, totalmente imposible! Apenas te vea, apenas me silbes, no podré impedirlo. Es más fuerte que yo. 10

—¡Perro!—gritó el Hombre, encolerizado.—¡No me contradigas!

Entonces el Perro, comprendiendo que no se trataba de una broma, se sintió invadido por la desesperación. 15

—No depende de mí, Amo, te lo juro—balbuceó.—Es un estremecimiento que se desliza por la espina dorsal, de la cabeza a la cola. Cuando llega a la cola, la cola, sin que yo intervenga para nada, se mueve.

—¿Sabes una cosa, Perro?—dijo el Hombre, y un fulgor malvado le azuló los ojos.—Me va pareciendo que toda tu cola es gratuita. 20

Los ijares del Perro palpitaron.

—Por piedad, Amo, no pienses locuras. Si a un perro se le corta la cola, se le caen los colmillos, pierde el olfato y la voz, y se vuelve . . . 25

—Y se vuelve, todo él, gratuito y hay que sacrificarlo, ¿no es eso? Conformes. Razón de más para que obedezcas.

—Está bien, está bien.

Y en un hilo de voz:

—Pero no me va a resultar nada fácil. 30

—Fácil o difícil, poco importa—respondió el Hombre, en un tono que no admitía réplica.—Y ahora vete.

Una vez solo, el Hombre reflexionaba:

«Es curioso. Los más inteligentes son los más inclinados a la gratuidad. El Caballo corcoveó al uncirlo al arado como si lo llevase al matadero. El Gato no ha dicho nada, pero es un hipó- 35

crita. Sospecho que, mientras finge vigilar a los ratones, duerme con los ojos abiertos. El Perro, por no renunciar a su pequeño lujo de mover la cola, véanlo, se defiende haciéndose el sentimental. En cambio el Cerdo, que no incluye una sola partícula inútil, es el más
5 estúpido de todos, hay que admitirlo. Sí, es curioso.»

Entretanto el Perro se alejaba arrastrando los pies, los párpados caídos y la cola entre las piernas. Cuando llegó a su casilla se desplomó como si alguien le hubiese segado de un golpe las cuatro patas. Apoyó el mentón en una mano, miró el vacío y se puso él
10 también a reflexionar, sólo que amargamente.

«No tiene derecho—pensaba.—Es un abuso. Y esto después de tantos años de llevarnos a las mil maravillas. ¿A qué viene ahora con sus prohibiciones y sus ideas raras? ¿Habrá, de veras, enloquecido? Porque si cree que me convenció con su discurso sobre la
15 gratuidad . . . Me gustaría que me explicase, concretamente, como él dice, de Hombre a Perro, por qué no me deja mover la cola. ¿En qué lo perjudica, veamos? Que le haya ajustado las cuentas al Gato[2] me parece razonable. Pero que me haga esto a mí. ¡Y cuando pienso que ha matado al Pavo Real! Al Pavo Real que no moles-
20 taba a nadie, al contrario, que no hablaba nunca, que lo único que hacía era abrir, de tanto en tanto su abanico. Pero no por vanidad, como todo el mundo cree. Un día me lo confió. El solo animal con quien conversaba era conmigo, y eso muy raramente. Era una criatura en exceso tímida. Pues bien: una vez me confesó que abría
25 su abanico cuando temía ser atacado. Entonces desplegaba todo ese batifondo de plumas para fascinar al enemigo y, paralizándolo de admiración, evitar que le hiciese daño. Pobre, con el Amo no le sirvió de mucho el recurso de la belleza. Lejos de hipnotizarlo, lo ha fastidiado hasta el punto de arrastrarlo al crimen. Y conmigo
30 hará otro tanto si no me someto. Lo peor de todo es que no le guardo rencor. Lo quiero como antes. Eso complica las cosas. Porque no mover la cola cuando me encuentro con algún amigo, sí, tal vez lo logre. Al fin y al cabo, y si lo pienso bien, los demás animales me resultan indiferentes. Pero cuando él me pase su gran

[2] *Que le haya ajustado las cuentas al Gato*—That he has settled accounts with the Cat.

mano cálida sobre el lomo. Dios mío. ¿qué hacer, qué hacer para que la cola se mantenga rígida?»

Estaba tan ensimismado, estaba tan triste, que no se sentía con ánimos ni para espantarse una mosca de la oreja.

Al mediodía la Mujer del Hombre le trajo un plato de sopa. Al verla acercarse con aquella escudilla humeante y perfumada, el Perro se olvidó de todo, se olvidó de la orden del Amo, se olvidó de la cola, y la cola se movió.

Instantáneamente se oyó un vozarrón terrible:

—¡Perro!

Y allá a lo lejos se vio el rostro del Hombre, que fruncía las cejas y torcía los labios.

El Perro apretó las mandíbulas, cerró los ojos, encogió todos los músculos y logró que la cola se quedase tiesa. Pero, sin duda, a causa del esfuerzo, se le saltaron las lágrimas. Cuando probó la sopa le encontró gusto a vinagre.

«¿Cómo se puede comer en estas condiciones?», pensó con amarga congoja. Y se echó a dormir sin probar bocado.

A partir de ese día la vida del Perro no fue nada agradable. Se pasaba las horas disputando mentalmente con el Hombre. Todo lo irritaba, todo le caía mal. Andaba siempre de mal talante.[3] Si roía un hueso, lo hacía con un furor tal que, en lugar de saborearlo, se hubiera dicho que estaba despedazándolo. Si el Gato se acercaba a conversar con él, le gritaba:

—¡Déjame en paz!

Y le volvía la espalda.

—Qué carácter tiene este Perro!—se escandalizaba el Gato, el cual terminó por no dirigirle más la palabra.

Cuando el Hombre o la Mujer le traían la comida, el Perro se quedaba tendido en el suelo y miraba para otro lado o pretextaba dormir.

«Puesto que me está prohibido ser cortés . . .», se decía.

Comía cuando nadie lo observaba, masticaba con la cabeza llena de reproches, se atragantaba, no le sacaba ningún provecho a la comida, tenía digestiones laboriosas.

[3] *Andaba siempre de mal talante.*—He was always in an ugly mood.

Una tarde le gritó a la Mujer:

—¿Otra vez sopa? Estoy hasta la coronilla de sopa.[4] Preferiría un trozo de carne.

Después oyó que la Mujer le decía al Hombre:

—Me parece que el Perro se está poniendo un poco insolente.

A lo que el Hombre contestaba:

—Déjalo. Es preferible que sea insolente pero bravo, y no un perro cobarde.

«Perfectamente, perfectamente—murmuró el Perro para sí, haciendo un ademán de cólera.—Yo preferiría conversar amigablemente con el Gato y agradecerles a esos dos la sopa que me sirven. Pero si eso es ser cobarde, está bien, no seré cobarde.»

Una noche un vagabundo se coló dentro de la huerta del Hombre a robar unas manzanas. ¿Para qué lo hizo? El perro se arrojó sobre el ladrón y le clavó los dientes. Si el amo no acude a tiempo, lo habría matado.

Después el Hombre felicitó al Perro.

—¡Bravo, Perro, bravo!—le dijo.

Y para probar si todavía tenía aquellas veleidades de mover la cola, le pasó la mano por el lomo.

El Perro cerró los ojos, la piel del cuello se le erizó, gruñó sordamente, lúgubremente, como si soñase, y la cola se mantuvo inmóvil.

El Hombre, satisfecho, lo premió con un trozo de carne asada.

A veces el Perro se sorprendía a sí mismo hablando en voz alta.

—¡No señor, no acepto!—vociferó una vez en pleno jardín. Los Pájaros, que picoteaban a toda prisa (hubiese o no hubiese insectos y tanto como para simular que trabajaban), al escucharlo que hablaba solo levantaron la cabeza y se echaron a reír, sin ninguna mala intención, aseguro. Pero el Perro abrió una bocaza tremenda, dio a diestra y siniestra, ciegamente, varias dentelladas salvajes, y el Ruiseñor cayó envuelto en sangre. Decapitado, hay que decirlo. Los otros Pájaros chillaron tanto, que el Hombre los oyó desde el

[4] *Estoy hasta la coronilla de sopa.*—I'm up to here with soup.

otro extremo de la finca y vino a ver qué ocurría. En seguida lo adivinó todo. No dijo una palabra. Tomó un palo y silenciosamente, minuciosamente, le propinó al Perro una feroz paliza.

El Perro se alejó, él también mudo. No experimentaba ningún dolor. No sentía nada. Lo único que sentía era el sabor de la sangre del Ruiseñor en la boca. No podía pensar. Tenía la cabeza como envuelta en un humo púrpura. Respiraba dificultosamente. Los ojos le refulgían. Y una lengua de dos metros de largo le colgaba de entre los dientes.

Lo asaltaban extrañas alucinaciones. Se imaginaba estar en un bosque, un bosque profundo y helado por el que trotaba en compañía de otros perros, altos, flaquísimos, de roído perfil y una cola larga y plumosa como un penacho.

«¿Estaré volviéndome loco?», pensó.

Una mañana el Hombre descubrió el cadáver de una oveja horriblemente mutilada. Otra mañana contó los corderos y faltaba uno.

—Decididamente—le dijo a su mujer—, algún Lobo ronda la granja.

—¿Y qué hace el Perro, que no ha ladrado?—exclamó la mujer con una sonrisa irónica, porque, desde que el Perro se había vuelto bravo, no le tenía mucha simpatía que digamos.

—Tampoco la Vaca ha mugido—contestó el Hombre, enigmáticamente, y no agregó más.

Pero aquella noche fue a ocultarse entre unos matorrales y, con la escopeta lista, esperó.

No debió esperar mucho tiempo. Cuando la luna alcanzaba la cumbre del cielo, una sombra sigilosa se deslizó en dirección del establo. Era la silueta inconfundible del Lobo.

El Hombre apuntó con su arma, disparó, y la sombra cayó al suelo. El Hombre se acercó a la carrera,[5] pero cuando llegó junto al caído se detuvo tan bruscamente, que la escopeta se le soltó de las manos.

[5] *a la carrera,*—at a run.

—¡Tú!—exclamó en voz muy baja. Y parecía que no pudiese creer lo que estaba viendo.

El Perro entreabrió los ojos, miró al Hombre, movió dulcemente la cola, y después expiró.

ADALBERTO ORTIZ

(ECUADOR 1914)

Nació en Esmeraldas, Ecuador. Estudió en el Colegio Normal Juan Montalvo de Quito. Ha hecho periodismo y ha servido en cargos diplomáticos. Sus primeros poemas de tema negro aparecieron en *El Telégrafo* de Guayaquil. Su novela *Juyungo* fue premiada en un concurso nacional (1942).

Más que novelista, Ortiz es poeta. Recurre a la narración en prosa porque lleva un mundo atragantado en la garganta y quiere expresarlo a voz en cuello, sin olvidar los detalles, como un violento, pero bien pensado, alegato. Cuando razona o discute puede parecer obvio y sentimental. ¡Tanto tenemos que hablar de justicia social en nuestros países, que cuando un escritor la convierte en tema de su obra nos parece un lugar común! Algo de la fraseología de Ortiz lleva la marca de la novela proletaria de los años treinta. Pero su voz, su verdadera voz de narrador es, en realidad, la voz del río que, atravesando las junglas de su patria, se impregna de un sentido épico del amor y del paisaje. Su lenguaje es como un bejuco salvaje que se enreda en imágenes y en nombres de cosas de la tierra. Nadie como Ortiz expresa la turbulenta transmutación del río en su trágico descenso hacia el mundo hostil y extranjero que es el mar frente al Ecuador. *Juyungo* es la historia de un negro desde su patética niñez hasta su muerte, en plena juventud, en absurda acción guerrera contra un país hermano. Ascensión Lastre es, en cierto modo, como el «native son» de Richard Wright; como él, no tarda en aprender la maldición que lleva estampada en su piel. Pero Juyungo es un negro que combate. Ni se aisla ni se escapa. Su voluntad de lucha es su cualidad redentora. Mata para vengar la muerte de su hijo y la locura de su mujer. Muere para encenderse como una antorcha, bajo el fuego de la metralla, y servir de símbolo a sus hermanos de raza y de clase. El mensaje de Ortiz es simple: el drama del negro ecuatoriano es el mismo del indio o del cholo, es decir, es el drama de todo explotado cualquiera que sea su color, su raza o su nacionalidad.

En el episodio que sigue aparecen algunos de los personajes principales de *Juyungo:* Ascensión Lastre (Juyungo), Críspulo Cangá, y Antonio Angulo—ambos enamorados de Eva—, María de Los Ángeles, la mujer de Ascensión, y Matamba, un negro odiado por su servilismo hacia los patrones.

OBRAS

NOVELA: *Juyungo*, Buenos Aires, 1943.
POESÍA: *Camino y puerto de la angustia*, México, 1945. *Tierra, son y tambor* (cantares negros y mulatos), México, 1947. *El animal herido* (antología poética), Quito, 1959.
CUENTOS: *Los contrabandistas*, México, 1947. *La mala espada*, (*once relatos de aquí y allá*), Guayaquil, 1952.

OJOS DE AROMO Y LA MADRE DEL AGUA[1]

En aquel invierno, el río creció hasta un punto no rebasado en muchos años. Así lo aseguraba don Clemente Ayoví. Fue primero un diluvio de varios días, hasta que el agua lodosa color ladrillo, borbollando absurdamente, llena de sucias espumas, grandes como 5 las mayores pompas de jabón, salió de su cauce, inundando las vegas y otros terrenos bajos.

Las islas de reciente formación, que ya apuntaban bosquecillos de álamos raquíticos,[2] anochecieron y no amanecieron.

Los de Pepepán temieron que la creciente subiera hasta el alto 10 de sus mismas viviendas, y se afanaron recogiendo los animales pequeños y asegurando los objetos que podían ser arrastrados. Pero no ocurrió así; tal acontecimiento habría sido présago del Juicio Final, que don Clemente esperaba de un día para otro.

—Debe ser la madre del agua que se viene—decía.

15 —¿Qué es la madre del agua, abuelito?—averiguó Eva, con una ingenuidad no de mujer, sino de niña.

Según el viejo, la madre del agua era descomunal serpiente de siete cabezas. De pura vieja[3] tenía la piel cubierta de conchas

[1] From *Juyungo* (*novela*). [2] *que ya apuntaban . . . raquíticos,*—on which small groves of rickety poplars were beginning to appear. [3] *De pura vieja*—From sheer old age.

verdes y cerdas duras y largas como agujas de ensartar tabaco. En las regiones montañosas y selváticas donde moraba, había un silencio de muerte. Ningún animal, por mezquino que fuera, osaba acercársele, so pena de ser atraído desde lejos al abismo de sus fauces. Los montañeros conocían su presencia, por esa desconcertante ausencia de vida, y al instante desenvainaban sus largos machetes filudos para cortar el aire que los rodeaba y neutralizar el poder hipnótico del monstruo. Cada cincuenta años, la madre del agua, más gruesa que cualquier tronco de la jungla, hacía su salida al mar.[4] Pero como para poder viajar, necesitaba mucha agua, hinchaba los esterones y los arroyuelos hasta el máximo límite. Arrancaba los árboles y los matorrales, y arrojándolos a la gran creciente del río Esmeraldas, se sumergía bajo ellos, y así escondida, bajaba al gran Océano, para juntarse a sus amantes.

Y se vino el río hecho una bomba.[5] Lastre tenía el alma llena de la madre del agua, de la sucia espuma, de los primeros matorrales desarraigados de las vegas. La imponente creciente lo hacía sentirse como ella misma. Furiosa, desatada, hinchándose venía. Cual una gran culebra terrosa sin medida, que odiara a todos los seres vivientes. Mas, Ascensión en esto no se le parecía. No odiaba tanto. Pero cuando su ira subía había quedado casi al nivel de la creciente muy amada.

Desde el barranco contemplaba mudo y solo el desenfreno del agua.

Y se vino el río hecho una bomba, una gran bomba. Era la vida de un hombre cargada de pasiones, la vida de Juyungo a lo mejor.[6]

Desde la prolongada ventana, Antonio se sentía también absorbido por la gran creciente. Veía al Juyungo más alto que nunca, erguido, dando la espalda a la casa; y miraba incorruptibles guayacanes, guabos machetones de blancas flores, yarumos femeninos, valiosos troncos de árboles que, pasando por las fábricas, amoblarían—a su pensar[7]—los más artísticos apartamentos; corroídos y milenarios ébanos de oscuro corazón;[8] todos arrancados de cuajo,[9]

[4] *hacía su salida al mar.*—made its way out to the sea. [5] *hecho una bomba.*—like thunder. [6] *a lo mejor.*—perhaps. [7] *a su pensar*—so he thought. [8] *ébanos de oscuro corazón;*—core of dark hardwood. [9] *arrancados de cuajo,*—uprooted.

entrechocando sus ramajes abatidos por un destino inescrutable, con sus curtidas raíces descarnadas, implorando a algún ente desconocido del hombre;[10] hundiéndose aquí, reflotando allá, todo precipitado en un vértigo que lo mareaba; no así a Lastre, a quien 5 exaltaba.

Los más felices de ellos lograban embancar en algún jirón de tierra sumergida y allí se aferraban desesperadamente, para constituir más tarde poderosos estorbos a las canoas de los negros musculosos, o para almacenar tierra y deshechos hasta formar flaman- 10 tes islotes, que sirvieran para el alto obligado que hacían los eternos traficantes del río.

Gallinazos enlutados, repugnantes viajeros sobre animales putrefactos, miméticas iguanas con su capa de cardenillo, culebras de inverosímiles colores, enroscadas sobre su propia paciencia entre 15 las ramas húmedas, componían el alegórico cortejo de la madre del agua.

Una gallina espantada, temblando de frío, iba encaramada en su gallinero de caña, irremediablemente condenada. Una caja vacía, un potrillo de buena madera, al garete,[11] sin dueño, y el 20 techo del rancho de un miserable montañero, les hacían sospechar a ambos la presencia de algún ahogado. Débiles tallos y enormes hojas de mamporas y de plátanos, racimos viches y maduros en la mata, tiernas plantas de yuca y débiles papayos tronchados, revelaban el inútil esfuerzo humano frente a la potencialidad de los ele- 25 mentos incontrolados.

Y así hora tras hora; árboles y herbáceas, arbustos y basuras, animales y objetos de dueños anónimos, en atropellada caravana, producían para el joven un impresionante roncar que le inquietaba el espíritu, hasta tornarse en un rumor monótono, familiar, pre- 30 ñado de cualidades soporíferas y en un espectáculo de decreciente novedad aplastante, conducente a la desesperación misma, que sólo se calma a medida que el nivel decrece, las basuras ralean y las vegas y playas quedan cubiertas de vistoso limo profícuo a los sembríos futuros.

35 La fascinación que tal espectáculo ejercía sobre la mente del

[10] *desconocido del hombre.*—unknown to man. [11] *al garete,*—adrift.

mulato, lo habría hecho caer en la vorágine del recodo, si se hubiera encontrado en esos momentos al borde del vertical barranco de la orilla distante, donde el agua azotaba y lamía arremolinándose, y haciendo desaparecer, en su gran espiral, maderos respetables, para buscar luego el hilero por la tangente. 5

Ni siquiera sus sentidos, le denunciaron la presencia de Eva, que desde rato estaba cerca de él, viendo aquella loca carrera de cosas agonizantes bajo un cielo de cinc.

—¿Por qué mira tanto la creciente?

Antonio volvió como de muy lejos. 10

—¡Ah! ¿Si ha sido usted? . . . Éste . . . No sé por qué. Es algo que me subyuga. Es una cosa maravillosa.

—En verdad. Yo nunca había visto el río hecho una bomba como está ahora.

Observaba a la muchacha como si la hubiese visto por vez primera. Pasada la sorpresa de aquella insinuación inusitada, recordaba su ilusión casi perdida. De su ceño desapareció toda arruga y sus vagos y oscuros ojos adquirieron una especial iluminación. 15

—Decía que éste es un espectáculo maravilloso, pero lo que siempre he pensado es que usted lo es más, Eva. 20

—Será que usted me ve así, porque siempre exagera las cosas.

—¿Cómo dice?, ¿que exagero?

—Así me ha parecido desde que lo conozco.

—Quien sabe. Además no me ha tratado mucho.

—Puede ser; pero aunque no soy muy instruida, comprendo a la gente. 25

—La instrucción no hace falta para vivir. Hay otras cosas esenciales.

—¿La plata, supongo?

—Eso es. Tenga usted plata, y nadie le pregunta de dónde la sacó. Ella lo es todo. 30

—Eso mismo he oído a muchos. Pero a mi modo de ver, no es así. No me preocupa ser rica, porque puedo ser feliz de otras maneras.

El joven sintió un latigazo, y apretó con fuerza la baranda. 35

—¿De qué modo? A ver, dígamelo—rogó.

—Tal vez pueda decírselo algún día.

Lo miró con sus ojos de acacias, de un modo inolvidable, y se entró corriendo. Al pasar el comedor, ubicado directamente bajo el canalón, se halló con el duro rostro de Cristobalina y con la 5 insoportable mirada del Azulejo. Casi nunca Eva se sintió incómoda con su pardo color y su mestizaje, porque rara vez le habían hecho, en el pueblo, alusiones deprimentes a ellos, o desaire alguno. Sería porque era bastante agraciada. Antes por el contrario, los hombres la perseguían en forma que la chocaba. No se 10 había envanecido ni llenado de sí. Jamás tampoco hizo distingos raciales con sus admiradores, ni estableció gamas; pero este Críspulo Cangá, simplemente, no le gustaba, no porque fuera tan negro, precisamente, sino por aquella inexplicabilidad de ciertos afectos. En cambio, Antonio tenía para ella algo de extraño y raro, 15 que la hacía estremecer.

Ascensión ni se preocupó de los enamorados siquiera. No volteó la cara una sola vez. Encendió su cachimba y fumó, echando mucho humo. No sentía la plaga que zumbaba en su derredor, ni se daba cuenta que venía la noche. Al verlo así tan abstraído, su 20 mujer no se atrevió a llamarlo. Lo dejaba recrearse en la madre del agua.

Una chispa de muerta alegría, brillaba aún en el rescoldo del alma de Antonio, quien se suponía desvalorizado, envejecido y sin esperanzas.

25 Tomó un lápiz y escribió la contestación a la carta de su amigo:

«Días tristes, húmedos y largos han pasado desde que recibí tu carta. En cada nueva muestra de tu personalidad mi admiración crece y mi envidia crece también por no haber sido como tú.

Entiendo que conoces a Eva, la hija de Fabián. Aquí la vida em- 30 pezó a torturarme de nuevo. Todo rutinario y pobre en incidencias halagadoras; hasta el desencadenado Lastre se ha convertido en un hombre tranquilo y amoroso que lleva una vida de perfecto casado. Es una pareja feliz. No es que la felicidad de otros me hiera; pero es que también la quisiera para mi propia persona.

35 Y como decía, Eva vino, y una insospechada inquietud comenzó a nacerme. Me pareció más bella de lo que realmente es; debe ser

por aquello de que con buen hambre no hay pan malo.[12] Pero más que hermosa, me parece dueña de una gran riqueza espiritual. Apenas si ha terminado la instrucción primaria,[13] mas su inteligencia me anima. Aun no sé si pueda amarla sin restricciones. ¡En mi alma introvertida y mezquina se debaten tantos sentimientos disímiles y paradójicos! A veces me digo: Decididamente, me agradan las mujeres blancas, lo confieso. No me avergüenza el confesarlo. ¿Por qué ha de avergonzarme? Serán las únicas que podré amar, aunque en secreto. Puede que estén fuera de mis posibilidades, pero es así; no hay solución posible para mi problema afectivo, es un río sin desembocadura. El negro y el blanco que están dentro de mí, no se han fundido todavía y emanan obrando alternativamente aislados, nunca en equilibrio.

Pero esta mujer de igual raza que yo, no cede ni me rechaza con sus actitudes; sólo alimenta mi esperanza y me prueba. Me prueba ahora que se encuentra mi espíritu saturado de aliento vegetal, de paisajes tropicales, del genio primitivo y sencillo de mis antepasados bárbaros que semidesnudos nutrían su carne de frutos elementales y selváticos.

En tal estado de ánimo sí puedo amarla, intensamente con toda la magnitud de mis sentidos. Entonces me alegro, porque creo llegar al punto de equilibrio, al encuentro final de mi propio ser. Este modo de razonar parecerá egoísta, pero es necesario hasta por ella misma. El egoísmo a veces es fuerza motriz de muchos actos, y en más de una ocasión ha producido cosas buenas.

Empiezo a olvidar toda aquella ciencia inútil, impracticable, que aprendí artificialmente en las aulas, y me place el constatarlo. De poco o nada sirve estudiar en este país, aquí hay que ser arribista, no tener vergüenza, dar golpes de audacia y nacer con suerte. Sí señor, creo en la suerte como creo en mis propios pantalones. Y por eso, a veces, lo humano se me antoja malo y feo.

No es el despecho de estar confinado voluntariamente en este lugar, lo que me hace hablar así. Aquí vivo más tranquilo que en

[12] *con buen hambre no hay pan malo.*—hunger is not selective; beggars can't be choosers. [13] *la instrucción primaria,*—grammar school.

cualquier otra parte. Quizá la tranquilidad no sea un objetivo para ti, pero hay que reconocer sus bondades y a ellas me acojo.

Cuando como pepepanes con miel, veo que la vida es buena en ese instante. Aunque en general, me ha parecido detestable; tanto que en ciertas ocasiones, Dios me perdone, si hay Dios, reprocho a mi madre por haberme dado esta vida. Aunque no la conocí, ni tampoco a mi padre, sospecho que algo turbio hubo en las relaciones de ambos y que murieron de muerte poco normal, según me dio a entender una vez la señora Petra, que muy mal hizo en criarme. Después de todo, no me interesa saber cómo vine al mundo, ni lo he de averiguar. Lo acepto como un hecho consumado, y se acabó.

Prefiero hablar de los ladridos de agradecimiento que me da Fierabrás cuando le arrojo algún hueso de guanta cazada por Lastre, o de cómo se van desarrollando mis músculos a fuerza de andar en canoa y a punta de rajar leña para la casa. Mis manos tienen callos por causa del mango del machete, ya no parecen manos de escritorio. Y cuando oigo el ruido que producen los platos de fierro enlozado al lavarlos en la cocina, sé que mi Eva ha terminado sus faenas, y que pronto aparecerá bajo el dintel, luciendo sus raros ojos.

No sé por qué te confieso tantas majaderías. Loco, dirás, inadaptado. No es difícil, pero cada uno es como es, y si es que puedo cambiar, cambiaré. Si no, amén.

Tu amigo de siempre,

Antonio A.

Pepepán, abril de 1937.»

Cuando Ascensión tomó sus aperos para internarse en la montaña en procura de las pepas de marfil vegetal, ya María de Los Ángeles llevaba en su vientre el peso de una vida de cinco meses, y los aguaceros blancos, los espantachivos, los chaparrones y las garúas, habían huido como por encantamiento, hacia otras latitudes, para dar paso a los días jubilosos, iluminados por verdores renacidos, salpicados irregularmente de florescencias eufóricas y por una eclosión de insectos que lucían sus élitros quiméricos.

Pasando el brazo que ya estaba sin caudal, monte adentro, se fueron cruzando las tierras del señor del terno amarillo rayado.

Don Clemente había prevenido.

—Aunque los centros de las montañas no son de nadie, no se dejen ver del guardabosques. Vos sabés que el dueño de eso es jodido y agalludo. 5

—Pero si vamos por otro lado, echaremos mucho tiempo.[14] ¿Y qué? No me han de comé vivo.[15]

Cangá no resolvió acompañarlo, sino a instancias de la Caicedo, que temía, con justa razón, por la suerte de su marido. Pues éste no conocía aquellas montañas ni los sitios donde abundaban las palmas. No obstante sentir viva atracción por Eva, a la que aun no había podido aplicar su filtro, la amistad admirativa que profesaba por Lastre, pesaba todavía, tanto como para arrancarle del seno acogedor de la casa, y compartir los mil peligros, acechanzas y privaciones de la yunga. Por otro lado, algo como un presentimiento del fracaso de su lid amorosa, lo inducía a tomar ese partido, así como la remuneración económica que representaban unos cuántos quintales de la pepa. 10 15

Pero si Ascensión no hubiera hallado compañero, habría marchado solo, nada lo arredraba. Por su mujer y por su hijo, se sentía no solamente capaz de pasarse semanas trabajando en el corazón del monte, sino años y años. 20

Hasta donde la trochita era viable, salían al paso de los hombres pesadamente cargados, los pájaros huevoarrastrados, aguaitando el camino nerviosamente hacia un lado y otro, para luego alzar el vuelo[16] con gran susto, como una pastilla de chocolate lanzada entre los matorrales. Las lagartijas se arrastraban por en medio de las ramitas, y sus congéneres, los piandes, no podían lucir sus dotes de asombrosos nadadores. Un camaleón se plantó desafiante y empezó a cambiar de colores, en tan extraordinario juego cromático, que Lastre estuvo tentado de aprisionarlo, cual si se tratase de una joya viviente, digna de ser obsequiada a su María. 25 30

[14] *echaremos mucho tiempo.*—we will take (spend) a lot of time. [15] *comé vivo.*—for *comer vivo.* [16] *alzar el vuelo*—to take flight.

—¡No te acerqués!—le gritó Azulejo.—Si te pica y vos no alcanzás a tomar agua primero que él, morís de contao.[17]

El otro se paró en seco.[18]

—Así dicen, pero yo quisiera vé si es cierto.

5 —Bonita manera de vé.

La selva se iba oscureciendo, y no porque faltara luz en el cielo, sino porque las hojas altas son celosas de la madre tierra, y no permiten que el sol profane el húmedo y descomponente sueño letal de las hojas muertas.

10 Las palmas de tagua, umbrosas, más o menos enanas, aparecían ya, esparcidas entre gigantescos y nunca dominados árboles.

—¡Ya te vi! ¡Ya te vi!—volvió a gritar Críspulo, que se había adelantado.

—¿Qué te pasa ahora?—averiguó sorprendido Lastre.

15 Por donde tenían que pasar, una trepadora de tallo rojo se enroscaba como serpiente.

—Éste es el bejuco «ya te vi». Hay que mentarle su nombre, pa que si uno lo tropieza no haga nada. Si no, quema como candela.

—Sí, lo he oído mentá también, pero por el norte lo llaman de 20 otra manera. Yo vi una vez a un cauchero con la mano quemada por este bejuco. Me parecía cosa de fábula. Tocálo ahora a ver si te quema.

El otro se aproximó para ponerle la mano encima, mientras decía:

25 —No me hace nada. No ves que le avisé que ya lo había visto.

En efecto, lo manoseó y no tuvo ningún síntoma de quemadura.

Lastre hizo un corto y violento movimiento de suspensión del gran canasto[19] que llevaba en sus espaldas, para acomodárselo mejor, y agregó:

30 —Pa andá en el monte hay que sabé muchos secretos. Uno tiene que aprendé desde la puesta del pie, hasta conocé el árbol venenoso del manzanillo que hace dormí pa siempre al que se queda debajo.

—Así mismo es.

[17] *morís de contao.*—you're dead for sure. [18] *se paró en seco.*—stood stock still. [19] *hizo un corto . . . canasto*—made a short and violent movement to shift and balance the huge basket.

—Hay que conocé las contras de culebras.

—De algunas no má—interrumpió Cangá—, porque la contra de la rabo de hueso[20] está en el centro de la tierra.

—Eso dicen. Pero lo que es cierto es que ni el más viejo montañero sabe todo lo que hay que sabé. 5

Justa la jornada,[21] cuando llegaron a las cabeceras del estero de Cupá, que corría entre espesos matorrales.

—Tiene la agüita suficiente como pa bajá en balsillas—observó Lastre.

—¡Fijate!—señaló Azulejo.—Por aquí han andao otros tagüeros. Y allí hay un ranchito que nos puede serví. 10

Entre las malezas, una techumbre de bijao corroído se destacaba inclinada por el peso del tiempo y del abandono. Por entre las junturas de su piso se filtraba ascendente una nutrida vegetación que fue limpiada con los machetes, en un instante. 15

—Nos libramos de construí rancho—dijo Cangá con satisfacción.

—Éste, debe tené un año de viejo—contestó Ascensión, mientras preparaba su tendido.

Sacaron los víveres, pusieron las armas a mano y reconstruyeron lo que estaba inservible. No había paredes ni se preocuparon de levantarlas.[22] Por la noche, dentro de sus toldos, en la oscuridad más integral,[23] herida sólo por el botón rojizo del tabaco prendido,[24] hablaron hasta tarde. 20

—Me hace falta aquí la compañera.

—Es que la estás queriendo bastantísimo. 25

—Ahora más que antes . . . Y tú también diz que andás enamoriscao de la Eva, ¿no?

—¡Mentira! ¿Quién te lo sopló?

—Se avisa el milagro menos el santo.[25] Bueno ¿y acaso uno es ciego? . . . Decí tu verdá, no má. 30

—¡Oí! Sí, es cierto, y hasta quisiera matrimoniarme.

—Eso está en tus manos. Pero si es con la Eva, no te arriesgo

20 *la rabo de hueso*—the rattler. 21 *Justa la jornada,*—The day's journey over. 22 *ni se preocuparon de levantarlas.*—nor did they bother to erect them. 23 *en la oscuridad más integral,*—in absolute (utter) darkness. 24 *por el botón . . . prendido,*—by the red glow of the lighted cigar(ette). 25 *Se avisa el milagro menos el santo.*—You can't divulge a source.

muchas ganancias. Ella le ha dicho a Maruja que no te puede ni vé. Las mujeres son así, parcero. Déjala, no má. En cambio la viuda, y que está de asunto,[26] ¡eh! ... Te caería en la muela hueca.[27]

5 —Pero es que la Eva me priva. Pero el blanqueadito ese, ahí.

—Con él creo más es la cosa. Por eso te digo. Agua que no has de bebé ...[28] Si ella se ha encariñao con él. Bueno ¿qué vamos a hacé?

—Toavía tengo algo ...

10 —Nada has de conseguí con ese olor, porque ella también lo ha sospechao. Antes te está cogiendo miedo. Olvidate. Mujeres hay hasta por gusto.[29]

Cangá estuvo en silencio por varios minutos. Sólo se oyó el crujir del piso flojo al removerse su cuerpo. Se sentía derrotado, 15 abatido. Habían descubierto hasta su último recurso. Podía vengarse del estudiante. Pero ¿cómo? No, él no tenía la culpa. Era ella. Si los matara a entreambos. ¡Horror! No, no. ¡Qué animal! En fin. «El día que tenga mi marimba, me va a llové la hembra.»[30]

—Ascensión. ¿Estás oyendo?

20 —Sí.

—El pitido del tigre.

—Está pitando desde hace rato. Lo que pasa es que no quise decirte.

—¿Crees que tengo canillera?

25 —No, no es eso. Al que es flojo, el tigre lo conoce por la pisada. Pone su mano sobre la huella, y si le tiembla, es porque el tal cristiano tiene miedo. Entonces lo sigue y lo sestea.

—Lo que es a mí no me la pone.

—Así me parece.

30 La fiera rugía sordamente, cada vez más cerca. Por el volumen del rugido, Lastre conoció que debía ser de respetables magnitudes.

[26] *que está de asunto,*—who is ripe for the picking. [27] *Te caería en la muela hueca.*—She'd be right up your alley. [28] *Agua que no has de bebé...*—for *Agua que no has de beber, déjala correr;* Don't be a dog in a manger. [29] *Mujeres hay hasta por gusto.*—There are women for every man's taste. [30] «*El día que tenga ... la hembra.*»—"When I get a marimba, I'll have plenty of women."

—¿Sabes de lo que me acordé?

—¿Hm?

—De que un gringo me decía que aquí en estas selvas no había tigres grandes ni bravos. Yo le quisiera vé con éste que anda por allí. Calculo que ése puede llevarse una res. 5

—Hay unos macanudos—apoyó Cangá, que había tomado sigilosamente su arma.

—Deja esa escopeta. Que ya se va alejando. Ese animal no se atreve a vení aquí. Lo que veo es que por estos lados hay mucho animal bravo. 10

—Y de comé también.

—Seguro.

Bajo las palmas sombrías, permanecían semienterradas en el lodo las pepas sueltas de sus racimos, maduradas y desprendidas de la mata. Todo el trabajo que hacían los dos era arrojarlas por 15 encima de sus hombros en dirección al canasto de piquigua que llevaban en la espalda, hasta llenarlo, dejando sus tejidos hexagonales tensos, prestos a reventar. Cuando la sed y el hambre los atenaceaban, cortaban un racimo tierno y comían el carozo de la tagua no endurecida, semejante en sabor al coco tierno, y bebían 20 las pequeñas porciones de agua recogidas en las ovoides cavernas que, andando el tiempo, toman la blanca dureza del marfil. De no haber encontrado tagua caída de recoger, habrían maceado los racimos jechos, para extraer sus pepas aun no desarrolladas y compactas, para luego venderlas, aunque a menor precio, ya que son 25 menudas y susceptibles de la perforación de la polilla. Si todos los tagüeros hacían eso, en casos similares, inutilizando para siempre la palma madre, ellos no podían ser diferentes.

Una pava de monte, un guatín, una guanta, un par de guacharacas, caían con frecuencia bajo el certero plomo de Cangá o de 30 Lastre. La carne de monte no faltaba, y el hambre no era un problema. Aunque empezaron a faltar la sal y la panela.

Un día, un hermoso pecarí, descarriado de su manada tropelosa, que siempre merodea los datileros salvajes, rondaba desprevenido, una palma de chontaruros. Cangá, que había cargado su escopeta 35 con un balín venadero, se dispuso a cobrar la pieza.

—¡Qué bizarra tatabra!—susurró cerca de Lastre.

—¡Shsss!

Se aproximó sin que el animal desprevenido, mitad cerdo, mitad ciervo, se percatara.

Disparó. Se escuchó un leve gruñido, y cerca del codillo del cuadrúpedo, manó abundante sangre.

Ascensión corrió a rematarlo con su machete, porque se incorporaba de nuevo para intentar huir. De pronto tuvo que pararse en seco. Un puma color de perro lobo, enjuto y musculoso, mostró sus poderosos caninos, frunciendo la región de sus bigotes, mientras rugía roncamente. El herido volvió a caer exánime. El carnívoro le dio una ojeada y se dispuso a atacar, moviendo su cola gatuna y recogiéndose sobre sí mismo, al igual que los mimís caseros.

Lastre sintió que sus testículos se le perdían, se le subían. ¿Hasta dónde? Era una sensación nunca sentida. No era miedo. Se plantó decidido, alzando el machetón a la altura de su cabeza. El felino saltó como disparado hacia el hombre, pero éste descargó su arma con tal violencia y rapidez de relámpago que el animal fue alcanzado en el aire, antes de poner sus garras en el negro pecho.

Desde las húmedas fosas nasales, hasta más arriba de los ojos, el filo había penetrado hendiendo la soberbia cabeza.

La bestia daba manotadas en sus últimos estertores.

—¡Qué machetazo!—exlamó lleno de susto y admiración el Azulejo.—De buena te habés librao.

—Purita suerte. Ya me vi en el otro lao.

—¡Y qué lindo el cuero del león este! Saquémoselo.

—Saquémoselo, pues.

Al cabo de tres semanas estaban listos. Montones de sucia pepa semejaban cascajo apilado para construcciones.

No había más que construir pequeñas balsillas de platanillo y conducirlas agua abajo del estero de Cupa hasta río Grande. De esa bocana hasta Pepepán no distaba gran cosa. Pero debían realizar por lo menos dos viajes para sacar toda la tagua recogida. Si el trabajo en sí no demandó muchas complicaciones, sino un derroche de paciencia y fuerza muscular, entrañó un exponerse a múltiples peligros.

Ya para el segundo viaje, Antonio quiso entrar en compañía de los tagüeros a la montaña y sentir de cerca sus misterios y su cálido vaho de bestia en celo. Lastre no se opuso, antes por el contrario, mostróse sinceramente complacido; pero Cangá se armó de un silencio hostil que duró todo el tiempo de la caminata. Actitud que en cierto modo hería el habitualmente susceptible temperamento del pardo, que no ignoraba el motivo de ese silencio.

Se divisaba de nuevo la techumbre semipodrida del ranchito, cuando el ladrido de un perro puso una nota sorpresiva y discordante, resonando lúgubre en la bóveda salvaje.

—¿Quién andará monteando por aquí?

—A lo mejó nos están robando la tagua—contestó Críspulo.

Por toda respuesta, Lastre crispó el puño sobre la cacha del machete, y Antonio se empinó un poco para ver si distinguía alguna persona.

Inopinadamente, por detrás de ellos, apareció un hombre desconocido, rengueando ligeramente. Una cicatriz en el labio superior y un tic en el párpado derecho hacían pensar, a primera vista, en un guiño burlón.

Ascensión, que ya se había contrariado al observarle aquel movimiento nervioso, se le fue acercando y le increpó:

—¡A ver, qué señas me está haciendo!

El otro, algo asustado, balbuceó:

—¿Quién? ¿Yo?

Angulo, que había notado también al hombrecito, intervino:

—Déjalo, hombre, no te fijás que es una cosa natural en él.

—¡Ah, cierto! . . . Bueno, ¿y qué anda haciendo usté por estos laos?

El hombre se subió un poco más los pantalones raídos y contestó más serenado:

—Cumpliendo con mi deber.

—¿Cuál es su debé?

—Pregúntaselo al Jefe, don Tolentino Matamba—y acompañó la palabra con un gesto indicador de su mandíbula.

La ciclópea estampa de Cocambo se acercaba. Lucía una moderna escopeta de cápsula, de dos cañones.

5 Ascensión, repuesto de la sorpresa, sentía en sus entrañas un fuego ascendente hasta la cabeza. Y el odio, incipiente en otros días, cobraba caracteres alarmantes.

Cocambo se amilanó con el encuentro, pero supo disimular. Recordaba, como si hubiera sido ahora, la golpiza que le diera 10 Lastre. Y su vanidad de valentón se sentía herida hasta manar hiel. Si, en efecto, había pensado encontrarse otra vez con Lastre, no creyó que fuera tan de inmediato.

El señor del terno amarillo rayado lo había empleado de guardabosques a poco de haber dejado el campamento de Kilómetro 18, 15 del cual el ingeniero lo había despedido al comprobar que estaba robando herramientas, y víveres de la bodega, sin dar participación a nadie, y en forma desvergonzada. Pero nunca pensó toparse así con Lastre, manos a boca, a pocos días de haber conseguido esa buena colocación.

20 Cangá y Antonio cambiaron miradas como para infundirse valor, olvidando momentáneamente toda rencilla, y seguían con las bocas ligeramente entreabiertas, al igual que si estuvieran frente a una aparición extraterrena.

—El mundo es chico—repetía Críspulo en un murmullo—, el 25 mundo es chico.

—Ahora sí que se va a armar la gorda. ¿Quién iba a imaginarse encontrar a éste por aquí?—secreteó Angulo.

Armándose de ánimo, Matamba advirtió:

—Ustedes no saben que mi patrón, el señó Valdez, dueño de 30 todo esto, ha prohibido que anden taguando por sus propiedades.

—Esto no tiene dueño, ¡carajo! ¡Los centros de las montañas no son de nadie!

Fuera por la actitud activa de Lastre, fuera por la verdad de su razón, Cocambo cambió de tono, y recordó la pelea que Juyungo 35 tuvo en Santo Domingo con el finado Valerio Verduga Barberán.

—Yo les digo, no má. Nos han encargao cuidá esto, pues a cuidá se ha dicho.[31] Mandado no es culpao.[32]

Su enemigo también se redujo un poco y aumentó la argumentación.

—¡Bonita está la cosa! Ni vos, ni el tal señó Valdez, ni nadie ha sembrao estos taguales. Ni los linderos de la hacienda son hasta el fin del mundo . . . 5

Pero al oírse hablar de esta manera a un ser aborrecido y despreciable, y captar de golpe toda la injusticia que alguien pretendía cometer en su persona, se sublevó de nuevo. 10

—¡Ya mismito se largan de aquí, mierda! ¡Y vos, Cocambo, cuidate de andá atravesándome el camino!

Tal vez porque los de Lastre eran dos, quizá porque tuvo miedo de Juyungo, Matamba no contestó nada; les dirigió una torva mirada, llamó a su perro y se alejó como un fantasma descomunal, 15 seguido del otro, hundiéndose hasta los tobillos en la gruesa alfombra de hojas podridas que amortigua las pisadas, y es como un legajo recóndito que guarda los secretos seculares de mil generaciones vegetales; hasta que el suelo maternal las disuelve en su seno para elevarlas de nuevo, triunfantes hacia el sol, a través de 20 los arcos del círculo vital.

Cuando ya no podían oírlos, el hombre de tic nervioso le preguntó:

—¿Por qué no les quitamos la tagua, como ordeñó el señor?

El otro titubeó. 25

—Es que . . . Es que son mis amigos.

El hombre de la cicatriz se limitó a suspenderse los pantalones y a dirigirle una mirada maliciosa acompañada de un carraspeo.

En cambio, Lastre comentaba:

—¡Cuando uno tiene mujé y va a tené un hijo, se vuelve capón, 30 palabra! De no, ahí mismo me le bebo la sangre—y su aborrecimiento por aquel negro de alma ruin y servil crecía satánicamente, implacable.

[31] *pues a cuidá se ha dicho.*—well, on with the guarding. [32] *Mandado no es culpao.*—Orders are orders; I'm only following orders.

Mientras Angulo meditaba en que hay esclavos que no tienen sangre de esclavos y en otros que lo son por temperamento, sin tener en su ancestro ni un eslabón siquiera, Lastre consideraba que no sólo su odio iba hacia muchos blancos, sino también hacia un 5 negro, indigno de su gente. Por esto, ya en el horizonte de su mente se aclaraba una luz orientadora de la rabia, que en otro tiempo únicamente entreveía confusa.

En alguna medida, Antonio se había arrepentido de ese paseo por la selva, producto de una novelería que en ocasiones lo impul- 10 saba a viajar o a efectuar cosas disparatadas. Y no era que le estuviera yendo mal, sino que extrañaba a Eva. Deseaba que las horas volaran para volver a su lado. Por este anhelo se convenció de que estaba terriblemente enamorado. Con precisión veía el rostro afligido que puso la chica cuando él partió. Pero como los experi- 15 mentados en lides amorosas aconsejan que es bueno hacerles sentir el frío de la ausencia a las mujeres, el joven quiso comprobar la aserción. Pero Críspulo no se daba por vencido. Todavía tenía fe en su chimbo de amor.

A la hora en que las hojas de malva, encartuchadas, se desdobla- 20 ron buscando la línea horizontal y los girasoles se pusieron en marcha, sobre su mismo tallo, siguiendo a su eterno enamorado, el sol, los tagüeros cargaron y embarcaron en las balsillas el resto de pepa recolectada.

Antonio tomó una en la mano, y jugueteando con ella entre los 25 dedos, dijo como para sí y como para los demás:

—Me parece extraño que esta misma pepa que tengo aquí y que los extranjeros nos compran a precio regalado, regrese de nuevo valiendo diez veces más y en forma de botones, adornos para mujeres y qué sé yo.

30 Cangá no pudo contener un silbido de admiración.

—¿Qué, no sabías?—le preguntó Lastre.

—Por Diosito que no.[33]

—Y esto es poco, con el caucho es peor. Y con la balsa, hasta sombreros te hacen—continuó Angulo, que advirtió la intención 35 del Azulejo, para intervenir en la conversación.

[33] *Por Diosito que no.*—By all that's holy, no.

Moviendo la cabeza admirativamente, como si negara, Críspulo exclamó:

—¡Lo que son los gringos!, ¿no?[34]

—Si no fuera por ellos la veríamos verde[35]—sentenció Ascensión, porque a pesar de toda la antipatía que les profesaba reconocía su ayuda económica, buena o mala. 5

—Es que ustedes no saben cultivar la tierra, salvo unos pocos. Y esta tierra es virgen. Si se sembrara piedras, piedras se darían. Pero como todavía no han sentido necesidad mayor, se dedican a explotar los bosques. Si la tagua y el caucho suben, ustedes prosperan. Si bajan, entonces se echan en una hamaca en espera de los buenos precios. Si hay que comer, comen, sino allí está la carne de monte. Para mí, que la existencia de estas riquezas naturales es un factor de atraso. 10

—¡Eso no va conmigo!—interrumpió vivamente Lastre. 15

—Ni conmigo tampoco—balbuceó Cangá.

—Decía en general. Ustedes no se dedican sólo a esto, lo mismo que don Clemente y su familia.

Los otros dos callaron un instante, y luego Ascensión corroboró:

—Cierto es lo que dice usté. Yo conozco muchos negros mangansones que no son capaces ni de plantá un colino de plátano, y dejan que el rastrojo se les venga hasta debajo del rancho. 20

Se acordó de su infancia y de su padre, pero sin rencor. Y luego quedó mudo.

—Como un primo de don Clemente—indicó Cangá. 25

—Por eso hay blancos que dicen que el negro es ocioso—agregó Antonio, mientras tiraba la tagua a un canasto, y luego prosiguió: —Será que desquita las centurias de trabajo forzado y de esclavitud.

Pero los dos montañeros no supieron qué contestar a esto, pues no comprendieron lo que el joven quiso decir. Críspulo ni se preocupó por averiguarlo; no así Lastre, en quien despertóse una viril curiosidad luego de volver de su infancia. 30

—¿Qué es lo que querés decí?

[34] *¡Lo que son los gringos!, ¿no?*—Gringos are really something, aren't they?
[35] *la veríamos verde*—we'd have a rough time of it.

—Digo que en un tiempo los negros fueron esclavos de los blancos, quienes los compraban y vendían como animales, para hacerlos trabajar de un extremo al otro del día.

—¿Y todos los blancos hacían eso?

5 —No, precisamente. Pero la mayoría aceptaba la esclavitud, porque les producía riqueza.

—¡Qué hijos de p . . .! ¡Si yo hubiera vivido en ese tiempo, carajo! Palabra que me comía al mío . . .[36]

—Algunos negros huían a las montañas, pero allá les daban 10 caza con perros, y después los mataban simplemente, o los azotaban.

—Si no me lo estuvieras contando vos que eres estudiao, no lo hubiera creído.

—Así es como digo. Y ustedes han de saber que nuestra raza, es 15 decir nuestros antepasados, no eran naturales de estas tierras.

—¿Y de dónde eran, entonces?

—De un lejano continente que se llama África.

—Sí, he oído mentá eso—dijo.

Lastre se quitó el sombrero de paja toquilla, y después de en- 20 juagarlo un poco en el cristalino estero, lo sacó con la copa llena de agua, y bebió en él, como si se tratara del más limpio vaso. Al verlo, Cangá consideró que también estaba sediento, y quitándose el suyo hizo la misma maniobra.

Con el dorso de la mano derecha, Ascensión se enjugó los labios 25 mojados y prosiguió:

—Una cosa que siempre me ha llamado la atención es porqué habemos tanta gente morena por estos lados.

—Porque, según cuentan, hace ya mucho tiempo, por el año 1650, frente a las costas de Esmeraldas naufragó un barco negrero 30 que iba cargado de esclavos, los que aprovecharon el momento para ganar tierra e internarse en estas montañas. Otros aseguran que los esclavos se sublevaron, y acabando con la tripulación, encallaron la nave y saltaron.

—Más quiero creé que se soliviantaron—interrumpió Lastre, 35 que no imaginaba cómo se podría soportar esa vida.

[36] *Palabra que me comía al mío. . .*—Word of honor I'd have eaten mine.

—A esto se agrega que hay y ha habido siempre una afluencia de gente de color desde Colombia.

—Así es—aseveró Cangá—, porque allá sí diz que está el negro que tetea, al menos en el río Patía . . .

Ascensión, que había quedado agarrado por esta conversación, volvió sobre lo mismo:

—¿Entonces querés decí que esos negros quedaron libres?

—No. Los blancos españoles que había por aquí y los mestizos los fueron cogiendo poco a poco de conciertos, que daba lo mismo que ser esclavos. Sólo unos pocos se libraron, trabajando por su cuenta.

—Unjú. El padre del finao Manuel Remberto fue concierto, si no miento—comprobó el Azulejo—; pero ahora, uno no nace así, encadenao.

—No nace así; ¡pero explotan al pobre que le ven más caído!— respondió violentamente Lastre.—Y lo tratan como a la basura; yo lo he visto, con estos ojos que se han de volvé tierra.[37] Y al negro siempre lo ladean.

Al oírlo hablar así, Antonio se regocijaba en el fondo, y se sentía sacudido por esta fuerza humana elemental que casi intuitivamente buscaba su camino. Parecía este hombre como un símbolo de su raza en marcha, creciendo y creciendo. Pero el joven mulato se veía demasiado complicado en su timidez y en su sentimiento de inferioridad, incubado al calor de una sociedad seudo-blanca,[38] a la que no había sabido sobreponerse. Su alma era como un río subterráneo, que solamente asomaba su humedad de repente.

De improviso Lastre ordenó:

—Vámonos ya.

Las tres balsillas repletas despegaron, y sus conductores, con los pantalones arremangados, echaron a caminar tras de ellas, por el lecho del estero de Cupa. Entre el follaje se oía el arrullo de la paloma santacruz.

Pero como en el monte las sorpresas saltan de donde menos se esperan, ya para salir al río Grande, Angulo, que iba a la cabeza,

[37] *que se han de volvé tierra.*—that will return to dust. [38] *incubado al . . . seudo-blanca,*—begotten in the shadow of a pseudo-white society.

quiso apartar con su mano una rama tupida y flexible que estaba al paso obstruyendo el camino y la vista. Metió la mano entre las hojas, para asir el tronco, pero la retiró tan rápidamente que los otros preguntaron en coro:

5 —¿Qué fue?

Mientras se llevaba la izquierda hacia el otro brazo balbuceó:

—Me ha picado un animal . . .

Lastre se acercó, y examinando con brevedad los dos puntos y rasguños paralelos que manaban hilillos de sangre, más arriba de 10 la muñeca, repasó con la lengua su sana dentadura, para asegurarse que no tenía peligro en lo que iba a hacer, y diagnosticó:

—¡Culebra!

Lo ayudó a salir del agua mientras prescribía:

—Subí a la balsilla, y no te mojés, porque te puede dá pasmo.

15 En seguida tomó la mano del mordido y, pegando la boca a la doble y fina herida, chupó cuidadosamente. Escupió luego repetidas veces y volvió a chupar hasta que le pareció haber extraído la mayor parte del veneno. Acto seguido[39] se quitó el cáñamo que sujetaba sus pantalones y lio fuertemente, más arriba del codo, 20 para evitar la propagación de la ponzoña.

Terminada esta operación, se oyó la voz chillona de Azulejo que venía hacia la orilla, donde estaban las balsillas. El chapoteo de sus pies en el agua se oía ahora más fuerte que en momentos anteriores: chaguás, chaguás, debido a la ansiedad y al silencio de los 25 otros dos.

—Ya la maté—dijo—, ¡ha sido una víbora fina!

—Equis, segurito.

—Sí, equis—y mostró un palo corto en el que se veía una culebrita oscura con dibujos en cruz, más oscuros todavía, guindando 30 como un extraordinario fideo.

Ascensión amarró la balsa de Antonio a la propia, y dijo:

—Vamos rápido pa que lo cure don Clemente.

Cangá rezongó entredientes:

—No ve, si estos blanqueaditos no sirven ni pa taco de escopeta.

35 —¿Qué es lo que decís vos?

[39] *Acto seguido*—Immediately afterwards.

—Nada.

Antonio sentía ya un vivo dolor a lo largo del antebrazo, una creciente cefalalgia y un mareo que lo hacía pensar en la proximidad de la muerte. Y, sin embargo, se decía que no podía acabar tan joven. No, no moriría. Bien, pero si así ocurría, quizás eso era lo que más le convenía. 5

En la otra vida no hay clases, ni razas, ni preocupación alguna que amargue el espíritu humano, nada. Y la nada es el vacío absoluto. La negación más desconcertante. Pero quedaba Eva. Ahora que la tenía tan cerca, ¿se le esfumaría como el humo del tabaco o se le escaparía cual un pez sin escamas atrapado momentáneamente entre las manos? No podía ser. Y esto era un asidero de tanta vivencia, que lo hacía aferrarse al existir. 10

Por fin desembarcaron en la casa, después de un tiempo muy largo, cercano a la eternidad. 15

—Venimos con un picao de culebra—gritó Cangá desde el paso.

Cuando Eva vio a quien traían, a pesar de su cutis prieto, una palidez asomó a su rostro, y no pudo articular palabra. No así don Clemente, que con prontitud buscó unos polvitos blancos que guardaba en un bototo y que no eran otra cosa que cáscaras de huevos tostadas y molidas. Los puso en una taza, les echó un poco de Kerosén, y, después de revolver este brebaje, dijo a Antonio. 20

—Tomá esto. Bebételo como agua.

Más tarde le hizo tomar una gran cantidad de jugo de limón. En la mordedura colocó un emplasto de yerbas que él personalmente salió a buscar y que eran un secreto de curanderos. 25

Y Angulo fue mejorando a ojos vistas,[40] aunque el cordel estaba casi perdido en la hinchazón del brazo. La mulatita de los ojos aromados se portó más solícita que nunca, durante los tres días que estuvo obligado a guardar cama.[41] 30

Antonio hacía un insuficiente redescubrimiento de todo lo que le había rodeado hasta allí, en esa morada:

Colgado de un clavo herrumbroso, permanecía, lleno de misterio, el bototo decorado a punta de navaja, de donde extrajera don Clemente los polvos curativos, y en el suelo, en media sala, la piel 35

[40] *a ojos vistas*,—visibly; before one's eyes. [41] *guardar cama*.—to stay in bed.

del puma que trajera Ascensión: abierta, mostrando su pelaje terroso y pardo, intentando un imposible abrazo sobre el piso y amenazando con sus órbitas sin pupilas y su cabeza sin huesos, a través de la puerta, la tranquilidad de Antonio. Mientras oía el tarraac-tarraac de la hamaca de don Clemente, su olfato descubría, por vez primera, que todo el ambiente estaba siempre impregnado de un característico olor de pucho, de damajagua vieja y de pescado salado. Los pasos aéreos de Eva se acercaron, y su corazón aceleró el ritmo. Al sonreír la chica, mostró su linda dentadura. Sin proferir palabra, se sentó en una rústica silla que había cerca de la tarima.

Se miraron honda y comprensivamente, hasta que ella bajó la vista en la que él creyó adivinar la satisfacción de su mejoría.

Ella veía al joven un poco demacrado y pálido, más rucio que pálido, por la cama de tres días, y sin embargo le parecía bello: estaba enamorada, sin duda. Junto a él perdía aquel dulce miedo instintivo para los hombres, que antes la mortificaba tanto. Jamás había besado a nadie en un beso de amor, no sabía hacerlo, pero creía que podría hacerlo en esos momentos. Tan femenina como era, y no siendo costumbre descubrirse a los hombres, no se atrevía a tomar iniciativa abierta. Esperaba sencillamente, porque había oído que es un gran don el saber esperar.

Sin mirarlo, rompió a hablar con voz melodiosa, igual que una caricia, con aquella voz de contralto que tanto le agradaba.

—La santa de mi devoción es muy milagrosa. Nunca me niega nada. En estas noches le pedí que le sanara a usted, y me lo ha conseguido.

—Ignoraba que usted se interesara tanto por mi salud. No sabe cuánto es el bien que me hace, Evita.

Se incorporó en el lecho y prosiguió, deseándola a su lado:

—¿Es que acaso usted siente lo mismo que yo?

—No me lo pregunte, Antuco.

Antonio comprendió—no podía ser más claro—, y fue hacia la chica. La besó con ternura agradecida y con pasión creciente. Ella permanecía pasiva, pero estremeciéndose al contacto del hombre amado. Poco a poco fue devolviendo las caricias. Una tibieza arrobadora e incitante despedía su cuerpo que, al tacto, Antonio descubría de carnes duras y elásticas, cual un andullo de caucho.

Don Clemente tosió y llamó a su nieta, la que se desprendió asustada y salió presurosa, arreglándose el cabello desordenado, y sintiéndose como ingrávida, aérea. 5

Más atrás apareció, ante los ojos de don Clemente, Antonio, completamente restablecido y saludando.

El viejo le contestó:

—Me alegro verlo ya fuera de peligro.

—Gracias a usted, don Clemente. 10

—No tanto. Ya hubiera querido ser yo como uno de esos curanderos experimentados que saben haber.[42] Lo cogen al picado, le dan tres nalgadas y le dicen: «Andá a bañarte», y al momento lo dejan buenito y sano.

—Parece imposible. 15

—Es que ellos ya tienen la mano curada con toda contra. Y fíjese, al buen curandero nunca le pica víbora.[43] Lo mismo que a la mujer preñada.

[42] *que saben haber.*—for *que suelen haber;* that you find around. [43] *al buen curandero . . . víbora.*—a good doctor never catches a disease.

ROGELIO SINÁN

(PANAMÁ 1904)

Sinán nació en la isla de Taboga, en Panamá. Hizo estudios secundarios en su patria y universitarios en Chile e Italia. Ha vivido en Francia y en el Oriente. Fue Cónsul en la India, Agregado Cultural a la Embajada de su país en México y, actualmente, se desempeña como profesor en la Universidad de Panamá.

A Sinán le conocía yo por sus cuentos y por una novela, *Plenilunio*, que le sindicaban como un extraño escritor: curiosamente apolítico en un país como el suyo donde todo intelectual siente, tarde o temprano, la obligación de definirse y poner su obra al servicio de una ideología. En 19. . . tuve la oportunidad de comprender mejor su actitud. Durante el verano de ese año fuimos huéspedes de la Universidad de Puerto Rico y una noche, cansados de formalismos académicos y latosas reuniones pedagógicas, subimos en el automóvil de un senador independentista e iniciamos un viaje que nos iba a llevar por todos los ámbitos de la pequeña isla. Durante el viaje hablamos. Hablamos de todo y, por supuesto, de su obra literaria. Sinán es un moreno andarín que lleva consigo una visión mágica del mundo. Ve a la naturaleza como una gran semilla que madura en densos humores tropicales y revienta, inesperadamente, enloqueciendo a los seres que con ella conviven. Todo en ella se mueve con un lento ritmo sensual. Hay momentos en que los personajes de sus relatos caen bajo el dominio de crueles circunstancias creadas por mano enemiga. Entonces Sinán reacciona con ironía. Nunca con pasión. Muy consciente de los problemas sociales—, especialmente raciales—, que atormentan a su pueblo, Sinán les aplica una crítica indirecta a través de sátiras y caricaturas. Véase, por ejemplo, su cuento «Todo un conflicto de sangre» en el volumen *La boina roja.*

El verdadero arte de Sinán está hecho a base de sensaciones extrañas y móviles misteriosos en ambientes de raigambre poética. Pienso en su novela *Plenilunio* o en cuentos suyos como «A la orilla de las estatuas maduras» y «Hechizo». Acaso pesa en él todavía la herencia de un exotismo que tuvo su mejor época a principios de este siglo. Algo dariano, con marcas de Loti y Lord Dunsany. Se salva, sin embargo, de la retórica que persiguió a ese exotismo, a fuerza de preocuparse por las cosas de su país y por el drama de su pueblo. Siendo un escritor de inspiración universal, Sinán es profundamente panameño y en este hecho se basa el ascendiente intelectual de que goza en su patria. Por otra parte, aunque cronológicamente pertenece a una generación anterior, la esencia experimental de su obra, así como el neosimbolismo trascendente que la anima en sus mejores momentos, justifican su inclusión en esta antología.

OBRAS

NOVELAS: *Plenilunio*, Panamá, 1947; 2ª ed. México, 1953.
POESÍA: *Onda*, Panamá, 1929. *Semana Santa en la niebla*, Panamá, 1949.
CUENTOS: *La boina roja*, Panamá, 1961 (incluye: «La boina roja», «A la orilla de las estatuas maduras», «Hechizo», «Sin novedad en Shanghai», «Todo un conflicto de sangre», y «Lulú ante los tribunales»).

LULÚ ANTE LOS TRIBUNALES[1]

Y ahora, señores, tabla rasa. Nuevo Gobierno. Nuevos métodos. ¡Afuera el enemigo y paso a la juventud! ¡Oh, Democracia! ¡Bendita Democracia a cuya sombra eran posibles los cambios violentos! ¿Qué no? Pues ahí estaba la prensa. ¡Los nuevos decretos! Infelices empleados de ayer, periodistas, maestritos, eran hoy gente bien, gente de Cadillac propio, chalet en las afueras y otras cosas.

—Yo mismo, hasta hace poco, ¿quién era? Un infeliz empleado de tres al cuarto, ¿Y ahora? ¿Quién soy? ¿Quién soy? ¡Ah!

Chan Solé se alegraba cuando tenía auditorio. Se entusiasmaba tanto, que casi nunca faltaba a su tenida de cada tarde en la Plaza. Se sentía satisfecho hilvanando pronósticos y comentarios.

El viraje violento de la política lo había vuelto Fiscal. ¡Y ahora sí! ¡Iban a ver! ¡Al traste los relajos y las bellaquerías! Había que

[1] From *La boina roja* (*cuentos*).

renovar las viejas prácticas. Sacudir el polvillo. Dorar la tradición con las nuevas ideas. ¡Sí, señor! Innovar, innovar . . .

Pero nunca faltaba quien le contradijese para verlo estallar.

—Innovar, sí. Está bien. Pero hasta cierto punto, amigo mío.

5 —¿Cómo hasta cierto punto? ¡No, señor! ¡Renovación completa! ¡Nuevas ideas! ¡Nuevos métodos! ¡Nuevas costumbres! ¡Hay que avanzar, qué diablos!

—Me va usted a decir que ese asunto de las placas de perros . . .

—Bueno . . . Eso, después de todo, no es nada nuevo. Lo hacen 10 en todas partes. Sólo que aquí es difícil, naturalmente. Porque lo que hay, ya no se llama democracia, sino relajo. ¡Un poco de orden falta, amigo mío! ¿No ve usted tanto perro por la calle?

—Pues que paguen su impuesto o que no salgan. Así resolveremos por lo menos uno de nuestros grandes problemas: el de los 15 perros callejeros.

—Eso estaría muy bien si se aplicara la ley por igual, pero las cosas distan mucho de ser así.

—Anda usted muy errado, querido amigo. Este Alcalde no juega. Ha aplicado la ley por igual. ¡Sí, amigo! ¡Sépalo!

20 —¿Y por qué entonces no le aplican la ley al perrazo del Belga?

—¿Qué Belga?

—¿Y qué Belga va a ser, amigo? ¡El Belga Loy! ¿No sabe usted que ha vuelto de la guerra con un perro alsaciano magnífico?

—Y dice usted . . .

25 —Que no le han aplicado la ley. Anda sin placa.

—Oh, en cuanto a eso, ya se la aplicarán. No se preocupe.

—¡No hay tal! ¿Quién va a atreverse? ¡Si es un perrazo enorme! ¡Perro de guerra, amigo mío! No se sabe cuántas muertes lleva encima. Ahí lo verá usted echado en la tienda del amo, siempre en 30 la puerta. ¿Quién entra? ¡Yo no! Por mi parte, si sólo hubiera ropa en ese almacén preferiría andar desnudo. ¡Con el miedito que les tengo yo a los perros!

—Y dice usted que . . .

—¡Un portento, le digo! Sirvió mucho en la guerra llevando 35 mensajes. Y no había «tu tía»,[2] hombre que lo atacaba era hombre

[2] *Y no había «tu tía»,*—And there was no helping it.

muerto. ¡Una sola mordida, un remezón, y, listo! ¡Sangre afuera se ha dicho! ¡Y un sinfín de medallas! ¡Venga, venga! Ya lo verá usted mismo. ¡Pero mucho cuidado! ¡No acercarse! Es un perro de presa. ¿Sabe cómo se llama? ¡Karonte!

A Chan Solé le gustaban los perros. Allá en su pueblo había tenido una perra lanuda, canela-clara que era una maravilla. ¡Qué cariñosa y buena! ¡Era inteligentísima! ¿Y cazando? ¡La plata!

—¿La maté, sabe usted? Por error. Fui a cazar, una noche, con magnesio . . . Vi sus ojos brillantes allá lejos . . . Creí que era algún tigre . . . Disparé.

—¿Cómo? ¡Si aquí no hay tigres!

—¿Qué quiere que le diga? ¡Miedo no más!

El Alcalde, en efecto, había puesto en vigor el asunto de las placas para perros. La evidencia del pago del impuesto era una chapa de cobre. Todo bicho canino que anduviese merodeando por esas calles de Dios, sin su plaquita, sería puesto en chirona.

Y habíanse destinado dos o tres divisiones del antiguo matadero para cárcel de perros vagabundos.

Allí, cerca del mar, aspirando el tufillo de perros y de puercos (que, sin perdón, así se llaman), iban dueñas y dueños a escuchar sus gemidos y a mirarlos menear la colita a través de las rejas, sin poder—¡pobres animalitos!—acariciarlos siquiera.

Y, muchas veces, las graciosas amitas de los perros, que a menudo eran mozas del partido, ni podían acercarse, porque por más que se llevasen a la nariz sus aromáticos pañuelitos—¡ay, Señor, qué hedentina!—no resistían aquellos aires.

Y todo el santo día veíase por las calles a un viejo carretón, parapetado a manera de jaula, tirado por la sombra de un caballo y montado por dos negros de presa andrajosos y mal olientes. Uno de los mulatos casi siempre iba a pie llevando al hombro una mugrienta y enorme red muy parecida a ésas que sirven para cazar mariposas. Orgulloso de su cargo municipal, iba cantando siempre su jolinyú, sin importarle un bledo lo que dijesen. Apenas atisbaba a un perrillo sin placa, se le acercaba sigiloso, la red preparada, los ojos salientes, la nariz olfateante, y una maligna satisfacción en todo el rostro.

Las vecinas piadosas lograban a veces espantar al inocente perrito antes que lo atrapara el perrero . . .

—¡Huye, perro! ¡Zoquete!

El negro les echaba mil pestes en su slang recién llegado de Jamaica. Pero, otras veces, que eran las más, el negro conseguía echar sobre el perro la red, y, ya atrapado, lo llevaba triunfante a la carreta, donde el otro antillano lo esperaba ululante de júbilo. Hacinados en el trágico carretón iban los pobres perros prisioneros, lamentándose plañideramente, mientras los dos mulatos tarareaban alegres su sandunguero jolinyú.

Los chiquillos seguían a la carreta, divertidos con la infernal batahola que se armaba cada vez que el mulato pretendía echarle mano a un canino.

Y, a pesar de que los pobres perreros no hacían más que seguir órdenes superiores procurando que se cumpliera la ley, se les rendía en todas partes una cordial odiosidad. Y más de una vecina hubo que, sin reparos de pacotilla, se echaba las manazas a las caderas y se ponía a insultar a los mulatos con su mejor colección de hijos de . . . la «mala palabra» como decía don Ricardo Palma.

A pesar de todo, el fúnebre carro salía cada mañana a la caza de perros. Y, al caer la tarde, nuevos ladridos lastimeros golpeaban las murallas del viejo matadero.

¡Cuánta niña inocente no unió allí sus lamentos al de las pobres bestias!

El Belga Loy contaba un sinfín de historietas de Karonte. Cuando hablaba del perro, era más belga que nunca. Entonces pronunciaba el español con más acento flamenco. Pronunciaba las erres como «G», y, en vez de perro, por ejemplo, decía «pego».

—¡Kagonte es un gran pego! . . . ¡No tiene igual! . . .

Y mostraba orgulloso el pedigree de Karonte. Era un auténtico ejemplar alsaciano. Y contaba historias espeluznantes a propósito de una espía alemana, brava hembra venida de Estrasburgo; aventura romántica, que, como él decía, habíase deslizado sobre el filo de las bayonetas; y cuántas piruetas se había visto obligado a realizar para salvarla. Testimonio ululante de estos amores era Karonte, fiel compañero de trincheras. ¡Y qué buenos servicios había prestado a la Cruz Roja durante la Gran Guerra! Transporte de mensajes; de heridos; de comidas; de alambres telefónicos y pare usted de contar ... ¡Lo habían condecorado tantas veces! ¡Sí, señor! Y hasta le propusieron comprárselo. ¡Pero, qué! ¡Nada de eso! Karonte era para él como una especie de recuerdo sentimental. Por tal motivo se lo trajo consigo. Caro era el viaje, ¡eso sí! ¡Un dineral! Pero Karonte se merecía eso y mucho más (sobre todo por lo de la Walkiria). En el vapor había sido el encanto de los viajeros. ¿Y por qué no decirlo? Hasta una nueva aventurilla le había proporcionado. ¡Sí, señores! ¡Qué maravilla de pego! Saltaba, que daba gusto verlo ... ¡Tres metros, por lo menos! Y eso que muchas veces, bueno ... ¿Una placa de cobre? ¡Ni esperanza! Si le dejaban hacerle una de plata, estaba bien ... ¿Cruzarlo? ¡Nada de eso! No había perra para él. Pues cruzar a Karonte con cualquier gozquezuela de los palotes era un vil atentado contra el pudor. Estaba bien cruzarlo con una perra fina, ¡claro! ¡Y eso, de acuerdo con ciertas condiciones, bien entendido! O la mitad de los cachorros o un buen porcentaje sobre la venta de estos. ¡Ni más ni menos! Por eso había rehusado entrar en tratos con doña Aldina, la vecina de enfrente. Ella se había acercado a verlo con la idea de cruzar a su perrita Lulú con Karonte. ¡Ésa sí que era buena!

—No niego que Lulú sea una perrita fina. ¡Oh, no! ¡Entendámonos!—le decía a su ayudante—; lo que a mí me rebela es la ridícula . . . sí, señor, la ridícula pretensión de creer que porque ella es más o menos bonita, y porque Lulú se pasa el santo día coqueteando desde el balcón con Kagonte, yo voy a permitir que el cruce se efectúe sin ninguna ganancia de mi parte. ¡Un cachogo! ¡Quería darle un cachogo solamente! ¡Vaya a comer albóndigas la viuda![3]

El ayudante le daba siempre la razón con un meneo de cabeza. Tenía, por experiencia, conocimientos profundos como éste: que cuando un dependiente contradice al patrón se corre el riesgo de

[3] *¡Vaya a comer albóndigas la viuda!*—Let the widow go fly a kite!

cambiar de almacén. Sabía también que, a su vuelta de Europa, el Belga Loy había intentado conquistar a la viuda al abordaje. Hubo sus arrumacos y carantoñas. La sirvienta de doña Aldina le pagaba a él sus besos con noticias del caso. ¡Y en ciertos días, qué idilio! Sin embargo, de pronto, como si un chaparrón les hubiese caído, aquel incendio voraz se había apagado. Se dijo que las uvas estaban verdes, etc. La verdad es que el muerto dejaba más deudas que plata. ¡Y por supuesto!

Lulú, la perrita de doña Aldina, era de veras un precioso ejemplar de coquetería canina. Graciosa y zigzagueante como su dueña, quien, desde la no muy lejana muerte de su marido, ya había dado bastantes traspiés, sin encontrar aún el brazo fuerte y acogedor que ella anhelaba.

Bien lavadita, toda blanca, y con un lazo en el cuello, diariamente de diverso color, aparecía Lulú cada mañana, muy sentadita en su sillón. El mismo sillón verde en que el finado—¡Dios lo tenga en la Gloria!—tomaba el sol cuando vivía. También ella, Lulú, tomaba el sol en el vetusto balcón. Sí, en el balcón solamente, y nada de ir a la calle, porque esa placota de cobre no la podían llevar perritas decentitas como ella. Nada de placas sucias. Su lacito de seda solamente. ¡Tan linda!

Abajo, en el portón de la tienda, estaba ya sentado, invariablemente, el soberbio Karonte, mirando con sublime desprecio a los curiosos que, con cierto recelo, se mantenían a respetable distancia para admirarlo.

Arriba, ella, Lulú, cada vez más coqueta e insinuante, hacía tantas zalemas cuantas su dignidad de perrita educada se lo permitía.

De vez en cuando lanzaba unos chillidos caprichosos y muy a tono con su caninidad, para llamar la atención del impasible estrasburgués. Pero Karonte apenas alzaba la vista, la volvía a bajar con profundo desprecio. ¡Mejores perras había visto en Europa! ¡No faltaba más! ¡Puaf! ¡Una perrita insignificante!

Pero a pesar de esa sublime indiferencia, la graciosa constancia de Lulú había calado bien hondo, grado a grado, en sus templadas fibras de macho aguerrido. Poco a poco fue poniendo su vista en el soleado balcón, hasta que, al fin, la dejó allí clavada para no darse el trabajo de bajarla.

Una mañana, doña Aldina, descubrió el idilio canino, y, encantada, naturalmente, de la profunda experiencia científica—solamente científica, ¡ah!—que hubiera resultado de aquel cruce, había bajado inmediatamente a ver al Belga, con la seguridad que él aceptaría, por gentileza e interés científico . . . ¡Y, lo que son las cosas! . . . ¡Qué rabia! ¡Se lo hubiera querido comer! Haberse el Belga negado, únicamente por maldad, y por celos de Jorge, eso era claro, a un experimento tan formidable. ¡Ah! ¡Chocante! ¡Bah! Y desde entonces . . .

—¿Oíste, Carolina, mucho cuidado, oíste? ¡No dejes que Lulú salga más al balcón!

—¡No faltaba más! ¡Lulú! ¡Lulú!

Y Lulú no salió más al balcón.

Pero el ama propone y la perra dispone.

Una mañana, la señora Aldi había salido muy temprano a hacer sus ejercicios espirituales con Jorge.

Carolina dejó abierta la puerta para que entraran sin llamar los recaderos de siempre, mientras ella aprovechaba la ausencia de la señora para darse un buen baño. Lulú, desesperada por ver a su Karonte, bajó las escaleras y, muy oronda y satisfecha, se puso a menear la colita en el zaguán, lanzando sus grititos para que se acercara Karonte.

Karonte no se movía nunca de la tienda.

Sin embargo, la atracción femenina era realmente irresistible. No tendría más trabajo que cruzar la calle en dos saltos y ya estaría al lado de ella. Lulú seguía ladrando caprichosa, moviendo las orejas y la cola; Karonte no podía, no resistía ya más. Había ya procurado dos veces levantarse, pero el Belga, desde el fondo de la tienda, lo había obligado nuevamente a sentarse con una orden guerrera.

Lulú cambió de táctica y se lanzó a correr coquetamente por la acera. Se alejaba, saltando, lo bastante para aumentar la inquietud de Karonte. Luego volvía traviesa al punto de partida . . . y seguía coqueteando.

—Jolinyú, jolinyú . . .

La fúnebre carreta de los perreros se acercaba llena de aullidos 5 y de rabitos.

El negro de la red vio a Lulú desde lejos.

Y, a pesar del lacito, supuso, por instinto salvaje, que la perrita no llevaba placa.

Con expresión de júbilo, con pasos de leopardo y con la red 10 preparada, el perrero fue aproximándose a su víctima.

Karonte había olfateado la intención del mulato, y, a pausas militares, se le había ido acercando lentamente. Ya estaba allí a dos pasos tras él.

De repente, el mulato presintió la inminencia del peligro. Miró 15 atrás . . . ¡My God! Preparado ya para el salto, Karonte lo miraba con unos ojos fijos, terribles. El perrero intentó alzar la red para golpearlo con ella; pero el gran pánico le restó agilidad. Y Karonte se echó como flecha sobre él . . .

—¡Jesus Christ!!!!

20 Fue una maniobra rápida, instantánea. Los que oyeron el grito aterrador del mulato, corrieron, pero nadie se atrevió a interceder. ¡Ni pensarlo! Y aunque el Belga salió casi en seguida, ya fue tarde. A un lado de la calle estaba el cuerpo del enorme antillano, boca arriba, con la garganta deshecha a dentelladas. Un gran chorro de 25 sangre empurpuraba la acera.

Asustada por el crimen—¡Qué horror!—Lulú se había subido al balcón. Y, como si tal cosa, Karonte estaba ya muy sentadito frente a la tienda limpiándose el hocico ensangrentado.

Se aglomeró la gente. Los curiosos salían de todas partes. Y 30 aquellos que, debido a la gran muchedumbre, no podían ver, indagaban.

—¿Qué ha sucedido?

—¿Qué pasa?

—¿El perrazo Karonte?

35 —¿Mató al Belga?

—¡Bien hecho!

—¡No! ¡No! Parece que . . .

—¿Un negro mató al perro? ¡Imposible!

—¿Y doña Aldina? ¡Qué milagro que no está en el balcón!

La policía. La prensa. Los empleados del Hospital. Unos se daban maña para llevarse al muerto. Otros dificultaban la tarea.

—¡Un momento! ¡Un momento!—decía Cabredo, el fotógrafo. —¡Una instantánea!

Se pusieron en pose tras el cadáver.

—¡Clic!

Y un empleado muy competente, lápiz en mano, comenzó a hacer las investigaciones del caso para llegar a la verdadera causa del crimen.

El asunto era increíblemente complicado, por mil razones.

—Porque, ¡claro!—decía Chan Solé—los dos perros, al estar en la calle sin placa, contravenían la ley . . . Y el crimen fue cometido, precisamente contra la autoridad encargada de hacerla cumplir.

—¿Qué autoridad? ¿El negro?

¡Ah, amigos míos, no me irán a negar que el negro representaba allí a la autoridad . . .! Y nada menos que al Alcalde.

Y como todos le hacían señas, indicándole que justamente a sus espaldas, estaba un familiar del Alcalde, Chan Solé se turbó.

—¡Pero es que yo no digo que el Alcalde sea un negro! ¡Háganme ustedes el santísimo favor de entenderme! Lo que quiero decir es que el perro . . . No, el negro . . . Me estoy confundiendo . . .

—A pesar de todo eso, —decía otro, —la única pena que puede aplicársele a la perra es el pago del impuesto, ya que está demostrado que el perro del Belga había pagado el suyo.

—No había pagado nada, ¡qué diablos! ¡Ya vienen con chanchullos!

—¡Ah, no, amigos! El asunto es más complicado de lo que ustedes piensan.

Y, el que hablaba, pretendió descifrar el gran intríngulis con ademanes y con voz de misterio.

Resultaba que el negro era una especie de caciquillo político de Calidonia . . . Y la hermosa mulata que lo lloraba . . . ¿Cuál mulata? ¿No la habían visto todos? ¡Adelaide! ¡Muy conocida! En la

Morgue tuvieron que agarrarla. Quería entrar a la fuerza. Parecía una pantera. Mordió a uno. Y por la noche no hizo más que llorar en el velorio. Se decía, sin embargo, que aquellos aspavientos eran un tanto exagerados, ya que ella era refugio de pecadores. Y, entre estos pecadores, ¡cuántos santos varones de coturno!

A todo grito voceaban los chiquillos el semanario ilustrado. Se les veía contentos. Se anunciaba una buena venta. Corrían de un lado a otro. Se acercaron al grupo. Casi nadie compró, pero todos miraron el contenido.

El semanario traía un sinnúmero de fotografías interesantes. En primer plano se destacaba la figura radiante del Belga Loy, vestido de soldado, con su gorrita de medio lado. La foto de Karonte no se veía muy bien: parecía que el fotógrafo hubiera tenido sus recelos al tomarla. La figura del muerto se veía varias veces: en la Morgue, desnudo, después de la autopsia; en la calle, con los de la ambulancia y los curiosos que nunca faltan; y en un grupo sombrío donde se le veía en vestido de baño con otros criollos. También había una foto carnavalesca de la mulata, vestida de manola, que decía en una esquina: «Kiss me darling . . . Adelaide».

—Prefiero a la morena, —dijo alguien.

—Dejando el juego aparte, debemos aceptar, señores, que aquí se ha cometido un auténtico crimen y hay que castigar al culpable.

—¿Habla Chan o el Fiscal?

—¡Habla, carajo, la justicia!—repuso Chan, algo violento.—Porque tú, Lapicito, eres medio familia del Belga o qué se yo; pero te aseguro que este asunto va a ir lejos. Te lo dice el Fiscal.

Y el Fiscal no mentía. El asunto fue lejos.

Se formaron dos bandos macizos. Dos bandos que, al principio, sólo se limitaron al caso concreto, tratando de aclarar la mucha o poca responsabilidad del Belga en el asunto. ¿Pero, después? ¡Qué aguaje! Había además un testimonio secreto de alguien—a lo mejor era el dependiente, ¡vaya usted a saber!—que juraba haber oído cuando el Belga, refiriéndose a los pobres perreros, exclamaba colérico.

—¡Como vengan, les jupo el perro!

Y se encendieron tanto los ánimos que hasta llegaron a formarse dos bandos perfectamente definidos: uno, en contra; otro, en pro del Belga.

Para colmo de males, se sabía que pesaba sobre él algo así como una especie de excomunión. Cosas de arriba, decía la gente. Y se veía bien claro que los que estaban a favor de Karonte pertenecían a las huestes caídas en la última campaña electoral.

Malas lenguas habían dado en decir que era doña Aldi quien removía el cotarro; y, además, se insinuaba no se qué de don Jorge y de un contrato; pero éstos eran dimes y diretes.

Lo cierto es que los negros ya clamaban venganza por la preciosa sangre derramada. Y alguien aseguraba que en un cierto escondrijo de Calidonia, se celebraban por las noches los diabólicos ritos del vudú.

Todo esto hacía que el Belga no las tuviera todas consigo.

Cuando el Zurdo Medina, abogado de la zamba Adelaide, fue a verlo para intentar un arreglo amigable mediante una sumita,—¡oh, casi nada, total unos diez mil!—, el Belga Loy montó sobre las furias, y muy poco faltó para que no jupara—¡ahora sí, de veras!—a Karonte. Menos mal que el perrazo estaba ahora ligado, con su bozal y todo, condición *sine qua non*,[4] como dijo el Alcalde, cuando el Belga fue a verlo y a rogarle que no metiera en el Matadero a su adorado alsaciano.

Pero el Zurdo Medina, que ya sentía entre dientes el sabroso bocado que iba a restarle a los Diez Mil, se mantuvo en sus trece. ¡O los diez mil o nada!

—¿Diez mil pesos? ¿Por un negro indecente? ¡Oh, no faltaba más!

—Yo le digo que es poco y que lo piense. Mire usted que si el asunto sube a los tribunales será peor para usted.

—¡Hagan lo que les plazca! ¡Yo no pago ni medio!

Y el asunto subió a los tribunales.

La sala estaba llena de gente. No había sitio donde sentarse. Y

[4] *condición* sine qua non,—an absolute must or condition.

ni siquiera era fácil el acceso a los corredores, En la calle ondulaba la torva y bullanguera muchedumbre de siempre. Mujeres, niños, hombres. Todos querían entrar; pero ya estaba restringida la entrada. Así lo había dispuesto un empleado oficioso de la Oficina 5 de Seguridad. Afirmaba que, como la casa era de madera, podía venirse abajo.

Su ciencia era precisa.

Pero esto no fue obstáculo para que él mismo dejara entrar a una trigueña hermosa que llegó muy oronda, toda llena de gracia y de 10 jazmines.

—¡A los ángeles, sí, porque no pesan!

Y se subió tras ella, dando lugar así a que se subieran también los polizontes y todo el público que estaba en la calle.

De la sala salía un vaho severo, maloliente y pesado.

15 El Juez hizo sonar la campanilla.

La ola humana onduló todavía un poco mientras se acomodaba.

—¡Silencio!

Comenzó la lectura del expediente.

Los que estaban entre los corredores distinguían apenas el 20 silabeo.

—¿Qué es lo que dice?

—¡No se oye!

—¡Que lean alto!

El Juez hizo sonar la campanilla de nuevo.

25 —¡Silencio! ¡Silencio!

La lectura siguió con exacta frecuencia y volumen.

La sala quedó muda.

En el estrado, impasible y orondo, como si aquella fiesta no le incumbiera, estaba el gran Karonte acomodado cerca de su amo. 30 El Belga Loy se notaba nervioso. El Fiscal Chan Solé escribía no sé qué en unos papeles. El doctor Loria, abogado del Belga, sonreía satisfecho. El caudal de oratoria que le ofrecían los servicios del perro durante la Gran Guerra era un precioso argumento para lucirse y arrastrar simpatías. El Zurdito Medina, en cambio, a 35 pesar de saber que todo el elemento sombrío de la sala estaba a su favor, y que apenas hiciera sentarse en el estrado a la mulata

Adelaide, que estaba allí, graciosa, con sus ropas de duelo, la causa triunfaría; a pesar de todo esto, y a pesar de tener la plena conciencia de defender, como él decía, la causa de la justicia, tenía un cierto recelo . . . Era gran orador el doctor Loria. Si se salía con una de las suyas, podría arrancar aplausos. 5

Privados de la vista y del oído, aunque no del olfato, los que permanecían entre los corredores, al notar nuevamente el rumor de la sala, preguntaban:

—¿Qué pasa, qué pasa?

—¿Ha terminado la lectura del expediente? 10

—¡Ah . . .! Por mi parte . . .

Nuevamente se oyó la campanilla del Juez. La ola de ruidos fue a romperse contra los corredores y aún rugió allá un momento.

Alguien había tomado la palabra.

—¿Quién está hablando? 15

—¿Qué dice?

—¿El Fiscal? ¿Y por qué habla el Fiscal?

—¡Más alto! ¡Más alto!

Cuando de pronto, nadie sabía por quién llamada, ni de dónde salida, apareció, con su Lulú en los brazos, doña Aldina, la viuda. 20

A su lado, un agente le abría paso dándole explicaciones.

—¡Es necesario, señora! ¡Usted comprende!

Y, al entrar en la sala, ¡qué alboroto!

—¿Qué pasa? ¿Qué ha pasado?

—¡No empujen! 25

—¿Han ordenado desalojar?

—¿Y esa vaina?

—¡Que bajen dicen!

La ruidosa avalancha descendió la escalera y se hizo un remolino en la calle. 30

Ayes. Silbidos. Imprecaciones.

Desde abajo se distinguían apenas los gritos del que hablaba.

Un policía a caballo hacía piruetas. El animal se encabritaba a veces y resbalaba con gran estrépito.

De vez en cuando alguien gritaba desde arriba: 35

—¡Ya comenzó Medina!

—¡Ahora está hablando Loria!

Y se oían los aplausos de los pocos que habían quedado arriba.

De pronto llegó una orden contradictoria.

—¡Que suba el pueblo!

Y la ola se lanzó rumbo arriba . . .

—¡Mi sombrero!

—¡No empujen, carajo!

—¡Orden! ¡Orden! ¡Respeten!

La marea fue regándose, a la buena de Dios, en la sala.

No había persona en el estrado.

—Están deliberando, —explicó Lapicito.—Todos se hallan adentro.

—¡Nada de eso!—dijo otro.

—¿Qué pasa entonces?

—Que el Belga y la viudita están rindiendo declaración privada.

—¿Sigue entonces la discusión?

—¿No se ha acabado?

—¡Qué va! ¡Si esto va largo! También está allá dentro la mulata . . .

—¡Qué lío! Yo creo que el Belga se va a enredar al fin con Adelaide.

Los que, gracias al sagrado desorden, no habían podido entrar, estaban ya aburridos entre los corredores con ganas de irse, cuando, de pronto, otra vez la infernal batahola.

Venían de adentro gritos, aullidos, bastonazos y toda clase de ruidos.

Chillidos de la viuda. Maldiciones del Belga. Ladridos de Karonte. Lamentos de Lulú.

—¿Qué sucede?

—¿Otro muerto?

—Parece que . . .

—¿Karonte?

—¿Está rabioso?

—¡Huye! ¡Huye!

—¡Ay, mi madre!

Pero, del público que estaba en la sala, se elevó de repente una solemne carcajada. Todo el mundo reía. La bullanga aumentaba.

Y Lapicito, al fin, hecho unas Pascuas, explicó el laberinto.

¿Qué pasaba? ¡El disloque! Que mientras los señores discutían afanosamente el modo de salir del berenjenal, la traviesa Lulú había logrado acercarse a Karonte y ambos, de mutuo acuerdo, 5 habían creído oportuno aprovechar la alta presencia del Tribunal, para cumplir al menos con lo Civil . . .

VOCABULARIO

VOCABULARIO

The following types of words are not included in this vocabulary: 1) words of high frequency and easily recognizable cognates of familiar English words; 2) articles, personal, demonstrative, and possessive pronouns and adjectives save in special cases; 3) cardinal numbers; 4) names of the months and days of the week; 5) adverbs in *-mente* when the corresponding adjective appears; 6) verbal forms other than infinitives except for uncommon irregular forms or past participles with special meanings; 7) common augmentatives, diminutives in *-ito*, *-illo*, and superlatives in *-ísimo* except in special cases; 8) proper nouns, and cultural, historical, and geographical items explained in the footnotes.

The gender of nouns has generally not been indicated for masculine nouns ending in *-o* and feminine nouns ending in *-a*, *-dad*, *-ez*, *-ión*, *-tad*, and *-tud*. The feminine form of adjectives has not been given, and nouns which have both masculine and feminine forms are generally given only in the masculine.

Abbreviations used: *adv.* adverb; *Am.* Hispanic America; *arch.* architecture; *Arg.* Argentina; *aug.* augmentative; *bot.* botanic; *coll.* colloquial; *dim.* diminutive; *elec.* electricity; *eng.* engineering; *f.* feminine; *fig.* figurative; *Fr.* French; *m.* masculine; *med.* medical; *Mex.* Mexico; *n.* noun; *naut.* nautical; *orn.* ornithology; *P.* Peru; *Pan.* Panama; *Par.* Paraguay; *pl.* plural; *p.p.* past participle; *prep.* preposition; *psych.* psychology; *S.A.* South American; *v.r.* reflexive verb; *vulg.* vulgar.

A

abanico fan
abatido dejected, spiritless, downcast, crestfallen
abatirse to be disheartened, depressed
abismo abyss, pit; hell
abitar to wind (*rope or cable*) around a bitt
ablandarse to soften, mellow, relent; melt; *coll.* to let up
abogado lawyer, advocate
abordaje *m.* boarding (*a ship*); **al —**, upon boarding ship
aborrecido fed up; hated
aborrecimiento abhorrence, hate, aversion
aborregado covered with fleecy clouds; *P.* foolish

aborto abortion, miscarriage; monstrosity
abrasador burning
abrazado hugging, pressed, nestled
abrazar to embrace
abrigo topcoat; shelter; protection
abrir to open; — **paso** to lead the way; **en un — y cerrar de ojos** in the twinkling of an eye
abrumador overwhelming, crushing; wearisome
absorbido absorbed, engrossed
absorto absorbed in thought; amazed
abstraído retired; oblivious, abstracted
absurdo absurd, nonsensical; *m.n.* absurdity, nonsense
abundar to abound, teem
aburrido bored, weary, wearisome
abuso abuse, abusiveness, overuse, misuse
acabado perfect, faultless; worn out, wasted, aged
acabarse to grow feeble *or* less; consume, run out; be finished, end
acariciante caressing, fondling
acariciar to pet
acceso access
acción action; feat; stock, share
acechanza waylaying, snare, trap
aceitar to oil
aceite *m.* oil; — **alcanforado** camphor oil; — **de chalmugra** chalmugra oil
aceptar to accept; *fig.* to admit
acera sidewalk
acercar(se) to approach, draw near
aciago unfortunate, sad, fateful
acidez acidity
aclarar to make clear; clear up; recover brightness
acodarse to ensconce oneself
acogedor welcoming, shielding, sheltering, protective
acoger(se) to shelter, take refuge, resort to
acomodado snug, tight; rich, wealthy
acomodar to arrange, accomodate; adapt; *v.r.* to snuggle; condescend, conform
aconsejar to advise, counsel, warn
acontecimiento happening, event, incident
acorralado corraled, cornered; intimidated
acoso vexation, harassment
actitud attitude, position, manner
acuciar to stimulate, encourage, incite; hasten, hurry
acudir to assist, attend; run to, turn to
acuerdo resolution, determination, decision; **de — con** in accordance with
acumular to accumulate
acunar to cradle
acurrucado huddled
achicado diminished; humiliated
adecuado adequate
adelantarse to head, go before, take the lead
ademán *m.* gesture, air
adentro within, inside; *m.pl.* innermost thoughts *or* being
adivinar to foretell, divine, guess; solve (*a riddle*)
admirador admiring; *m.n.* admirer
admirar to admire
admirativo admiring; admirable; wondering
adorado adored, loved
adormilado dozing, drowsy

adorno adornment, ornament, embellishment, finery
adosar to put on *or* near; paste (*on a wall*)
adquirir to acquire, get, obtain, secure, purchase
adrede on purpose, purposely
adulterino adulterous; adulterated, falsified
advertir to take notice of, observe; admonish, advise, warn
aéreo aery, aerial, vaporous
afamado famous, celebrated, noted
afanarse to toil, drudge, take pains; better oneself
afanoso eager, arduous, anxious
afectivo affective, affectional, sensitive(-feeling)
afecto affection, love, devotion
afeitarse to shave oneself; make up
afeite *m.* cosmetic, make-up
aferrarse to hold, cling
afiebrado feverish
afilar to whet, grind, sharpen
afinidad analogy, resemblance; affinity
afirmar to affirm; make fast, secure, steady; rest against; *v.r.* to hold fast *or* firm, make fast; affirm
afligido grieved, saddened, anguished
aflojar to loosen, slacken, let out, unfasten
afluencia affluence, plenty; inflow, rush
afuera outside; *f.pl.* outskirts, suburb
agachar to lower, bow down; *v.r.* to stoop, bow, squat, crouch
agalludo greedy, covetous; sly, cunning
agarradera (agarradero) handle, holder
agarrar to grasp, hold, grab
agarrotado garroted, strangled; *fig.* oppressed
agarrotar to compress (*with ropes*); garrote, strangle
agilidad agility, nimbleness
agitar to shake; *v.r.* to become excited
aglomeración agglomeration
aglomerarse to crowd, agglomerate
aglutinante agglutinating, cementing
aglutinar to glue together, agglutinate
agobiar to overwhelm, oppress
agolparse to gather, crowd
agónico agonizing; pertaining to death
agonizante dying; *m.f.n.* dying person
agorero diviner, fortune teller
agraciado graceful, engaging, well-favored
agradar to please, delight, flatter, humor
agradecimiento gratefulness, gratitude, indebtedness, acknowledgement
agravio offense, insult
agreste rustic, wild; rude
agricultor *m.* farmer
agrietado cracked
agrio sour, acrid
agua viva mercury
aguacero heavy rain, downpour, rain storm; shower
aguafuerte *m.* etching
aguaitar to spy, watch
aguaje *m.* tide, wave; *Am.* shower

aguantar to bear, endure; resist; *v.r.* to forbear; suffer
agudo sharp, sharp-pointed; acute
aguerrido beleaguered, war-torn
aguijoneo thrust (*with a goad*); prick, goad
águila eagle
aguja needle, bodkin
agujereado perforated, punctured, riddled with holes
agujero hole
aguzanieves *m.* (*orn.*) wagtail (*a small bird*)
ahí: de —, hence
ahogar to drown; stifle
ahondar to probe; dig deeper
ahorro economy; *pl.* savings
ahuecado cupped; hollowed
ahumar to smoke, cure
ahuyentar to drive away, put to flight
airado irate, angry
aire *m.* air; smell
aislado isolated, lone, solitary
aislamiento isolation
ajado withered, decayed, spoiled
ajarse to fade, spoil; be mistreated
ajedrez *m.* chess
ajeno another's; foreign, strange, alien
ajuar *m.* trousseau; bridal apparel and furniture; household furniture
ajustado tight-fitted; **piernas temblorosas y ajustadas** trembling and tense legs
ajustar to regulate, adjust, fit
ajusticiar to execute, put to death
ala wing; row; **— de sombrero** hat brim
alabar to praise, commend
alambique *m.* still; extremely subtle, clandestine
alambre *m.* wire
álamo poplar
alarde *m.* ostentation, boasting, vanity
alargado elongated
alargar to lengthen; extend; stretch
alarido outcry, shout, howl, yell
alarmante alarming
albañil *m.* mason, builder
alberca pool, pond
albo snow-white
albóndiga meat ball
alborotar to disturb, agitate; make (a) noise
alboroto disturbance, tumult, riot, babel
alcalde *m.* mayor
alcaldesa mayoress
alcanzar to overtake, come up to; reach
alcohol alcanforado camphorated alcohol
alegato allegation, argument
alegórico allegorical
alegre glad, merry, joyous
alegría mirth, gaiety, hilarity, joy
alejado withdrawn, estranged
alemán German
alero eaves, gable end; *Am.* alley
aleta *winglike protuberance of the nose near the cheeks*
aletear to flutter, wing, flit
alfombra rug, carpet; field (*adorned with flowers*)
algo something; *adv.* somewhat; **— de** some; **en —,** to some extent; in a way
algodonal *m.* cotton plantation
aliento breath, breathing
aligación binding together
alimentar to feed, nourish, nurse

alimento nutrition, nourishment, food
aliviar to lighten; alleviate, assuage
alivio easement, relief
alma soul, spirit, mind
almacén *m.* store, warehouse, shop depository
almacenamiento storing
almacenar to lay up, hoard, store
almacenero storekeeper, warehouseman
almácigo *bot.* mastic tree
almendra almond
almendro *bot.* almond tree
almidón *m.* starch
almohada pillow, bolster
almorranas *f.pl.* piles, hemorrhoids
alocado half-witted; wild, reckless
alpargata fiber sandal
alquiler *m.* wages *or* hire; rent (*a house*); rent *or* rental
alsaciano Alsatian
alternativamente alternatively, in *or* by rotation
alternativas *f.pl.* ups and downs
altillo small hill, high place
altivez haughtiness, arrogance
alto tall, high; eminent, exalted; *m.n.* halt (*command to stop*); height; **en —**, on high; **hacer —**, to stop
altoparlante *m.* loudspeaker
altura height
alucinado deluded, staring
alucinante dazzling, fascinating
alud *m.* avalanche
alumbrar to light, illuminate
aluzar *Am.* to light, lighten
alzar to raise, lift up
allá there, over yonder; long ago; **el más —**, the beyond (*afterlife*); **más —**, farther away, farther
amainar to lower *or* shorten (*sails*); relax, subside, lessen
amancebado living in concubinage
amanecer to dawn; *m.n.* sunrise, daybreak
amansar to tame, domesticate; to pacify
amante loving, fond of; *m.f.n.* lover
amapola poppy
amargar to embitter, acerbate
amargura bitterness
amarillento yellowish
amarilloso yellowish; tawny
amarra rope, martingale
amarrar to tie, fasten, secure
ambicioso ambitious
ambiente *m.* environment
ambiguo ambiguous, doubtful, dubious
ambladura ambling, pacing
amenazador threatening; *m.n.* threatener
amenazar to threaten, menace; denounce
amigable amicable, friendly
amilanarse to be cowed; flag; melt; sink
amistad amity, friendship
amo master
amoblar (amueblar) to furnish, fit up
amogolla *Am.* confusion, mess
amolar *Am.* to whet, grind, sharpen
amoroso amorous, affectionate, loving
amortiguar to deaden; absorb
ampliar to amplify, extend, broaden
amplio ample, plentiful, broad
ampollado blistered
analizar to analyze

anaquel *m.* shelf
anciano old; *m.n.* aged man
ancho broad, wide
andrajo rag, tatter
andrajoso tattered, in rags
andullo roll, rolled tobacco leaves; texture, tissue
anestesiado anesthetized
angarillas *f.pl.* stretcher, handbarrow
angosto narrow, close
angustia anguish
angustioso full of anguish, causing anguish *or* worry
anhelante eager, longing
anhelar to long for, desire
anhelo longing
anidar to nest, nestle; shelter
anillo small hoop, ring
animador *m. one who enlivens or animates*
ánimo animus, spirit, courage(ousness), nerve
anochecer to grow dark; *m.n.* gloom; vesper, evening, nightfall
anónimo anonymous
ansiedad anxiety
ansiosamente anxiously, eagerly
antebrazo forearm
antepasados *m.pl.* ancestors, forebearers
anticipo advance(ment); money lent, advanced payment
antiguo ancient, former
antillano Antillean
antipatía antipathy, dislike, aversion
antojarse to be desired capriciously; take a notion to; seem
antología anthology
anudar to knot, tie
aó-poí: tela de —, fine clothes; *material made of cotton used for shirts, etc.*
apacible peaceable, peaceful
apaciguarse to calm down
apagado submissive, humble-minded; dull (*color*), dim
aparato apparatus; pomp, show
aparatosamente showily, pompously
aparentar to feign, pretend
apartado separated, segregated, private, isolated, secluded
apartar to separate, divide; remove
apasionado passionate, impassioned
apegar(se) to become attached
apego attachment, fondness
apelachado *Am.* matted
apellido surname, family name
apenas scarcely, barely, hardly, no sooner than, as soon as; **— si** barely
apergaminado parchment-like
apero farm implement, tools; riding equipment
apesadumbrarse to become sad, grief-stricken
apetecer to like *or* desire (*food or drink*)
apilado piled up, heaped up
apiñar(se) to crowd together, cluster
aplacar to appease, pacify
aplastante overwhelming, crushing
aplastar to flatten, crush, smash, squash
aplauso applause, approbation
aplazamiento postponement
apoderarse to take possession
apodo nickname
apólogo apologue, fable

aporreado beaten, mauled
aposento room; apartment; lodging
apoyarse (en) to rest, lean (on); to support, back
aprehender to apprehend, seize; think
apresuradamente hastily
apretar to compress, bind, tie tight, tighten
aprisionar to imprison, shut up, impound
aprontado prepared, readied quickly
apuntar to record, note; take aim, point at
apuñaleado (apuñalado) dagger-shaped; stabbed
aquietarse to calm down, quiet down
aquitarse *Am.* to make oneself liked
arado plow
araña chandelier; spider
árbol *m.* tree
arbusto shrub, bush
arco arc, arch, bow; hoop; fiddle-bow; — **iris** rainbow
arder to burn; rage
ardiente ardent, burning; passionate
arena sand, grit
arete *m.* earring
argentino silver(y)
argolla ring, collar
armar(se) to arise (*as a dispute*); **armarse la gorda** all hell to break loose
aro hoop, ring, band
aromado fragrant; **ojos aromados** languid, sweet eyes
aromático aromatic, fragrant, perfumed
aromo *bot.* aroma, acacia (*tree*)
arqueo arching; balance (*in accounting*)
arquetipo archetype
arrancar to root out, extirpate; depart (*train*), pull out
arranque *m.* impulse, outburst, fit
arrastrado dragged along
arrastrar to drag; win; convince
arrebatado rapid, violent, precipitate
arrebatar to cart off; snatch
arredrar to remove; terrify, scare
arreglo rule, order; scheme, arrangement
arrejuntar to join, unite
arremangado turned up (*as a sleeve*)
arremetedor *m.* assailant, aggressor
arremeter to attack, assault
arremolinarse to eddy, swirl; throng
arrepentido repentant, penitent
arrepollado cabbage-like
arribista *m.f.* opportunist
arriero muleteer, carrier
arriesgar to risk, hazard, chance
arrimarse to go near; seek the protection of
arrinconado put away, forgotten, neglected
arroba *a weight of 11.5 kilograms; a liquid measure of about 4 gals.*
arrobador enchanting, entrancing
arrodillar to make (*someone*) kneel down; *v.r.* to kneel down
arrojar to hurl, throw
arrojo fearlessness, dash; **acto de —,** an act of daring, boldness
arropado bundled up
arroyo rivulet, small stream, brook

arroyuelo brooklet, rill
arroz *m.* rice
arruga wrinkle, line
arrugado wrinkled
arrullo coo, cooing and billing, lullaby
arrumaco show *or* sign of affection
artificio workmanship, craft; artifice
asador *m.* spit, roasting jack
asaltar to assault, storm, assail
asamblea assembly, meeting, junta
ascendente ascending, ascendent
ascender to ascend, mount, climb
ascensión ascension, rise
asco nausea, loathing
asemejar to make *or* represent as similar; copy
asentar to place, seat; found
asentir to agree, assent
asequible accessible, attainable
asesinato assassination
aseverar to asseverate, affirm, assert
asfixia asphyxia
asidero handle, grip, ear
asiento seat; site; bottom
asimilar to resemble; *v.r.* to assimilate, digest
asimismo likewise, also, in like manner
asir to seize, grasp, grab; grapple
asistencia attendance; assistance, aid
asolear to sun
asomar to appear, peep; show
asombro dread, fear; amazement
asomo indication, sign
aspaviento exaggerated wonder; fear; fuss
áspero-suave harsh-smooth, rough-smooth
aspirar to breathe in, inhale; to aspire
asqueante nauseating, loathsome
asquearse to be nauseated
asqueroso nasty, filthy, dirty, nauseous
astucia cunning; slyness
asumir to assume, raise
asunto matter, affair
asustar to frighten, scare
atacar to attack
atajo short cut; interception
ataque *m.* attack
atar to tie, bind
atardecer *m.* dusk
ataúd *m.* coffin, casket
atemorizante frightening
atenacear to torture; tear off the flesh with tongs
atención attention; **llamar la —,** to call attention to
atender to attend, mind, minister
atenerse a to stick to; go, stand *or* abide by
atenido dependent
atentado crime, outrage, offense
aterrador terrifying, awesome
aterrorizado terrified
atiborrado stuffed, full
atildado tidy; dashing
atinar to hit the mark; guess
atisbar to sight, spy out, catch a glimpse; peep, observe, watch
atormentado tormented, full of anxiety
atornillar to screw
atractivo charm, inducement
atraer to attract, (al)lure
atragantarse to choke; become confused (*in conversation*)
atrapar to catch, snag, trap
atrasado indebted; behind time
atraso backwardness, retardation

atreverse (a) to dare to, venture
atribulado grieving, afflicted
atropellado hasty, precipitate
atropellar to trample on, mob, knock down, run over; hurry, hustle
atroz atrocious, cruel, inhuman
aturdir to perturb, confuse, bewilder, astound, rattle
audacia audacity, boldness
audaz audacious
auditorio audience
aula classroom, lecture hall
aullido howl, bay, bark
aunque although, even if
aureolado *adorned with a halo or aureole*
auscultar to examine by auscultation
ausencia absence
auténtico authentic
autopista freeway, turnpike
autoridad authority
auxiliar auxiliar(y), helping; *m.n.* second, assistant, auxiliary
ave *f.* bird, fowl
avenida avenue
aventura adventure
avergonzar to (put to) shame; confound
averiado damaged, spoiled
averiguar to find out, investigate, ascertain
avidez covetousness, avidity
avisar to inform, acquaint, caution; forewarn
axila armpit
ay alas!; *m.n.* moan, lament
ayaká de mimbre *m.* wicker basket
¿ayepa? *Par.* (*Guaraní for* **¿no es verdad?**) Isn't that right?
ayudante *m.* assistant, helper
azadón *m.* hoe
azar *m.* unforeseen disaster; venture, adventure, luck, chance
azogue *m.* quicksilver
azular to color *or* dye blue (azure)
azulejo tile

B

baba drivel; slaver
babeante driveling
babor *naut.* port; **a —,** aport
bacilo bacillus
bacinica small chamber pot
bagatela bagatelle, trifle
bagazo *pulp remaining after squeezing the juice out of an orange or sugar cane*
bagre *m.* catfish; mean, ugly woman; clever person
bahía bay
bajar to descend, come down; lower, fetch
bajito low, small, short; **la bajita** the short woman, girl
balacera shooting; hail *or* rain of bullets
balancear to balance, oscillate, teeter
balanza scales, balance
balbucear (balbucir) to splutter, lisp; hesitate
baldosa paving tile, flagstone
balear *Am.* to shoot, wound, kill
balín *m.* buckshot, small bullet
balneario resort, spa
balsilla (*dim. of* **balsa**) raft, float
bamboleante swaying
bambolear to sway, swing
bancarrota bankruptcy, failure
banco bench, pew; bank
bandeja tray

bandera flag, banner, colors
banderilla del metro the meter's flag
bandido fugitive from justice; bandit
bando faction, side, party
bañero bathhouse owner, keeper
bañista *m.f.* bather, swimmer
baraja pack (*of cards*)
baranda rail, railing, banister
barato cheap, low-priced, reasonable
barba chin; beard, whiskers
barbarie *f.* barbarity, fierceness, lack of culture
bárbaro barbarous, savage, fierce
barbilla point of the chin
barbot(e)ar to mutter, mumble
barbudo long-bearded
barca boat, barge; bark
barcino ruddy; auburn; red-brown and white
barco boat, vessel, ship
bargueño gilt and painted desk
barra harbor bar
Barracas *a neighborhood in the south part of Buenos Aires*
barragana *Am.* concubine
barranco cleft, gorge, ravine
barrer to sweep, whisk
barrera barricade, barrier
barrido swept; *m.n.* sweeping
barrigón pot-bellied, fat
barrita "gang," "bunch"
barroco baroque
barrote *m.* iron bar (*short and thick*), rung
bastidor *m.* frame, easel, embroidery frame
bastimento provisions
bastón *m.* walking cane
bastonazo stroke (*with a cane*)
basura garbage, trash
batahola uproar, clamor, hubbub, pandemonium, hullabaloo
batifondo disorder, confusion, hurly-burly
batir to beat, pound
bebida drink
bejuco *bot.* thin pliable reed; rattan; cane
belga Belgian
bellaco knave, rogue, villain
bellaquería knavery, roguery, slyness, rascality, cunning
bello beautiful, beauteous
bendecir to bless, praise, consecrate
bendito sainted, blessed
beneficio benefit, profits
beneficioso beneficial, profitable
benéfico beneficent, charitable
berenjenal *m.* bed of egg plants; difficulties, trouble
bergantín *m.* brig, brigantine
beso kiss
bestia beast
bicicleta bicycle
bicho bug, animal; odd person
bien: o —, or else
bienestar *m.* well-being, easiness
bifurcación bifurcation
bifurcar to bifurcate
bigotes *m.* (*pl.*) mustache
bigotito small mustache
bijao *bot.* musaceous plant
billete *m.* ticket; bank note
billetera wallet
biógrafo *Am.* movies
bisabuelo great-grandfather
bisbisear (bisbisar) to mutter
bisbiseo muttering
bisectriz bisecting; *f.n.* bisector
blando soft, pliant, smooth, tender
blandura softness, blandness, delicacy

blanqueadito bleached out; white-washed
bledo blade of grass; **importar un —**, to matter little
blusa blouse
boca mouth; **— arriba** face up, on one's back
bocado tid-bit, morsel; mouthful
bocana island channel
bocanada mouthful; whiff, puff
bocaza large, wide mouth
boda marriage, wedding; **noche de —s**, wedding night
bodega wine vault *or* cellar; winery; storeroom, storehouse
bodoque *m.* pellet; wad; dunce
bofetada slap in the face
bohemio Bohemian
bola ball, globe, sphere; **— de cosas** flock of things
bolchevique Bolshevist
boliche (bolicho) *m.* grocery store, general store
bolichero storekeeper
bolsa de Londres London Stock Exchange
bolso lady's purse, moneybag
bombacha loose-fitting breeches
bombilla bulb; **pantalones (de) —**, tight-at-the-ankle pants
bombillo lamp chimney; water-closet trap
bombita bulb
bondad goodness, excellence, kindness
bonhomía honesty; naivete
boquear to gape; gasp
boquete *m.* gap, narrow entrance
borbollar to bubble out, gush, spurt
borbotón (borbollón) *m.* bubbling, gushing up (*of water*)
borda *naut.* gunwale; mainsail
bordado embroidered; *m.n.* embroidery
borde *m.* border, outer edge, margin, fringe
bordear to ply to windward; stand off and on
bordo board; **a —**, on board
borracho drunkard
borrego lamb (*not yet a year old*)
borro dolt; duty (*on sheep*)
borroso thick, muddy, blurred
boscaje *m.* grove, cluster (*of trees*)
bosque *m.* forest, wood(s)
bostezar to yawn
bota de media caña Wellington boot
botana *Mex.* tidbits, hors d'oeuvres
bote *m.* boat, rowboat, dory
botiquín *m.* medicine chest
botón *m.* bud, germ, eye; button, buzzer
bototo gourd (*to carry water*)
bóveda vault; roof; cave
bozal *m.* muzzle
bracear to move *or* swing the arms
brasa live coal
bravo brave
brazada armful
brazo arm (*of body, water, etc.*)
brebaje *m.* beverage, potion, draught
brecha breach, breakthrough
brevedad brevity, briefness, shortness; **con —**, briefly
brillante brilliant, shining; *m.n.* brilliant, diamond
brillar to shine, sparkle, glisten
brilloso resplendent, shining
brinco leap, jump
brisa breeze, light wind
británico British
broche *m.* snap, clasp
broma jest, joke

bronca wrangle, quarrel, anger
bronce *m.* bronze; brass
broncear to bronze, tan
bronquio *m.* bronchus
brote *m.* sprouting
brulote *m.* satiric item, document
bruma mist, fog
bruscamente rudely, gruffly, brusquely
brusquedad rudeness, rude action
buche *m.* craw *or* crop; mouthful
buchitos: a —, in small swallows
bueno good, kind, charitable; **a la buena de Dios** pell-mell
bulto bulk, volume; bundle, parcel; swelling
bullanga tumult, riot
bullanguero riotous, turbulent
bullir to boil, bubble
burbuja bubble
burbujeo bubbling
burlón *m.* jester, banterer, joker
busca search; **en — de** in search of
búsqueda search
butifarra sausage; *P. bread stuffed with meat*

C

ca'avó *Par. a leafy bush whose branches are used as brooms*
cabal just, exact, perfect
cabecera beginning, head; top, upper end
cabellera hair, head of hair
cabello hair
cacique *m.* political boss
cacha knife handle
cachimba pipe
cachogo (*for* **cachorro**) cub, puppy
cadena chain; bond
cadera hip; joint of thigh
caer to fall; **al — la tarde** at dusk
cafiaspirina aspirin with caffein
cagatintas *m.* minor office worker
caja box
cajetilla package (*of cigarettes*); *m.* dandy
cajón *m.* box; drawer; casket
cajoncito small box
cal *f.* lime, calx
calabozo dungeon, cell
calar to penetrate, soak through, drench
calavera skull, death's head
calcetín *m.* sock
calculador *m.* calculator, accountant, reckoner
calentador *m.* heater
calidad quality, condition, character, sort
cálido warm, hot
caliginoso caliginous, dark, dim
caluroso hot, warm
calzar to put on (shoes)
calzón: — de baño, *m.* bathing trunks; *m.pl.* breeches, trousers, drawers
calzoncillos *m.pl.* shorts, underdrawers
calle *f.* street
callejero roving, stray
callejón *m.* lane, alley
callo corn, callus
cama bed, couch; **— matrimonial** double bed
camaleón *m.* chameleon
cambiante bartering, exchanging, changing
cambio barter, trade, exchange, change; rate of exchange
camichín *m.* (*bot.*) *a species of wild fig that grows in tropical countries*
caminata hike, long walk, tramp, excursion
camino way, road, path

camionero truck driver
camisa shirt; chemise
campamento encampment, camp
campanario belfry
campanilla small bell
campaña campaign; field, level country
campechanía heartiness, frankness
campesino rustic, peasant
campo country, field; **a — traviesa** cross country; **— santo** cemetery
canalón *m.* gutter, leader, spout
canapé *m.* sofa, couch
canasto large basket, crate; **— de la costura** sewing basket
cancel *m.* storm door
canchero experienced, expert
candado padlock
candela candle, taper, light
candente incandescent, red-hot
candoroso candid, ingenuous
canela cinnamon-colored; *f.n.* cinnamon
cangrejo crab; crawfish
canillera fear
caninidad canineness
canino canine; *m.n.* cuspid, canine tooth
canjear to exchange (*prisoners, treaties, etc.*)
canoa canoe, dugout
cansancio weariness, lassitude, fatigue
cántaro pitcher
cantidad quantity, muchness, amount, measure, sum (*of money*)
caña *bot.* cane, reed; *a liquor made of cane; a glass of wine*
cáñamo hemp, hemp fabric
capa cape, cloak; crust, layer, level
capaz capacious, ample; capable, competent
capilaridad capillarity, capillary attraction
capitoneado studded with metal buttons
captar to grasp; capture
capuera *bot.* second growth, thicket
capullo cocoon; flower bud
caracol *m.* snail
carajo *vulgar interjection of surprise of varied folkloric color,* (*variants:* **caracho, caramba, caray**)
carantoña *old woman who uses make-up to hide her age; f. pl.* flattery
carátula magazine cover
carcajada peal of laughter, hearty laughter; **reír a —s** to guffaw, laugh uproariously
cárcel *f.* jail, pound (*dogs*)
carcomer to gnaw, destroy, consume
cardenillo rust, verdigris
carecer to lack
careta mask
carey *m.* tortoise; tortoise shell
carga load, burden; **volver a la —,** to insist, harp on a subject
cargado loaded, weighted down, full
cargar to load; *v.r.* to become charged with, become denser
cargo job, post, position
caricaturesco caricaturish
caricaturizar to caricature
caricia caress; endearment; endearing expression
cariño love, dearness, fondness, affection
cariñoso affectionate, loving

carnavalesco carnivalesque
carne *f.* meat; flesh; fruit pulp; — **de monte** game
carnet *m.* I.D. card; union card
carnicería meat market, butcher shop
caro expensive, dear
carozo fruit stone
carpincho capybara (*S.A. rodent*)
carpintero carpenter
carpir to scratch ground for clearing; weed
carraspeo coughing
carrera run, race, dash
carreta wagon, cart
carretada cartful
carrete *m.* spool, bobbin, reel
carretera highway, road
carretero driver, truckman
carretón *m.* cart
carrizo *bot.* common reed, grass
carruaje *m.* vehicle, carriage
casa: — **de altos** *a house having more than one story;* — **de pensión** boardinghouse
cascajo gravel, grit, flake; rubble, rubbish; shingle
cáscara rind, peel, shell, hull, skin
caserío group of houses, small village
casero domestic, homely, homey, homemade
castañeteo chattering
castaño hazel, brown
castigador *m.* punisher, chastiser
castigar to castigate, punish
castillo castle
casuarina *bot. tree with plumelike branches*
cataplasma poultice
categoría quality, category, importance
catre *m.* cot, small bedstead
cauce *m.* river course, river bed, channel
cauchero rubber worker, tapper
caucho *bot.* gum elastic, India rubber
caudal *m.* property, wealth, fund; plenty, abundance
cautela caution, prudence
cauteloso cautious, wary
cavar to dig, excavate
cavilar to cavil
caza chase, hunt; pursuit
cazar to chase, hunt; bag, catch
cedazo sieve, strainer
ceder to grant, forego, cede
cefalalgia *med.* cephalalgia, sick-headache
cegador blinding
cegar to blind
ceja eyebrow
celo zeal, ardor, fervor, devotion; **en** —, in heat; *m.pl.* jealousy
celoso zealous; earnest; jealous
ceniciento ash-colored
ceniza ashes, cinders
centeno *bot.* rye
céntrico central
centro center, middle, innermost part
ceñir to gird, girdle; hem in, fit tight
ceño frown, scowl
cepillo brush, toothbrush
cera wax, beeswax
cercanía proximity; *pl.* vicinity
cercano near, close, neighboring
cerciorar(se) to make sure
cerda horse's hair, bristle
cerdo pig, hog
ceroso waxy
cerradura lock; closure
cerrazón *f.* dark and cloudy weather (*before a storm*)

cerro hill; **Cerro Verde** *a hill in Paraguay*
certero well-aimed; to the point; sure, certain
cerveza beer, ale
cese *m.* dismissal; cessation
césped *m.* turf, sod, grass, lawn
ciado aigüe ominous, fatal sign
cibernética *psych.* cybernetics (*a psychological technique*)
Cibils *a street in Montevideo at one time called Sochantres*
cicatriz *f.* cicatrix, scar; gash
cicatrizar to heal
ciclópeo cyclopean
ciego blind
cielo heaven(s), sky, firmament; — **raso** flat ceiling; clear sky
ciencia science; knowledge; learning
científico scientific
ciervo deer, stag
cifra figure, number
cinc *m.* zinc
cinematógrafo movie house
cinética kinetics
cinta ribbon, tape, movie, film
cintura waist, girdle
cinturón *m.* cincture, belt, girdle
cirio candle, taper
ciruela plum, prune
cisne *m.* swan
cisterna cistern, reservoir
cita date, assignation
ciudadano pertaining to a city; city-like; civil
clamar to utter loud outcries; whine, demand
claro clear, bright; ¡–! of course! you bet!; *m. n.* skylight; gap, clearing
clavar to nail, drive in
clave *f.* key
clavel *m.* carnation
clavo nail, spike, tack
coágulo coagulated blood, clot
cobarde cowardly; *m.f.n.* coward
cobija cover, blanket
cobrar to acquire; collect; charge
cobre *m.* copper
cobrizo coppery
cocción cooking
cocinado cooked
coco *bot.* coconut tree; coconut
cocotero *bot.* coconut tree
cocotte *Fr.* loose woman, tart
cocuyo fire beetle
coche *m.* carriage, car; — **placero** park carriage (*usually stationed at a square*)
codiciar to covet
código code
codillo knee (*of quadrupeds*); bend; elbow; knee
codo elbow; — **con** —, elbow to elbow
codorniz *f.* quail
cofia hair net; headdress; toque
coger to catch, seize, grasp; — **miedo** to become afraid
cogollito de gente *coll.* bunch of people
cogote *m.* neck
coima fee, rake-off (*received by keeper of a gaming table*)
coimeador *m.* promoter, go-between, pay-off man
coito coition
cola tail; cue; *coll.* stern
colarse to strain, seep, be filtered; slip *or* steal into, sneak in
colcha bedspread
colegio school (*high school*), academy
cólera ire, anger

colérico angry, choleric, fuming
colgado suspended
colilla stub (*of a cigarette*)
colino cabbage seed; young plantain (*not yet transplanted*)
colmar to heap up, bestow liberally
colmillo eyetooth, canine tooth, cuspid; tusk
colmo heap, overmeasure; fill
colocación employment, position, office job
colocar to place
colonia cologne
colorete *m.* rouge
colorismo *use of color in literature and painting*
comején *m.* termite, white ant
comentario commentary
cometer to commit, charge, perpetrate
cometido charge, trust, task
cómoda chest of drawers, bureau
compadrada daring act (*of adventure*)
compañero companion, mate, comrade
compañía company, society, partnership, co-op, settlement; *a political subdivision* (*corresponding to a county*) *of a* **departamento**
compartimiento compartment; — **de lujo** de luxe compartment
compartir to share
compás *m.* compass, measure, time
compensado compensated
competencia rivalry, contest, competition
complacencia pleasure, satisfaction, complacency
complacer to please, humor, gratify
complejo complex, intricate; *m.n.* complex
complicado complicated
comprendido comprehended; included
comprensivo comprehensive; understanding, appreciative
comprobación verification, proof
comprobar to verify, confirm (*by comparison*), substantiate
comprometido involved; embarrassed; in jeopardy
compromiso compromise; pledge, obligation
comunión communion; **primera** —, First Communion
concavidad concavity, hollowness
conceder to give, bestow, grant
conciencia conscience; consciousness; conscientiousness
concierto: de —s hired on contract, at a fixed wage
conciliábulo unlawful assembly
concurso contest
concha shell, conch
conchavado (conchabado) employed, contracted
condado county
condecorar to decorate (*with a medal*)
condenación condemnation, conviction (*of a criminal*)
condenado condemned; lost, cursed
condesa countess
condición condition, quality; **a — de** on condition that
conducente conducive
confianzudo presumptuous, bold

confinar to confine, imprison; banish
confundirse to be confused
confuso confused, mixed, confounded, abashed
congénere *m.f.* like kind
congoja anguish, dismay, grief, trouble
conjetura conjecture, surmise
conjunto whole, aggregate
conjuro exorcism; entreaty
conmover to thrill, start, stir; *v.r.* to be touched, thrilled
conocimiento knowledge
consagración consecration
consagratorio consecrating; of great merit
consecuencia: en —, as a result
conseguir to manage; succeed
consignar to consign, assign
constancia constancy, perseverance, persistence, stableness
constatar to verify, probe (*by written document*)
consternado horrified, amazed, distressed
constituir to constitute; establish
consumado consummate, adept, accomplished
consunción consumption, waste, decline
contagear to infect, spread by contagion
contagioso contagious, infectious
contemporáneo contemporary; *m.n.* contemporary
contenido contents, context
contento glad, pleased, satisfied
contestación answer, reply
contorno environs; contour, outline
contra across; against, contrary to; *f.n.* contrariness, trick; antidote
contradecir to contradict, deny; refute, belie
contraer to contract (*an obligation*); catch (*a disease*)
contramaniobra counter-maneuver, counter-move
contramano: a —, the wrong way; going in the wrong direction
contrapunto counterpoint
contrariarse to be vexed; be disappointed
contrariedad contrariness; disappointment; annoyance
contrario contrary, opposed; **al —,** on the contrary; **por el —,** on the contrary
contrata contract
contrato contract, treaty, mutual agreement
contravenir to contravene, violate
convalecer to recover (*from sickness*)
convencer to convince, satisfy; convict
conventillo *Am.* tenement
convertirse to be converted, reformed
copa goblet, wine glass; crown (*hat*)
copetín *m.* drink (*of liquor*)
cópula copulation
coquetear to flirt
coquetería coquetry, flirtation
coqueto coquetish, flirty
coquí *m. small frog that cries* **"coquí, coquí"** *at night*
coraceros *m.pl. army unit of armored men*
corazonada presentiment, foreboding, hunch

corbata necktie
corcovear to caper, toss, cut capers
cordel *m.* cord, string, twine
cordero lamb
coro choir, chorus; **en —,** in unison
corona crown
coronar to crown, cap
coronel *m.* colonel
corralón *m.* large corral *or* yard
corredor *m.* hall, corridor
correspondiente corresponding, respective
corretaje *m.* brokerage
corretear to rove, ramble; *Am.* to pursue; scourge; drive away
corrido abashed, ashamed
corriente *f.* current, course
corroborar to corroborate, confirm, bear out
corroído corroded, eroded
corromper to corrupt, spoil
corso Corsican
corte *m.* cut (*of a suit*); cutting edge
cortejo suite, procession; courtship
cortés courteous, gentle, mild, polite
cortina curtain, screen, blind
corva back of the knee, ham, hock
cosa thing, object; **como si tal —,** as if nothing had happened
cosechar to crop, reap, gather, harvest
coseno cosine
cosmopolitismo cosmopolitanism
costa coast, shore, beach
costado side
costal *m.* sack, large bag
costilla rib
costra crust, scab
costumbre *f.* custom
costumbrista *having to do with portraying everyday life and prevailing customs; m.f.n.* genre writer
costurero sewing basket
cotarro charity hut; youth hostel; slope
cotejar to compare, collate
Côtes du Rhone *Fr. Rhone wine*
cotidiano daily, everyday
cotización quotation, price, current price
cotizar to quote (*prices*); *Am.* to price, sell; assess, value, evaluate
coturno buskin
coupé *m.* coupé
covacha cave
coyuntar *coll.* to marry, join up with
cráneo del sol ball of the sun
crecer to grow (up), augment, wax
creciente growing, increasing, rising; *f.n.* swell, rising, crest
crecimiento growth, increase
cremoso creamy
crepúsculo twilight, dusk; dawn
crespo curly, crispy
criatura creature, infant, baby, child; man, being, animal
cribado sifted, screened
crimen *m.* crime
criollo creole, native
crispar to convulse, twitch
cristal *m.* window pane
criterio criterion, judgment
cromático chromatic
cruce *m.* crossing, crossroad; mating, breeding (*of animals*)
cruceta crosspiece
crudo raw, crude, rough

crueldad cruelty, inhumanity, savagery
crujir to crackle, creak; rustle
cruz *f.* cross; **huesos en —,** skull and bones
cruzado hybrid
cuadrillero chief (*of a band*); rural guard
cuadritos: a —, checked, plaid
cuadro:—s de costumbres tableaux of customs and manners
cuajar(se) to coagulate, curdle; become full
cuajo rennet, curdling
cualidad quality, property
cuartel *m.* quarter; barracks
cuarto fourth; quarter; room; **de tres al —,** a dime a dozen
cubeta small cask, keg; tub, pail
cubierta cover, covering; deck (*of a ship*)
cubierto *p.p. of* **cubrir**
cubrir to cover, spread over; *v.r.* to cover oneself
cuclillas: en —, in a squatting position
cuchara spoon, ladle
cucharada spoonful
cuchicheo whispering
cuchillo knife
cuello neck, collar
cuenco earthen bowl; sifting basket
cuerda rope, string
cuerísima *vulg.* beautiful, physically most enticing
cuero pelt, raw hide, leather; **en —(s)** nude, naked
cuerpo body
cuesta hill, mount, slope
cuete *m.* (*for* **cohete**) rocket; firecracker
cuidado care; **con —,** carefully, with care; **— con** careful with, watch out for
culata buttock, haunch; butt (*of a firearm*); rear part
culebra snake
culpa fault, wrong, offense, blame
cultivo cultivation, farming, tillage
cumbre *f.* top, summit, peak
cumpleaños *m.* birthday
cumplir to perform; obey, comply
cuñado brother-in-law
cura healing, curing; seasoning (*of timber*); *m.n.* parish priest
curación curing, seasoning (*of timber*)
curandero quack, charlatan; healer, doctor
curativo healing, curative
curiosear to act from curiosity; pry (*into others' affairs*)
curioso curious; *m.n.* curious person
cursilería shabby-genteel, *or* pseudo-elegant thing
curso course, direction, route
curtido tanned, curried; weather-beaten
curva curve, curvature
cutis *m.* complexion, skin

CH

chacamotear (escamotear) to swindle, make disappear by sleight of hand; *m.n.* sleight of hand
chacra small isolated farm; corn patch
chafalonía *article, usually gold or silver, sold by weight, irrespective of quality*
chal *m.* shawl
chamuscado singed, scorched

Chan *dim. of* **Sebastián**
chanchada vile, mean trick
chancho pig
chanchullo vile trick; racket
chaparro short(y)
chaparrón *m.* violent shower, downpour, squall
chaplinesco Chaplinesque
chapotear to splash, splatter
chapoteo splash, splattering
chapuzón *m.* ducking
chaquetilla jacket
charanga fanfare
charco pool, puddle
charol *m.* varnish; patent leather
chas *m.* slap (*of an oar*)
chasquido crack, slap
chica girl, small girl
chicalote *m.* (*bot.*) Mexican argemone *or* poppy
chicha *popular fermented drink*
chicharra cicada, jarfly
chiflar to whistle
chillar to screech, scream
chillido screech, scream, shriek, squeal
chillón shrill, harsh
chimbo sweetmeat
chinche *m.f.* bedbug; thumbtack
chino Chinese; *m.n.* Chinese man; Chinese language
chipera *woman vendor of native mandioca bread*
chirona jail
chirriar to hiss, sizzle; creak
chirrido creaking; chattering
chisme *m.* tale (*of a gossip monger*), gossip
chispa spark, ember
chispazo scintillation, spark
chistera top hat
chivata "girl"
chocante provoking, shocking; revolting
chocar to strike, collide, hit; provoke; disgust
cholo *Am.* half-breed
chontaruro *bot. a kind of palm bearing edible fruit*
chorreado wet
chorrear to drip
chorro jet, spurt, stream
choza hut, hovel, shanty
chupar to suck, draw; drink
churrasco broiled meat; steak sandwich
chusquear to frequent public women; tease, joke

D

dado die; *pl.* dice
damajagua *bot. tree whose bark can be used to make clothes*
danza dance
daño damage, hurt, harm, wrong, evil
dar to give; — **en decir** to insist on saying; — **la lata** to bore
datilero *bot.* date palm
debatirse to argue, discuss
deber *m.* duty, obligation, debt
débil feeble, weak
decadencia decadence, decay, decline
decapitado decapitated, beheaded
decentito (*dim. of* **decente**) decent, self-respecting
decepción disappointment, disillusionment
declaración declaration, testimony, deposition
decrecer to decrease, diminish
decreciente decreasing

decreto decree, decision, resolution, statute
dedal *m.* thimble
dedo finger, digit
definido definite, determinate, sharp
definirse to define oneself
deformado deformed
degollar to behead, decapitate, slit (*the throat*)
degollina slaughter, butchery
degüello decollation, act of beheading
deidad deity, divinity
dejación abandonment; *Am.* laziness, carelessness
dejar to leave; allow, permit; — **de** to leave off, cease; — **el juego aparte** (to leave) all kidding aside
delación accusation, information
delantal *m.* apron
delatado denounced
deletrear to spell out
delgado thin, lean
deliberar to deliberate, consider
demacrado emaciated, excessively lean
demasía excess, surplus, superabundance; **en** —, excessively
demente demented, mad, insane
demoler to demolish, tear down
demorarse to delay, be delayed, tarry
demostración manifestation, demonstration, proof
densidad density
dentadura set of teeth; (*false*) denture
dentellado toothed, jagged; bitten; **a dentelladas** with the teeth
dentera tooth edge; *coll.* envy; **dar** —, to set one's teeth on edge
denuncia denunciation
denunciar to denounce, accuse; advise, give notice
dependiente *m.f.* clerk, salesperson
depilar to depilate
deportista *m.* sportsman
deportivo athletic
deprimente depressive; belittling
depurativo purifying
derecho right, justice, law
derramado diffused, profuse
derramarse to overflow, run over; be scattered
derredor *m.* circumference, circuit; **en su** —, round about him
derrengarse to break one's back
derretido thawing, languishing, molten
derribar to knock, cut, *or* tear down
derroche *m.* waste, extravagance, squandering
derrota defeat
derrotado defeated, vanquished, beaten
derrotar to defeat; waste away
derrumbarse to sink down, crumble away
desafiante defiant, challenging
desafiar to challenge, dare, defy
desaire *m.* slight, rebuff, snub
desalentador discouraging, disheartening, dismaying
desalojar to dislodge, dispossess, oust, evict
desamparado foresaken, needy, abandoned
desamparo abandonment; helplessness
desangrado bled to excess
desaparición disappearance
desarraigado uprooted
desarrollado full-grown, full-blown, grown-up

desarrollar to uncoil, unwind; develop
desarticulado loose, disconnected
desasosegado restless, uneasy, unquiet
desasosiego restlessness, uneasiness, unrest
desastre *m.* disaster
desatar to untie, undo (*a knot*), loosen
desazón *f.* insipidity; uneasiness
desbocarse to run away; *coll.* to use abusive language
desbordar to overflow; lose one's temper
descalzo barefoot, shoeless
descansado rested, restful, reposeful
descanso rest, repose
descarga unburdening, unloading; *elec.* discharge
descargar to unload, discharge, fire, touch off (*a gun*)
descarnado thin, lean, bare
descarriado erring, wandering; unstrayed, separated
descartar to discard, fling away, dismiss
descascarado *with bark or husk removed;* peeling
descendencia descent, origin; offspring, succession
descendiente descendant
descifrar to decipher, unravel
descobijado uncovered
descolgarse to come down gently, slip down (*by a rope*)
descolorido discolored, pale, blank
descomponente unsettling, disturbing
descomunal huge, enormous
desconcertante puzzling, bewildering
desconfianza diffidence, distrust
desconocido unknown; *m.n.* stranger
desconsuelo affliction, disconsolateness
descoyuntado disjointed, disconnected
descuajar to dissolve, liquify; eradicate
descubierto manifest, exposed; **al —**, openly, manifestly
descubrir to discover
descuidar to neglect, forget, overlook
descuido carelessness, indolence, negligence; **al —**, unobserved; carelessly
desdicha misfortune, ill-luck
desdichado unfortunate; unhappy
desdoblar to unfold, unfurl, spread open
desembocadura outlet, exit, debouchment
desembuchar to disgorge; tell
desencadenado unchained, unshackled
desencadenarse to break loose; free oneself; come down in torrents
desencajado run-down, looking bad
desenfrenado unrestrained, unbridled
desenfreno unruliness, abandon, wantonness
desengañar to undeceive
desengaño disappointment
desenvainar to unsheath
desenvolvimiento unfolding, development
desesperación desperation, despondence
desesperado desperate, mad

desfallecer to grow weak; faint
desfilar to pass in review, parade (by)
desflecado frayed
desfondar to break *or* take off the bottom
desgajarse to be separated, be disjointed; be torn off
desgana lack of appetite; unwillingness, reluctance
desgarrado licentious, dissolute, impudent
desgarramiento tearing, rending
desgarrar to rend, tear, claw
desgraciado unfortunate, unlucky; unhappy
desgreñado disheveled
deshabitado uninhabited
deshecho undone, destroyed; *m.pl.* debris
deshilachado unraveled, ragged
desigual uneven; unequal
desilusionado disillusioned, disabused
desistir to desist, cease, give up
deslizar to slip, slide, shift; glide, run, pass
desmadejado languishing, languid
desmantelado dismantled; dilapidated
desmayado wan, faint; dismayed, discouraged
desmayarse to faint
desmedidamente excessively, greatly, unevenly
desmenuzar to crumble, mince, hash, shred
desnudo nude, naked, bare, barren
desolado desolate, disconsolate
desorbitado confused, disorderly, lost
desordenado disorderly, disordered, wild
desorientado confused, gone astray
despacho library, office, study
desparramar to scatter, spill, disseminate, spread
despecho spite(fulness), hatred, grudge
despedir to emit, eject, belch; to fire, dismiss
despegar to unglue, disjoin, detach; take off (*a plane*)
despeinado uncombed, unkempt
despeinar to disarrange the hair of
despejarse to become bright and smart; clear up (*weather*, *sky*, *etc.*)
despellejado peeled, skinned, raw
despeñadero precipice, crag
desperdicios *m.pl.* refuse, offal
desperezarse to stretch one's limbs; shake off sloth
desperfecto deterioration, blemish, imperfection
despertar to wake up, awaken
despiadado merciless, ruthless
desplanchado wrinkled, rumpled
desplazarse to displace, move
desplomarse to tumble, collapse, sag
despojar to despoil, strip (*of property*)
despojo plunder, spoils; *pl.* remains, leavings
despreciable contemptible, despicable, vile
despreciativo contemptuous, depreciatory
desprecio disdain, scorn
desprenderse to rid oneself of; step out of
desprendido disinterested, generous; unfastened, loose
desprevenido unprepared, improvident, unguarded

desprovisto unprovided (with), lacking
desquitar(se) to win back again; retaliate, take revenge
destacar to bring out, make conspicuous; *v.r.* to stand out
destapar to uncover, uncap
desteñido discolored, faded
destilar to distill
destinarse to destine, allot, set aside
destino fate, destiny
destrabar to unfetter, unshackle, unbind
destroncado detruncated, lopped
destrozado destroyed, shattered
destrozar to destroy, shatter, mangle
destrozo destruction, havoc
desvalorizado undervalued, devaluated
desvanecerse to pale, grow vapid; vanish, disappear
desvelado watchful; sleepless
desvergonzado impudent, shameless, brassy
desvestidor *m.* dressing room
detrasito (*dim. of* **detrás**) right behind
deuda debt
devolver to return; restore
devorador voracious; *m.n.* devourer
devorar to devour, swallow up, consume ravenously
día *m.* day; — **a** —, day by day; — **por medio** every other day; **todo el santo** —, the livelong day
diabólico diabolical, devilish
diario daily, newspaper
dibujar to draw, sketch
dientes: entre —, muttering
dificultar to obstruct, impede
dificultoso difficult, hard
difundir to spread, publish
difunto dead person
digerir to digest
dignidad dignity
digno worthy, meritorious, deserving
diligencia diligence; stagecoach
dilucidar to elucidate, explain, discuss
diluvio deluge, flood
dimes y diretes sixes and sevens
dineral *m.* a lot of money, a pretty penny
dinero: de —, moneyed
dintel *m.* lintel, doorhead
directriz *f.* directrix
dirigido addressed
disculparse to excuse oneself, apologize
discurso discourse, speech, oration
diseminado disseminated, scattered, spread, propagated
diseño sketch, plan
disfrazar to mask, disguise
disgustar to disgust, offend the taste; displease, offend
disímil dissimilar, unlike
disimulado dissembling, sly, cunning
disimular to dissimulate, dissemble, feign
dislocado dislocated, out of joint
disloque *m.* displacement; acme
disminuir to diminish, decrease
disolvente *m.* dissolvent, dissolver
disolver to loosen, untie; dissolve; separate
disparado shot, discharged; **salir** —, to run out like a shot
disparar to fire, shoot
disparatado extravagant, silly, wild

disparate *m.* blunder, mistake, nonsense
dispensar to dispense, deal out; exempt, excuse from; forgive
disponerse to prepare oneself, get ready
dispuesto disposed, fit, ready
distar to be distant from
distingo technicality; **—s raciales** racial prejudices
distinguir to discern, distinguish, make out
distraer(se) to divert, amuse; distract, disturb
distraídamente absent-mindedly
divagar to roam, digress
diverso diverse, different
divertir to amuse
divisar(se) to see afar off, sight, espy
diz *contraction of* **dícese; — que (dizque)** they say that . . . ; *m.* gossiping; rumor
doblar to bend, buckle; turn down, out *or* over
dolencia aching, ache
doler to pain, ache; to regret *or* be sorry
dolor *m.* pain
dolorido doleful, dolesome, sore, afflicted
doloroso painful, sorrowful
domar to tame, break (in), subdue
dominar to dominate
dominical Sunday
dominio dominion, control, rule, authority
don *m.* gift, quality
dorado gilded, golden
dorar to gild, cover *or* disguise
dorso back, reverse, dorsum
dostoievskiano Dostoievskian
dotado endowed (with)
dote *m.f.* dowry, endowment; natural gifts
duelo sorrow, grief, mourning; duel
dueño owner
dulcamara *bot.* bittersweet; nightshade
dulce sweet, honeyed, sugary; *m.n.* sweet, candy
dulzón sweetish
Dunsany, (Lord) Edward John Plunkett *(1878–1957), Irish poet, dramatist, and short-story writer*
durazno *bot.* peach, peach tree
dureza hardness, solidity, firmness
durmiente *m.* R.R. girder, tie (stringer)
duro hard, stiff

E

ébano ebony
ebonita ebonite, hard rubber
eclosión eclosion (*emergence from a covering, as of an insect from its pupa case*)
echado lying, stretched out
echar to cast, throw, hurl; **— mano** to lay hands on, seize; **—se** to lie down
Edad Media Middle Ages
editar to publish
educado educated
efectuar to accomplish, effect, come *or* carry out; *v.r.* to be effected, carried out
efímera ephemeral, fleeting
egoísmo selfishness, self-love, egoism, egotism
egoísta egoistic, egotistic, selfish
eje *m.* axis; axle, shaft
ejemplar *m.* example; copy
ejemplo example, illustration

ejercer to exert, exercise, practice
ejercicio exercise
ejercitar to put into practice, drill
elástico an elastic (webbing)
elegir to elect, choose, select
elemento element; *coll.* crowd
elevar to raise, elevate, lift, hoist
élitro elytron (*anterior wing in coleoptera, etc.*), tegmen, wing case
elor (*for* **olor**) *m.* smell, scent
emanar to emanate, proceed *or* spring from; issue
embadurnado smeared, daubed
embancar to adhere; take root
embarcación boat, craft, vessel, ship
embarcar to embark; ship; board
embargo embargo; sequestration, seizure; levy; **sin —**, notwithstanding, although, none the less
embarrar to smear
embaucar to deceive, trick
embolsar to pocket; wrap
embotar to blunt, dull; enervate
embravecerse to become angry, be enraged
embravecido enraged; strong
embriagado intoxicated; enraptured
emerger to emerge, issue from
emigrado emigrant, émigré; **— ruso** Russian émigré
emigrar to emigrate
emitir to emit, send forth; issue
emocionado moved, touched
emotivo emotional
empanada meat pie; **—s fritas** fried meat pies
empañar to blur; tarnish
empapar to soak, drench
empapelado *m.* wallpaper; papering
empaquetado packed, stuffed; puffed up
empecinamiento insistence, stubbornness
empellón *m.* push, shove
empeñarse (en) to persist (in); insist (on)
empinarse to stand on tiptoe; rear, stand on hind legs
emplastado matted, sticky
emplasto poultice, plaster
emplazar to set
empleado employee
empobrecido impoverished
emponzoñado poisoned; corrupt
empotrar to imbed, fix on a wall; set, hang
emprender to undertake, engage in
empujar to push, shove
empujón *m.* push, shove
empuñar to clinch, clutch, grip tightly (*with the fist*)
empurpurar to empurple, stain purple
enamorar to make love to; inspire love in
enamoriscao (*for* **enamoriscado**) smitten, lovesick
enano dwarf; gnome
enardecido impassioned
encabritarse to rear
encadena(d)o shackled, chained
encajar to incase, imbed; insist; gear; engage
encallar to run *or* get aground; strand
encaminarse to take the road to
encampanar *Am.* to lure, lead astray, mix someone in a bad affair; fall in love
encandilar to dazzle, daze, bewilder

encantamiento enchantment; incantation
encanto delight, charm, enchantment
encañonado plaited; folded
encaramado perched
encararse to face, be face to face
encargar to entrust, charge with
encargo charge, commission, request
encariñarse to become fond, smitten
encarnado flesh-colored, red
encarnar to embody
encartuchado rolled
encender to ignite, light, enkindle
encendido inflamed, live, fiery, burning, hot, glowing, red
encerrona voluntary retreat
encía gum (*of the mouth*)
encima above; **llevar —**, to be responsible for; **por — de** above, over
encoger to contract, shorten, shrink; **—se (de hombros)** to shrug
encolerizado irate, angry
enconado inflamed, irritated
encopetado haughty, stuck-up; of high social standing
encorvado curved, bent
encrisparse to twitch
encuentro collision, clash; encounter; find
encuesta investigation
endemoniado devilish, fiendish
enderezar(se) to straighten (up) unbend; rectify, make right
endurecido hard, hardy
energía energy
enérgico energetic, lively
enfermería infirmary, first-aid station
enfermizo sickly
enfilar *naut.* to bear towards
enflaquecido emaciated, wasted, thin
enfranelado covered by *or* dressed in flannel
enfrentar to confront, put face to face; *v.r.* to face, oppose
enfrente facing, opposite, across the way
enfriar to cool; *v.r.* to get chilled
engañar to deceive, cheat; **— el hambre** to assuage one's hunger
engranaje *m.* gear, gearing
engullir to devour, gobble
enjuagar to rinse
enjugar(se) to dry; drain; wipe off (*moisture*)
enjuto dried, dry; lean, spare
enloquecedor maddening
enloquecido mad, insane
enlozado *Am.* enameled
enlutado funereal, darkened, in mourning
enmascarado masked
enmelenar to entangle, snarl
enmohecido rusty, moldy
ennegrecido blackened, darkened
enorme enormous, huge
enredadera climber, vine
enredarse to get entangled, snarled
enrevesar to twist, make nonsensical
enrojecido reddened
enroscado curled, entwined; wreathed
ensanchar to widen, extend
ensangrentado bloody, gory
ensangrentar to bloody, stain with blood
ensartar to string, thread; stick
ensayista *m.f.* essayist
ensimismado abstracted, absorbed

ensuciar to stain, sully, dirt, soil
entablar to set, splint
ente *m.* entity, being, person
entendimiento intellect, understanding
enterado cognizant, knowledgeable
enterramiento burial, interment
enterrar to inter, bury
entierro burial
entrada entrance, door(way), gate(way)
entrambos both
entraña entrail; *pl.* entrails, bowels; belly, viscera; **mala —**, evil
entrañar to penetrate to the core; contain, carry within
entrar to enter; **— en** to enter into; **— en funciones** to act, take action
entreabierto ajar, half-open
entrechocar to crash (*two things against each other*), collide
entrelazar to entwine, interlace
entrever to see imperfectly, glimpse
entumecimiento numbness
entusiasmar to enthuse; *v.r.* to become enthusiastic
enumerar to enumerate
enunciar to state
envanecerse to puff, swell (*with pride*)
envejecido grown old, aged, old-looking
envidia envy, enviousness
envidiable enviable
envidiar to envy
enviudar to become a widower *or* widow
envoltura wrapping
envolver to wrap, envelop
equilibrarse to balance oneself
equilibrio equilibrium, balancing
equis *f. the letter "x;"* nothing
erguido erect
erizamiento setting on end (*as the hair*)
erizarse to bristle, stand on end (*hair*)
ermitaño hermit
errado wrong; **andar —**, to be way off, be wrong
erre *f. the letter "r"*
erupción eruption, outbreak
escala ladder, stepladder, scale; stop
escalera staircase, stairs, stairway; **— de caracol** winding stairs
escalofrío chill
escalón *m.* step (*of a stairway*)
escama (fish) scale, flake
escándalo scandal; tumult, commotion
escarbar to scrape, dig
escarmentar to be taught (*from experience*)
escaso limited, scarce
escatimar to curtail, lessen, skimp, scrimp
escena scene
escenario stage
escenografía night set
esclavo slave, captive, serf
escoba broom
escoger to choose, select, pick out
escombro rubbish, rubble
esconder to hide, conceal
escondido hidden, secret; **a escondidas** secretly
escondrijo concealment, hiding place
escopeta shotgun, scatter-gun; **una — de cápsula** rifle
escoria dross, worthless thing
escote *m.* low neck
escozor *m.* smart. itching; grief

escritor *m.* writer, author
escritorio desk; study
escrúpulo doubt, scruple, hesitation
escuálido squalid, filthy; weak
escudilla bowl, crock
esculpir to sculpture
escupir to spit
escupitín *m.* spittoon
escurridizo slippery
escurrir to drain (off)
esfera sphere, ball
esforzado strong, brave
esforzarse to exert oneself, make an effort, try hard
esfuerzo effort, endeavor; courage
esfumarse to vanish, disappear, dissipate
esgrima fencing
esgrimir to wield (*a weapon*)
eslabón *m.* link (*of a chain*), connecting link
eslavo Slavic; *m.n.* Slav
esmaltar to enamel; adorn
esmeralda emerald
esmero careful attention
espacial spatial
espaciar to space; *v.r.* to expatiate
espada sword
espalda back, shoulder; **de —s** on one's back
espaldar to back (up)
espantachivos *m.* thundershower
espantado frightened
espantar to scare, dismay; shoo (*a fly*); *v.r.* to be astonished
espantoso frightful, dreadful
esparcido scattered, sparse, widespread
especie *f.* type, kind
espectáculo spectacle, show, sight
especulativo speculative, thoughtful
espejismo mirage, illusion
espejo mirror
espeluznante lurid, shocking, thrilling
espera expectation; wait(ing), stay, pause; **en —,** in the hope
esperanza hope, expectance, expectancy; **ni —,** not a chance
espeso thick, condensed, dense
espesor *m.* thickness
espesura thickness, density
espía *m.f.* spy
espina thorn
espinoso thorny
espiritista *m.f.* spiritist
espíritu *m.* spirit, soul; ardor, courage
espiritual spiritual; **ejercicios —es** devotional exercises
esponja sponge
esponjarse to swell, puff up
esponjoso spongy, porous
espuela spur; stimulus
espulgarse to delouse oneself
espuma foam, froth
esqueleto skeleton
esquiar to ski
esquina corner, nook, angle
esquivar to shun, elude, avoid
establecimiento establishment; statute
estacionero farm worker, laborer
estada stay, sojourn
estallar to explode
estallido crack, crash
estampa print, stamp, sketch, figure; holy card; footstep
estampido report (*of a gun*), crack
estancia small farm; country estate; stay; living room
estanque *m.* pond, reservoir, pool
estático static; astounded
estatua statue

estela wake
estero inlet, estuary, creek
esterón *m.* large inlet, creek; swamp, marsh
estertor *m.* death rattle
estilarse to be in style
estilizado stylized
estilo style, custom, use
estirar to dilate, stretch (out), lengthen; *v.r.* to stretch; put on airs
estival summer
estola stole (*worn by priests*)
estómago stomach
estorbo hindrance, obstruction
estrado stand; drawing room
estrafalario slovenly; wild, queer
estrangular to strangle, throttle
Estrasburgo Strassburg
estrasburgués *m.* Strassburgian (*native of Strassburg*)
estrechar to tighten; constrict, narrow
estrecho narrow, close, dense
estrellarse to break, crash
estremecedor frightful, terrifying
estremecer to shake, make tremble; *v.r.* to shake, tremble, shiver
estremecimiento trembling, shaking
estrenar to use *or* do for the first time, inaugurate
estrépito crash, din
estrofa strophe, stanza
estropajo mop, swab
estropicio destruction
estructura structure
estrujar to press, squeeze
estuche *m.* case (*for jewelry*), sheath (*for scissors*)
estudiao *coll.* read, educated
estufa stove; greenhouse
estupefacto motionless, stupefied
eternidad eternity; lifetime
eterno eternal, endless
etiqueta label
eufórico euphoric
evaporar(se) to evaporate
evidencia evidence, proof
evitar to avoid, elude, escape
evolucionar to maneuver; circle
exagerar to exaggerate, amplify
exaltar to exalt, elevate, lift
exangüe anemic, weak
exánime lifeless; *fig.* fainted, weak
exasperante exasperating
excitante exciting, stinging
excomunión excommunication
excusado toilet
exhalar to exhale, breathe forth, emit
exhausto exhausted, devoid of, lacking in
exigir to require, exact, demand
exilado exile
expediente *m.* action, proceedings, process
expedienteo procedure, red tape
experiencia experience
experimentado expert, experienced, tried, proven
experimentar to experience, undergo
explanada esplanade
explayarse to dwell upon, discourse at large
explicación explanation
explorado explorer
explotador *m.* exploiter
explotar to work *or* develop (*mines*); exploit, utilize; push a venture through
exponer to expose, show; expound, explain; *v.r.* to run a risk
exprimir to squeeze, press out

extenuarse to languish, waste away
exterminio extermination, ruin
extirpar to extirpate
extraer to extract, draw off; pull (out)
extrañar to banish; miss; find strange
extrañeza oddity, queerness
extraño strange, odd, queer; *m.n.* outsider, stranger
extraterrenidad sovereignty; diplomatic immunity
extraterreno extramundane, extraordinary
extravío deviation, misplacement

F

fábrica factory; building
fabricar to manufacture, fabricate
fábula fable, tale
facción feature; *pl.* facial features
facha appearance, look
fachada facade, frontispiece
faena task, toil, chore
faenamiento chores
faja band, sash; girdle
fajar to swathe, swaddle; bind
fajo bundle, roll
faldita (*dim. of* **falda**) skirt
falsificar to falsify, counterfeit
faltar to be lacking; fail; — **a** to be absent; **no faltaba más** the idea!
familia family; a woman; **medio —,** related
fardo bale, parcel, bundle, load
farfullar to gabble, jabber
farmacéutico pharmacist, druggist
farmacia pharmacy, drugstore
farol *m.* lantern, light
farra carousing, spree
fascinador fascinating, charming
fastidiado wearied, weary, sick of
fatalidad fate, destiny; fatality
fatuo fatuous, stupid
fauces *f.pl.* jaw; fauces, gullet
fechoría misdeed, villainy
felicidad happiness
feliz happy; fortunate, lucky
felpudo plushy
feroz ferocious, fierce, ravenous
férreamente tenaciously
festejar to entertain; feast; regale, make much of
fiar to guarantee, warrant; trust; give credit
fibra fibre, filament; firmness, vigor
ficción fiction; tale, story
ficha chip; marker
fideos *m.pl.* vermicelli
fiebre *f.* fever, intense excitement
Fierabrás *magic balsam often mentioned by Cervantes in* Don Quijote
fiereza fierceness, ferocity
fierro iron; any iron tool
figura figure; face; **genio y —,** genius and personality
fijarse to fasten, stick; grow to; rivet one's attention; — **en** to notice
fijo fixed, firm, still, steady
fila rank
filo cutting edge, bit, slice
filoso sharp
filtrar to filter, filtrate, seep
filtro filter; philter, love potion
filudo (*for* **afilado**) *Am.* sharp
fin *m.* end; **un sin — de** countless, a whole string of
finado deceased
fineza fineness, goodness
fingir to feign, pretend

fino fine, pure, refined; thin, slender
firmeza firmness, stability
fiscal *m.* revenue officer; public prosecutor
fisionomía physiognomy, appearance
flaco thin, lank, lean
flamante flaming, bright, flamboyant
flamenco Flemish
flan *m.* custard
flanco side, flank
flecha arrow
flexión flexion, flexure
flíjase *for* **aflíjase** (*from* **afligirse,** to worry; grieve)
flojo loose, lax, slack
florecer to flower, bloom, grow
florecido in flower, in bloom
Florencia *Italian city on the banks of the Arno*
florero florist; vase
florescencia flowering, efflorescence
flote *m.* floating; **a** —, afloat
fluctuante fluctuating
flujo flux, flow
foco focus
fogata bonfire, blaze
fogón *m.* hearth, fireside
fogonazo powder flash
follaje *m.* foliage, leafage
folleto pamphlet
fonda inn, eating house
fondín *m. a mean type of inn or eating house*
fondo bottom; fund; rear, background; capital; **a** —, in depth; **al** —, in back; at the bottom; **en el** —, at heart
foráneo foreign, strange
forastero outsider, stranger
forcejear to struggle, strive
forrado lined, upholstered, covered
forraje *m.* forage, fodder
forúnculo boil
fosa grave; fossa, pit
fósforo friction match
foto(grafía) photo
fotógrafo photographer
fracaso downfall, ruin; failure
franco frank, open, candid
franela flannel
franja trimming, band, border, stripe
frasco flask, vial, bottle; — **de remedio** medicine bottle
frecuencia frequency, customariness
fregarse to swab, rub; *vulg.* to be ruined
frenar to bridle, brake
frenético mad, frantic
frente in front, across the way; — **a** in the face of; facing; *f.n.* forehead
frialdad coldness, unconcern
friega massage, rubdown
frondoso leafy, luxuriant
frontera frontier, border
fronterizo frontier; facing, opposite
frontis *m.* facade
frotarse to rub
fruncir to gather; purse, ruffle; pucker; — **las cejas** to wrinkle one's brow
frustrado frustrated, defeated
fuego fire, conflagration; **hacer** —, to build a fire
fuelle *m.* bellows, blower
fuente *f.* spring (*of water*), fountain; dish, platter
fuero statute, law; judicial power
fuerte strong

fuerza force, strength; **a — de** by means of; **a la —**, by force
fugaz brief, fleeting
fulano de tal John Doe
fulgor *m.* fulgency, resplendence, gleam
fulminado struck by lightening
fulminar to fulminate, flash
funcionar to function, work
funcionario functionary, office-holder, clerk
funda case, cover, pillowcase
fundirse to fuse, combine
fúnebre mournful, sad, lamentable, hearse-like, funereal
furia fury, rage; **montar las —s** to become violent
fusilado executed (*by shooting*)
fusilamiento execution (*by shooting*)

G

gacho drooping
gafas *f.pl.* glasses, spectacles
gajo branch (*of a tree*); bunch (*of grapes*); slice (*of an orange*)
galanteo gallantry; courtship
galimatía(s) *m.* gibberish
galpón *m.* shed, barn
galleta biscuit, cookie
gallina hen
gallinazo *orn.* turkey buzzard, vulture, bird of prey
gallinero chicken coop; poultry yard
gama gamut, scale
gana appetite, hunger, desire *or* mind; **de buena —**, willingly
ganancia profit, gain
ganglio ganglion
gangoso nasal; *speaking with a nasal twang*
ganoso desirous
ganso gander, goose; silly person
garabato scrawl, scribble
garganta throat
gárgara gargling, gargle; **hacer —s** to gargle
gargarizante *m.* gargle
garra claw, talon, fang; clutch, grasp; **de mucha —**, with great grasp *or* understanding
garrotillo croup
garúa drizzle
garza *orn.* heron; crane
gasa gauze
gastado worn out, useless
gasto expenditure, expense
gato cat, tomcat
gatuno catlike, feline
gaviota sea gull
gemido moan
gemir to moan
género genus, class, genre
genio genius, creative intellect; disposition, character
gente *f.* people; **— bien** "the well off"
gentileza gentility, gracefulness, courtesy, politeness
gentío crowd, multitude
gesto facial expression, grimace
gigantesco gigantic, mammoth
gimoteo whining
ginebra gin
girar to revolve, gyrate, turn
girasol *m.* sunflower, turnsole
girón (jirón) strip, tatter; a tiny bit (*of the eyelid*); a flutter (*of the eyelid*)
glicina *bot.* wisteria
gobernar to govern, rule, control
goce *m.* enjoyment
goethiano Goethian
golpe *m.* blow; **de —**, all at once; **— de azar** chance stroke *or* blow

golpear to beat, pound
golpeteo (continued) knocking, rattling
golpiza beating, battering
goma gum, rubber (band)
gorrita (*dim. of* **gorra**) cap
gorro cap
gota drop (*of liquid*), driblet; tear
gotear to drop, drip, leak
goterón *m.* large raindrop
gozne *m.* hinge
gozoso joyful, cheerful, glad
gozquezuelo (*aug. of* **gozque**) cur, dog, mutt
grabado engraved, recorded
gracia grace(fulness); comeliness; gentility, graciousness; witty saying, joke
grácil gracile, slender
gracioso graceful; pretty; funny, witty; gracious, accomplished
grado grade, stage, degree; — **a** —, little by little, slowly
gran great, big; **la Gran Guerra** World War I
granel *m.* heap of grain; **a** —, by the bushelful
granero granary
granja grange, farm
grasa grease, fat
gratuidad tip
gratuito gratuitous; unfounded
gresca revelling, clatter; wrangle, fight
grieta crevice, crack
grifo faucet
grillo cricket
gris grey
gritito (*dim. of* **grito**) cry, howl(ing)
grito: a todo —, at the top of one's voice
grosero coarse, rough, churlish
grueso thick, bulky, corpulent, full, broad
gruñido grunt, growl, snarl
gruñir to grunt, grumble, growl
guabo (guamo) *bot.* shade tree; **—s machetones** guamá trees
guacharaca *orn.* chacalaca *or* chachalaca, Texan guan
guanta (guatusa) *kind of rodent*
guante *m.* glove
guapetonada a brave, daring act; bravado
guapo handsome
guaraní Guaranian
guardabosques *m.* forester, gamekeeper
guardapelo locket
guardar to keep, protect, shield; lay up *or* hoard; — **cama** to stay in bed
guardatrén *m.* switchman
guardia guard
guardia civil *m.* rural policeman
guarida den, cave, lair (*of a wild beast*)
guaripola *strong drink of Uruguay, a rum drink made from sugar cane; Am.* baton
guatín *m.* (*orn.*) Cuban trogon
Guayabo *a street in Montevideo, formerly called Rivera Chica*
guayacán (guayacol) *m.* (*bot.*) tree of life, guaiacum
gubernistas *m.pl.* (pro-)government forces
guerra war
guerrero martial, warlike
guindar to hang (*a thing*) on high
guiño wink, blink
guión *m.* (movie) scenario
gusano worm, grub
gutapercha gutta-percha

H

habichuela French *or* kidney bean
hábil capable, intelligent, clever, skillful
habladuría impertinent speech, gossip
hacer: — **cola** to get in line; — **fuego** to light a fire; — **guantes** to spar
hacinar to stack, pile up; (over)-crowd
hachazo blow with an axe; **a —s** by axe blows
hache *f. the letter "h"*
hachero axeman, woodsman
halagador *m.* flatterer, cajoler
hálito breath; breeze
halo halo, ring
hallar to find
hamaca hammock
hambre *f.* hunger
hamburguesa hamburger
haragán idle, slothful; *m.n.* idler, loiterer
hazmerreír *m.* laughingstock, fool, clown
hecatombe *f.* hecatomb
hedentina stench, stink, fetidness
hediondo stinking, fetid
heladera refrigerator, icebox
helado cold; indifferent; *m.n.* ice cream
helecho *bot.* fern
hembra female, woman
hemiplejia (hemiplejía) *med.* hemiplegia (*paralysis of one lateral half of the body*)
henchir to fill, stuff, swell, billow
hender to crack, cleave, split; cut, rend
hendija (rendija) crevice, crack
herbáceo herbaceous, grassy
herbolario herbist, herbman
heredar to inherit
hereje *m.f.* heretic
herencia inheritance
herida wound
herido wounded; *m.n.* wounded person
herir to wound, stab, cut
hermanar to mate, match, link, join
hermoso beautiful, handsome
herramienta tool, implement; set of tools
herrumbrada rusted, rusty
herrumbre *f.* rust
hervidero ebullition, boiling; crowd
hervir to boil, seethe
hiel *f.* gall, bile
hierba grass, weed
hígado liver
hijo de p— S. O. B.
hilacha fraying, shred
hilero tideway
hilillo (*dim. of* **hilo**) thread; yarn; twine
hilvanar to thread, string together, baste
hinchapelotas *vulg.* annoying
hinchar to swell, inflate, bloat
hinchazón *f.* swelling
hipnótico hypnotic
hipnotizar to hypnotize
hipocresía hypocrisy
hipoteca mortgage
hipotecado mortgaged
historiador *m.* historian
hito fixed, firm; — **en** —, right in the eye
hocico snout, muzzle; mouth
hogar *m.* home
hoguera bonfire, blaze
hoja leaf, frond, petal; — **de afeitar** razor blade

hojasé (hojasén) *m.* (*bot.*) *leaf of the senna bush*
hojear to look over hastily, leaf through
holofrástico holophrastic
hollín *m.* soot
hombro shoulder; **encogerse de —s** to shrug
hondo deep
hondor (*for* **hondura**) *m.* depth
honestidad modesty; purity; decency
honradez honesty, probity
honrado honest, honorable
horario timetable, schedule
horcón *m.* forked pole (*used to support the branches of fruit trees*)
horma mold; shoemaker's last
horno oven
horrorizar to horrify, terrify
hoyo hole, pit
huaina young (Indian) man
hueco hollow, empty, vacant
huella track; trail, path
huerta (vegetable) garden
hueso bone, stone, core
huésped *m.* guest, lodger
hueste *f.* host, army
huevoarrastrado dragging
huevón *vulg.* lazy lout
huida flight, escape
huidizo fugitive, fleeting
humareda cloud of smoke
humeante smoking, fuming
humear to smoke, to emit smoke
humedecer to moisten, dampen
húmedo damp, humid, moist
humillación humiliation
humillado prostrate; humiliated
humo smoke, vapor
hundido sunken, submerged
hundir(se) to sink, fall down, collapse
hurgar to stir, poke
hurguetear to search for, rifle
husmear to scent, sniff

I

idilio idyl
idioma *m.* language
ignorar not to know, to be ignorant of
igual equal; smooth, level, even, uniform; **por —**, equitable, equally
ijar *m.* flank (*of an animal*)
ileso unhurt, unscathed
imagen *f.* image
imaginarse to imagine, suspect
impartir to impart
impasible impassive
impedir to impede, hinder
imperio empire
implorar to implore, entreat, beseech
imponente imposing, stately
imponer to impose
imprecación imprecation, curse
impregnar to impregnate, saturate, permeate
imprenta printing press *or* house
imprescindible essential, imperative
impresionante impressive
impresionar to impress, affect
imprevisto unforeseen, unexpected
improviso unexpected, unforeseen; **de —**, unexpectedly, suddenly
impúdico immodest, shameless
impuesto tax, duty
inadaptado not adapted
inalcanzable unreachable, unattainable
inasible impossible to grasp

incendio fire, conflagration
incidencia incidence, casualty
incitante inciting, inviting, encouraging
incógnito unknown; *f.n.* unknown quantity
incomodidad inconvenience, discomfort
incómodo inconvenient, uncomfortable
inconfundible unmistakable
incongruente incongruous
incontrolado uncontrolled
incorporarse to sit upright, sit up (*in bed*)
increíblemente incredibly
increpar to chide, reprehend, reproach, rebuke
incrustado incrusted
incubar to incubate, brood, hatch
incumbir to concern, pertain; be incumbent upon
indagar to inquire, investigate
indecente indecent, obscene, foul
indecible unspeakable, unutterable
indeciso irresolute, hesitant
indescriptible indescribable
indeseado unwanted, unpleasant
indicador *m.* indicator, pointer; detector, index
índice *m.* index
indígena indigenous
indigenismo native, indigenous values
indigno unworthy, undeserving; vile, mean
índole *f.* nature; class, kind
inducir to induce, persuade; lure
industria automovilística auto industry
inédito unpublished
inescrutable inscrutable, unfathomable
inesperado unexpected
inexplicabilidad inexplicability
infame infamous
infarto heart attack
infectar to infect, spread
infeliz unfortunate; *m.f.n.* poor devil
infierno hell
inflado inflated, bloated, puffed-up
influyente influential
informe shapeless, formless
infortunio misfortune, ill luck
infundir(se) to infuse, inspire with, imbue, instill
ingeniero engineer
ingenio *Am.* sugar mill *or* plantation
ingenuidad *f.* ingenuousness, candor, naiveté
ingrávido light, tenuous
ingresar to enter, come in
íngrimo lone, lonely, deserted, sad
iniciativo initiative, start
inmediaciones *f.pl.* environs, suburb; neighborhood
inmediato immediate, contiguous, adjoining; **de —**, immediately
inmensidad immensity, vastness
inminencia imminence, nearness
inminente imminent
inmisericorde merciless
inmundo unclean, filthy
innegable undeniable
innovar to innovate
inodoro toilet
inolvidable unforgettable
inopinado unexpected
inquietante disquieting
inquietar to disquiet, trouble
inquietud disquietude, restlessness, unrest
inquirir to inquire, investigate

inservible useless, unfit; out of commission
insidioso insidious
insinuante insinuating, suggestive
insinuarse to insinuate *or* ingratiate oneself,
insomne sleepless
insoportable unbearable, insupportable
insospechado unsuspected, undreamed of
instantáneo instantaneous; *f.n.* picture, snapshot
instinto instinct; **por —,** instinctively
instruido knowing, skilled; lettered *or* educated
insurrecto insurgent, rebel
intachable irreproachable
integrar to make up; *v.r.* to become a part of
intensamente intensely
intento purpose, design
intercambiar to interchange, exchange
interceder to intercede
interés *m.* interest, gain, profit; concern
internarse to insinuate oneself (*into another's confidence*)*;* penetrate (*into the interior of a country*)
intervenir to intervene, mediate, interpose, interject, come between, step in
intimidado intimidated
intrascendente unimportant
intríngulis *m.* (*coll.*) mystery, enigma; crafty intention
introvertido introvert
inundar to inundate, flood
inusitado unusual; unused
inútil useless, futile, vain
inutilizar to render useless, disable, spoil
invadido invaded
inverosímil improbable, unlikely
inverso inverse, inverted
invertir(se) to be inverted; invest
investigador investigating; *m.n.* investigator
inyectar to inject
ironía irony
irreal unreal
isla isle, island
islote *m.* islet, key
isobaro isobar
Itakurubi *city in the Cordilleras*
italiano Italian; *m.n.* Italian; Italian language
izquierdo left-handed; left; crooked; **la izquierda** the left hand

J

jabón *m.* soap
jacal(ón) *m.* (big) hut
jactarse (de) to boast (of), vaunt
jadeante panting, out of breath
jadear to pant, wheeze, be short of breath
jailaife *m.* high life; high liver
jánico Janus-like; two-faced
japonés Japanese; *m.n.* Japanese; Japanese language
jarabe *m.* syrup
jardín *m.* garden
jarro pitcher, jug
jaula cage
jecho (*for* **hecho**) done; ripe
jefatura office of a chief
jefe *m.* chief, leader, head
¡jho! ho!
jirón *m.* shred, tatter; pennant; **— de tierra** finger of land
jodido *vulg.* ruined; annoyed; incapable

jolinyú *m.* (*Pan.*) song
Jorge George
jornada working day; journey
jorobado *coll.* annoyed; *m.n.* hunchback
joya jewel, gem
joyceano Joycean
júbilo jubilation, joy, glee
jubiloso gleeful, joyful
judío Jew
juego play, amusement; sport, game; set
juerga spree, carousal
juez *m.* judge, justice; — **de menores** judge of juveniles; — **de paz** justice of the peace
jugador *m.* player
jugo sap, juice; marrow, pith
juguetear to frolic, sport, gambol
juguetón playful
juicio judgment; doom; trial
juido (*for* **huido**) fled, escaped
jungla jungle
juntarse to join, assemble, coalesce
juntura joint, juncture; articulation
jupar to sic (*a dog*)
juramento oath; act of swearing
jurar to swear, take an oath, vow
justamente justly, just, exactly
juventud youth
Juyungo *a river in Ecuador*
juzgado court of justice, judicature

K

Kaañavé *a brook in Paraguay*
kafkiano Kafka-like, Kafkan
Kaí Puente *an old bridge in Paraguay*
Karonte Charon (*boatman of the river Styx*)

L

laberinto labyrinth, maze
labio lip; mouth; edge, brim
labrar to build; elaborate; carve
lacio faded, withered; flaccid; straight (*hair*)
laconismo laconism
ladear to tilt, tip, sway, deflect, turn on one side; reject, discriminate against; *v.r.* to incline to an opinion; lean, tilt
lado side; direction; border, margin, edge; **al — de** next to; **al otro —**, across
ladrar to bark
ladrido bark(ing), bay, yap
ladrillo brick, tile
ladrón *m.* thief, robber
lagartija small lizard
laja flagstone, slab
lamentar(se) to lament, mourn, whine, wail, cry
lamento lament(ation), wail, whine
lamer to lick, lap
lámpara lamp, light
lana wool, fleece
lanchero oarsman, boatman
langosta lobster; locust
lanudo woolly, fleecy
lanza lance, spear
lanzar to hurl, cast, throw; launch, send forth; *v.r.* to rush upon, spring at
lápida gravestone, memorial stone
lápiz labial *m.* lipstick
largarse to go off, be off, quit, leave, scoot, vamoose
lastimero sad, doleful, piteous, wretched
lastre *m.* ballast(ing); weight; judgment

latigazo lash, whiplash; harsh reproof
latir to palpitate, throb, beat
láudano laudanum
laurel *m.* (*bot.*) laurel, laurel wreath; — **macho** spurge laurel
lavabo washbasin
lavadora washing machine
lavanda lavender, lavender toilet water
laxo lax, slack
lazariento (*for* **lazarino**) leprous
lazo ribbon, rope; bow, knot; bond
lealtad loyalty, fidelity
lectura reading, perusal
lecho bed, couch, bed of a river
lechuza *orn.* owl
legajo file, bundle of papers
legañoso blear-eyed
lego lay, laic; *m.n.* layman
legua league
lejano distant, far
lenguaje *m.* language, speech
lengüetazo act of licking
lente *m.f.* lens, monocle
lentitud slowness, sluggishness
lento slow
leopardo leopard, panther
lépero *Mex.* one of the rabble
letra letter, character of the alphabet, handwriting
letrero sign, label, placard
levantarse to get up, arise
leve light, weightless; trifling, slight
ley *f.* law
liar to tie, bind, bundle
libra esterlina pound sterling
librar(se) to free; extricate; exempt; keep from; *v.r.* to free oneself, save oneself
libretón *m.* large tablet, notebook
licencia permission, leave, free period
lid *f.* conflict, contest, fight
ligado tied, bound, leagued
ligeramente slightly, lightly
limo slime, mud, ooze; *Am.* (*bot.*) lime tree
limpiado cleaned, scoured, cleansed
limpieza cleanliness, cleaning
lindero contiguous, bordering upon; *m.n.* limit, boundary, abutment
lindo pretty
lingera *Arg.* bum, vagrant; hobo's bundle
linterna lantern, lamp, flashlight
liquidar to liquidate, murder
liso smooth, even, flat
liviano light (*not heavy*); frivolous slight
lobanillo wen, encysted tumor
lobo wolf; **perro —,** wolf dog
localizar to locate; localize
loco de remate stark mad
locro *kind of a stew*
locura madness
lodo mud
lodoso muddy, miry
lograr to succeed in, manage
loma little hill, hillock
lomerío range of hillocks
lomo back (*of an animal*); loin
lona canvas
lotería lottery, raffle
Loti, Pierre (*1850–1923*) *pseudonym of Julien Viaud, French novelist and naval officer*
lúbrico lewd
lucero morning star, bright star
luciérnaga firefly
lucir to shine, glow; *v.r.* to show, exhibit, display
luctuoso sad, mournful
lucha struggle

lúgubre lugubrious, sad, mournful, dreary
lujo luxury
lustro lustrum (*period of five years*)
luto mourning, grief
luz *f.* light; clarity; — **de tránsito** traffic light

Ll

llamada call, knock
llamita (*dim. of* **llama**) small flame
llanta (auto) tire
llantén *m.* (*bot.*) *an aquatic plant*
llanura plain, flatness
lleno full, filled
llevar to carry, convey; bear, wear; — **una vida . . .,** to lead a . . . life
llorar to cry, weep
llover: déle — y —, it rained continuously
llovizna fine rain, spray
lluvia rain
lluvioso rainy

M

macanudo extraordinary
macear to maul, knock
macilento lean, emaciated
macizo solid, massive
machetazo blow with a machete
machetón *m.* ill-bred, crude soldier
macho male; jack, male animal
machucado bruised, pounded, crushed
madera wood, lumber
madero tree; timber, wood; beam
madre *f.* mother; matrix; womb; — **del agua** source, spring; deity
madrugada dawn; early rising
maduro mature, ripe, perfect
magia magic
magnesio flashlight
magnificar to magnify; extol
magnífico magnificent
magro meager, lean
maguyado (magullado) bruised, mangled
majadería offensive speech; boredom; folly
mal bad, badly, ill; **menos —,** not so bad
malandra malign, perverse
maldad evil, wickedness; fiendishness; naughtiness
maldecido wicked, depraved
maldición curse, malediction
maléfico harmful, maleficent
malentendido misunderstanding
malestar *m.* uneasiness, discomfort
maleta valise, suitcase
malevo malefactor; bandit
malévolo malevolent
maleza weeds, underbrush
malhumorado ill-humored, peevish
malicioso malign, malicious; suspicious, evil-minded
maligno malign, evil
maloliente foul-smelling
malsano unhealthy, sickly
malva *bot.* mallow
malla mesh; *Am.* swimsuit
mamado *Am.* drunk
mamar to suck
mamotreto *coll.* bulky book; memorandum book
mampara screen
mampora *bot. tropical fruit*
manada flock, herd, pack, drove
manar to spring from, issue, flow
manaza (*aug. of* **mano**) big hand
mancebo youth, young man
mancha spot, stain, blotch
manchar to stain, soil, spot; tarnish

mandíbula jawbone, mandible, chop
mando command
manejar to handle; drive
manejo handling, management
manera manner, way; **a — de** in the way of, in the guise of
manga sleeve; **en —s de camisa** in shirtsleeves
mangansón lazy
mango handle, shank
maníaco maniacal, mad; *m.n.* maniac
maniobra maneuver, trick
manipuleo tactful handling, maneuvering
manivela crank, crankshaft
mano *f.* hand; **a la —**, near, ready, at hand; **a —**, at hand, nearby; **manos a boca** suddenly, unexpectedly
manojo handful, bunch
manola *Madrilenian of low class*
manoseado handled, used
manosear to handle, touch, feel
manotada cuff, slap, swipe
manso tame, domestic; meek, gentle
manteca lard, fat, butter
mantel *m.* table cloth
mantenerse to keep, maintain oneself; **— en sus trece** to hold one's own
manzana city block
manzanillo *bot.* olive tree; manchineel
maña skill, knack; **darse —**, to manage, do
máquina machine, engine
maquinalmente mechanically
maquinista *m.* machinist, fireman, engineer
mar *m.* sea; **— afuera** open sea
maravilla wonder, marvel
maravilloso wonderful, wondrous, marvelous
marcar to mark; **— el número** to dial a phone number
marco frame, picture frame; frame of mind
marchitarse to wither, fade
marchito withered, faded
marea tide, flow
marearse to be seasick; be dizzy
marejada swell, surf
mareo dizziness, seasickness
marfil *m.* ivory
margen *m.f.* margin, border, edge; **al —**, marginally
maricón *m.* effeminate person, homosexual
marido husband
marina: — mercante merchant marine
marino mariner, seaman
mariposa butterfly
marisco shellfish
maroma rope, cable; somersault; acrobatic performance
marquesina awning
marquetería cabinetwork; inlaid work
mártir *m.f.* martyr
martirizado tormented, martyrized
Maruja *nickname for* **María**
mas but, yet, however
más more, most; **a lo —**, at most; **de —**, extra, too much, too many; **estar de —**, to be unnecessary; **— bien** rather
mascar to chew, masticate
mata plant, bush, shrub, grove
matadero slaughterhouse
mate dull, opaque, unpolished
matiz *m.* shade, tonality

matorral *m.* thicket, jungle, shrubbery
matrero cunning, shrewd; *m.n.* bad gaucho
matrimoniar to marry, "commit matrimony"
matrimonio married couple; wedding
matutino matutinal, early-morning
mazamorra crumbs; *a sort of corn pap*
mazo mallet, maul; bundle
mbeyú *m. a sort of cake made of mandioca flour*
meados *m.pl.* urine
mecerse to rock, sway, swing
mechón *m.* large lock of hair; large fuse
medalla medal
media stocking, hose
mediante intervening, interceding; *prep.* by means of
medida measure, size, dimension
medio half, partial; **a medias** halfway, 50-50; *m.n.* medium, environment
mediopelo middle-class person
médula marrow, substance
mejilla cheek
mejoría improvement, amelioration; mend, recovery; advantage
memoria memory, recollection
memorizar to memorize
menear to shake, wag, wiggle
meneo shake, nod
menester *m.* need, want; *pl.* bodily necessities; implements
menguante decreasing, diminishing; *f.* ebb tide; wane (*moon*)
menosprecio contempt, scorn
mensaje *m.* message
mensú *m.* (*Par.*) "peon"
mentar to mention, name; remember
mente *f.* mind, understanding, intelligence
mentir to lie, fib
mentón *m.* chin
menudo small, tiny, minute; **a —**, often
merca *coll.* purchase
mercancía merchandise, goods
merecer(se) to merit, deserve
merino merino; **raza merina** negro
mero mere, pure, simple
merodear to pillage, maraud
meseta tableland, plateau
mesón *m.* inn, hostelry, tavern
mestizaje *m.* crossbreeding
mestizo half-breed
meta goal, objective
metralla grapeshot, canister shot
metro meter
mezcla mixture; mortar
mezclar to mix, mingle, blend
mezquín(-ino) mean, paltry; minute
mico monkey
miedo fear
miedoso timorous, afraid
miel *f.* honey, sugar, syrup
mierda excrement
milagroso miraculous, marvelous, wonderful
milenario millenary, millenial
milenio millenium
milhombre *m.* (*bot.*) *an herb*
milpa maize land
millar *m.* thousand
mimbre *m.* willow, wicker; **juego de —**, rattan, wicker set
mimético mimicking, imitative
mimí(s) *m.* cat
mimo buffoon; caress

minucioso minutely precise, thorough
mirada glance, view, gaze, look
Miramar *a fashionable resort in the southern part of the province of Buenos Aires*
misa Mass
miserable poor, beggarly, wretched
miseria misery, wretchedness, affliction, penury, destitution
misericordia mercy, pity
misérrimo most miserable
mismo same; own; similar, like; self; **ahora —,** right now; **lo —,** the same; **lo — da** it's all the same, it makes no difference; **por lo —,** for the same reason; **usted —,** you yourself
misterio mystery
mitad half
mitaí *m.f.* child
mito myth
mocoso snivelly; *m.n.*, inexperienced youth
mocho cropped, shorn
moda style, fashion
modelado molded, shaped
modelar to model
modorra drowsiness, heaviness
mofarse to mock, sneer
mojado sodden, damp, soppy
mojarse to get wet
molenque snaggle-toothed
molestia annoyance, irksomeness, inconvenience, discomfort
molesto annoying, vexatious, uncomfortable
molido ground; fatigued, weary
momentáneamente momentarily
momia mummy
momificado mummified
moneda coin, money
monedero coin phone, pay phone
monja nun
mono *coll.* cute; *m.n.* monkey
monótono monotonous, dreary, drab
monstruo monster, huge thing
montado mounted; riding
montañero mountaineer; *pl.* mountain folk
montañoso mountainous, hilly
monte *m.* mountain, mount; wood, forest; **— adentro** into the forest
montear to hunt, beat a wood
montevideano *native of Montevideo, Uruguay*
montón *m.* heap, pile
morada habitation, lodging, home, residence; mansion
moraleja moral, maxim
morar to reside, dwell, live
morder to bite, nip
mordida (*for* **mordedura**) bite
moreno brown, dark; **la morena** the brunette
morfinómano drug fiend
morisco Moorish
morisqueta trick, deception; *Am.* face, grimace; **hacer —s,** to make faces
morocho dark-skinned; brunet
mortero mortar (*for grinding corn*)
mortificación mortification, humiliation
mortificar to mortify, subdue passions; vex, humiliate
mosca fly
moscovita Muscovite
mostrado *m.* counter (*in a shop*)
motivo motive, reason
motriz motor, motive, kinetic
mozo servant; waiter; young man
mu *m.* boo
mucamo servant
muchedumbre *f.* crowd, multitude

mudanza change, fickleness
mudarse to reform, mend, change; move; change (*clothes*)
mudez dumbness
mudo mute, silent
mueble *m.* piece of furniture
mueblería furniture store *or* factory
mueca grimace
muela molar, tooth
muelle tender, delicate, soft; *m.n.* dock
muermoso glanderous
muerte *f.* death; murder
muestra specimen, sample, demonstration
mugir to low, bellow
mugriento dirty
mujeres de a rato *f.pl.* call girls
mula female mule
mulita *Am.* hen
multiplicar to multiply
mundo world
muñeca wrist; doll, manikin
muralla wall
murciélago bat
murmullo whisper(ing), murmur(ing), rustle
músculo muscle, brawn
musculoso muscular, brawny
muslo thigh
mutilado mutilated, maimed

N

nácar *m.* mother-of-pearl
naciente rising, growing; nascent
nacional *m.* national; money
nadador *m.* swimmer
nadar to swim
nafta naphtha
naipe *m.* (playing) card, deck of cards
nalga buttock, rump; *pl.* backside
nana child's nurse
naranja orange-colored; *f.n.* orange
nariz *f.* nose
natura nature; genital organs
natural natural, native
naturaleza nature
naufragar to be stranded *or* cast away; (suffer) shipwreck; sink; perish at sea
naufragio shipwreck
navaja jackknife; razor
nave *f.* ship, sailing ship; *arch.* nave
neblina mist, fog
neblinoso foggy, misty
necrologizar *to have a morbid concern for death; make a register of deaths*
nefasto sad, ominous, unlucky
negarse to refuse, decline
negrero trafficker in slaves
negruzco blackish, dark
nena (baby) girl
nervioso nervous; sinewy
nevera icebox, refrigerator
nexo nexus
ni neither, nor; — **mu** not a peep; — . . . —, neither . . . nor; — **siquiera** not even
nieto grandson
nieve *f.* snow
niñez childhood, infancy
níquel *m.* nickel
níspero *bot.* medlar (tree)
nítido clear, neat, resplendent
nivel *m.* level, watermark
nivelado levelled, graded
notarse to be seen; see, advert
noticia(s) news
novedad novelty, newness, surprise
novela novel; — **- crónica** novel-chronicle

novelería romanticism, fondness for novels; newsiness
novelesco fictional
novelística fiction, novel
noviazgo engagement, bethrothal
novilla young cow, heifer
nubarrón *m.* large threatening cloud
nuca nape *or* scruff of neck
nudo knot
nudoso knotty, knotted, tangled
nuera daughter-in-law
nuez *f.* nut; chamber (*of a firearm*)
nutria otter
nutrido abundant, plentiful
nutrir to nourish, nurture, feed

Ñ

Ña (*for* **doña**) *a title used in connection with the first name*
ñembisó *the act of grinding or crushing*

O

obedecer to obey, respond
objetividad objectivity
objeto object
obligar to oblige, force
obrar to work; do; act
obrero worker
obsequiar to treat, entertain; woo; make a gift of
obsesionado obsessed
obsesivo obsessive (*causing an obsession*)
obstáculo obstacle, impediment
obstinarse to be obstinate, obdurate
obstruir to obstruct, block up, bar, check
obús *m.* howitzer, mortar
ocasión occasion, opportunity, turn, time
ocioso idle, useless
ocultar to hide
ocupado occupied, busy, engaged
odiar to hate, feel hatred, abhor
odio hatred, hate, aversion
odiosidad odiousness, hatefulness
Oficina de Seguridad police station
oficinista *m.f.* office worker
oficioso officious, diligent, overbusy
ofuscado confused, dazzled
oído ear (*inner*)
ojeada glance, hasty look
ojera circle under the eye
ojeroso *having deep circles under the eyes*
ola wave, billow
oleada big wave, surge
oleaje succession of waves, surge
oler to smell, scent
olería kiln (*for adobe*)
olfateante smelling, sniffing
olfatear to smell, scent, sniff
olfato scent; sense of smell
oligarquía oligarchy
olor *m.* smell, fragrance
oloroso fragrant
olla pot, kettle
ominosamente ominously
ondular to wave, undulate, billow
onírico oneiric (*having to do with dreams*)
opa crazy; *m.f.n.* fool
opacidad opacity
opaco opaque
opalino opaline, opalescent
operar to operate
oprimente oppressive
optar to opt, choose
opuesto opposed, opposite, contrary

oración prayer
orador *m.* orator, public speaker
oratoria oratory, eloquence
órbita orbit, eye socket
orden *f.* order, command; *m.* order, regularity, method, series
oreja ear (*outer*)
orgullo pride, haughtiness, arrogance
orgulloso proud
orientador orientating
orilla limit, border; margin; shore, bank
orlado edged, garnished
orondo pompous
ortiga *bot.* nettle
osar to dare, venture
oscilar to oscillate
oscurecer to grow dark; obscure
ostentar to make a show of, exhibit
oveja sheep
ovillo *m.* skein, ball of yarn
ovoide ovoid(al), oviform
oxidado oxidized, rusted

P

pácatelas y pácatelas Pow! Pow!
pacotilla: de —, cheap, mean
pactar to covenant, contract
padecimiento suffering
padres agustinos *m.pl.* Augustinian fathers
pago payment
paí *m.* father
paisaje *m.* landscape, scenery
paja *bot.* straw; — **brava** wild straw *or* grass (*used for fodder or to thatch roofs*); — **toquilla** lace straw
pájaro bird; shrewd person
pajarraco old bird; old geezer
pajizo straw-colored
pakuríe *m.* (*bot.*) *a fruit similar to that of the cactus*
pala shovel
paladear to relish
paletada a trowelful
palidez paleness, pallor, sallowness
palmada pat, applause
palmatoria small candlestick
palmera *bot.* palm tree
palo stick; blow with a stick; *bot.* — **de mezquite** mezquite wood
paloma Santacruz *type of dove or pigeon*
palote *m.* drumstick; scribbled downstroke in penmanship; **de los —s** a nobody
palpitante vibrating, palpitating
palpitar to palpitate, beat, throb
pampa pampa, extensive plain
panal *m.* (honey) comb, hive
panela small biscuit; *Am.* brown sugar
pánico panic
pantalón *m.* trousers
pantalla lamp shade; screen
pantano swamp, marsh
pantera panther
pantu(n)fla slipper
panza belly, paunch
paño *the piece of white material that adorns the cross on a grave*
pañuelo handkerchief
papayo *bot.* papaya tree
papel *m.* role; paper; — **higiénico** toilet tissue; — **moneda** paper currency
paquete *m.* pack; parcel, package
parábola parable
parabrisa *m.* windshield
paradójico paradoxical
paraguas *m.* umbrella

paralización paralyzation; stagnation
páramo high, cold, bleak region
parar to stop; — **de** to cease, leave off
parcero sharecropper
parchar to patch
pardo brown; grey; *m.n.* mulatto
pardusco greyish
parecido similar, resembling
pared *f.* wall; — **de estaqueo** wall of mud and stakes
paredón *m.* thick wall
pareja pair, couple
parejo smooth, even
pariente *m.f.* relation, relative
parihuela stretcher
parloteo chattering
parodiar to parody
parpadeante flickering, blinking
párpado eyelid
parque *m.* park
parralera *pertaining to an arbor or vineyard*
párroco pastor
parroquiano parishioner
parte *f.* part; **por mi** —, as for me, as far as I am concerned
partícula particle
partida departure, parting, start
partido party; side; sect; game, match, contest
partir to depart, leave
parto childbirth
parvada harvested field; brown-grey cloud
pasa raisin; *Am.* kinky hair
pasadizo alley, corridor
Pascua Easter; **hecho unas** —**s** merry as a cricket, bubbling; **panes de** —, Easter bread
pasillo hall, corridor
Pasión, la the Passion of Christ
pasmo spasm, convulsion
paso pace, step; path, road, crossing; **hombres de** —, transient men
pasojo (pajoso) manure; — **de agua** clod of manure
pasta paste, batter; beauty cream
pastelillo turnover, tart; — **de carne** meat turnover
pastilla tablet, lozenge
pasto pasture, grass (*for feed*)
pata foot (*of an animal*); leg (*of a piece of furniture*)
patacón *m.* old silver dollar; windfall
patida kick
Patagonia *the great triangular-shaped region at the south end of South America*
patrón *m.* boss; pattern
pausa pause, stop; **a** —**s** by pauses
pausado slow, deliberate
pava turkey, hen
pavo real peacock
pavor *m.* fear, dread
pavoroso awful, frightful
peana pedestal, stand
peca freckle
pecado sin
pecador *m.* sinner
pecarí *m.* peccary (*a piglike mammal*)
pecoso freckle-faced
pechera shirt bosom
pecho chest, thorax; breast
pedazo piece, fragment, bit, part
pedregal *m.* stony ground
pedregoso stony, rocky
pedregullo gravel; rocky field
pegajoso sticky, clammy
pegar to hit, strike, beat; give; stick, adhere, join, attach

peinar to comb; *v.r.* to comb one's hair
peine *m.* comb
pelado peeled, bare
pelaje *m.* hairiness, woolliness, coat, pile
pelar to pluck; skin, peel
peldaño step (*of a staircase*)
pelea fight, quarrel
pelecha shaggy
peligro danger
peligrosidad danger
peligroso dangerous
pelón hairless, bald
pelotudo *Arg.* (*vulg.*) negligent
pellejo skin, rawhide
penacho crest; tuft of feathers
penetrante penetrating
pensión boarding house
penumbra darkness, shadows
pepa *bot.* kernel, grain, seed (*of some fruits*)
pepepán *m.* (*bot.*) *fruit of the bread tree*
percatarse to think, consider; — **de** to notice
percibir to perceive
pérdida loss, waste
perdido lost, stray(ed); profligate; outcast
perdón *m.* pardon, forgiveness
perdurar to last long
perezosamente lazily, indolently
pericia skill, expertness
periódico newspaper
periodista *m.f.* newspaperman
periodístico journalistic
perjudicar to damage, hurt
perla pearl
pernoctar to stay overnight
perplejidad perplexity
perrazo huge dog
perrero dogcatcher
perro dog; — **de presa** bulldog
perseguir to pursue, hunt; chase, run after
persiana Venetian blind
persignarse to cross oneself
personaje character (*in a play*)
personificar to personify
perspectiva perspective; view; prospect
pertenecer to belong, appertain
pesadez heaviness, drowsiness
pesado heavy, ponderous, tiresome
pesadumbre *f.* grief, sorrow; heaviness
pesar *m.* sorrow, regret; **a — de** in spite of
pesar to weigh, have weight
pescado fish (*caught*)
pescador *m.n.* fisherman
pescar to fish; *coll.* to catch in the act of
pescuezo neck
pese a in spite of
pespunte de los gallos *m.* crowing of roosters; dawn
pesquisa inquiry, investigation
pestaña (eye)lash
pestes *f.pl.* offensive words; **decir —,** to abuse, wrong in speech; **echar —,** to curse
petaca leather trunk, chest *or* case
petate *m.* sleeping mat
Petit Salon *Fr. a gathering place for the elite*
petite pièce *Fr.* playlet
pez *m.* fish (*not caught*)
piadoso charitable, benign, gentle; pitiful; pious
piande *m.f. type of amphibious lizard*
picado choppy (*bodies of water*)
picante piercing, pungent, spicy, peppery, hot

picar to prick, pierce; sting
picotear to peck; toy with; nibble
picudo beaked, pointed
pie *m.* foot; **dar — en** to set foot on
piedad piety, devoutness; mercy, mercifulness
piedra stone, block; cobblestone
piel *f.* skin; hide
pierna leg
pieza piece; game; prize
pila dry-cell battery
píldora pill
pilote *m.* (*eng.*) pile
pincelada brush stroke; touch, finish(ing)
pinchar to prick, puncture; provoke
pintado painted, made-up
pintoresco picturesque
pintura paint, rouge
pinzas *f.pl.* tweezers
pipeta pipette, girl
pipón large-bellied; barrel-shaped; *m.n.* wine barrel
piquigua rattan, straw
piraña *carnivorous fish*
piropo compliment
pirueta pirouette
pisada (foot)step, footprint, track
piscina swimming pool
piso floor(ing); story; flat
pista de baile dance floor
pistolón *m.* large pistol; **tamaño —,** huge pistol
pitanza pittance, alms
pitar to whistle
pitido whistle, chirping
pitillera cigarette case
pitillo cigarette
pituca Indian woman
pizarra slate, blackboard
placa license plate; tag
placer *m.* pleasure
placer to please, gratify
placota *aug. of* **placa**
plafón *m.* soffit (*of an architrave*); ceiling
plaga plague, scourge; epidemic, pest
plagado infected, overrun with
plan *m.* plan; map
planear to glide; plan
planificación planning
plano plane, smooth, even; *m.n.* level; plan
planta sole (*of foot*); plant
plantarse to stand upright; stop
plantío plantation; planting
plañideramente weepingly
plasmar to mold, shape
plasta *anything soft like dough or mud*
plata silver, money; **la —,** *fig.* a real pearl, none better
platanillo *wild plant that bears small banana-like fruit*
plátano plantain tree; banana; banana tree
plateado silvered, silver-plated
plato plate, dish
playa seashore, beach
playuela small beach
plazo term, time, date, installment; **a corto —,** short term, soon; **vencer el —,** time is up; installment falls due
pleamar *f.* high water, high tide
plegar to fold, close; *v.r.* to join
pleito litigation, suit, dispute
pleno full
pliegue *m.* fold, crease, pleat
plomizo lead-colored
plomo lead; piece of lead; bullet
pluma feather, quill, plume
plumoso feathered, feathery

poblado populated; *m.n.* inhabited area
pocillo chocolate cup *or* pot
poder *m.* power, potency, authority; **Poder Judicial** courts
poderío power, might
poderoso powerful, mighty; rich
podrido putrid, putrescent, rotten, corrupt
poesía poetry, poem
poguasú *Par.* (*Guaraní*) thick; powerful; *m.n.* "big shot"
pojhá-ñaná potions, infusions
polea pulley
polilla (clothes) moth
político political; tactful
polizonte *m.* policeman
polvo dust, powder
pólvora gun powder
pollera skirt
pompa bubble; pomp
pómulo cheek bone
poner to put, place; — **en vigor** to put into effect; — **punto** to put an end to; **ponerse** to apply oneself to, set about; dress, deck out; **—se a** to commence, start to; **—se de pie** to stand up; **—se en marcha** to set out
poniente *m.* setting sun; the west
ponzoña poison, venom
popa *naut.* poop, stern
popote *m.* (drinking) straw
porcentaje *m.* percentage
porción portion, part, dose
pormenor *m.* detail, particular
pormigo *for* **por mí**
poroto *Arg.* bean
porquería nastiness, filth
portador *m.* bearer, carrier
portarse to behave, comport oneself, act; bear oneself
portento wonder, marvel
portentoso prodigious, marvelous
porteño *pertaining to Buenos Aires and its province*
portezuela little door; car door
portillo opening, gap (*teeth*)
portón *m.* large door
posada lodging, inn
posarse to settle, (a)light
pose *f.* pose
poseer to possess, own
postizo fake, false, artificial
postre *m.* dessert
pote *m.* jug, pot
potencia power; strong nation
potencialidad potentiality
potrillo colt; sawhorse
pozo well; pool, puddle
práctica practice, custom
practicante *m.* male nurse
practicar to perform
precio: a — regalado at a very low price
precioso precious, valuable; rich; beautiful; exquisite
precisar to fix, set
predecir to foretell, predict
prejuicio prejudice, bias
preludiar to prelude; play a prelude
premura urgency, pressure, haste
prenda pledge, security; garment
prender to seize, grasp, catch; *v.r.* to take root
prensa the press, newspaper writers
preñado pregnant
preocupar to cause worry; *v.r.* to preoccupy oneself, worry, concern oneself
preparativo preparation
presa quarry, prey; **perro de —,** bulldog
presagio omen, token
présago presentiment, foreboding, foretelling

presentir to have a foreboding, divine, feel in one's bones
preservativo preventive; antacid
presidir to preside over
préstamo loan, lending
prestar to lend
presto quick, swift; ready, prompt
presuroso prompt, quick
pretencioso presumptuous, conceited
pretensión pretension, claim, pretense
pretextar to give as a pretext
pretil *m.* railing; battlement
prevención police station
prevenir to prepare; foresee, foreknow; admonish, give warning, caution
prietamente darkly; tightly
primerísimo very first
primo cousin
primoroso fine, exquisite
pringoso greasy, fatty
privado private, secret; devoid
pro for, in favor of; *m.f.n.* profit, benefit
proa bow, prow
probadita (*dim. of* **probada**) taste
probar to test, try; taste; *v.r.* to try on
procedencia origin, source
procura power of attorney; procuration, act of procuring
prodigio prodigy, marvel
producción production; — **en serie** mass production
profanar to profane, desecrate, pollute
proferir to pronounce, express, enounce, mouth
profesar to profess, sustain, avow; follow *or* practise a profession
proficuo (provechoso) useful, beneficial; lucrative, profitable
profundo profound, deep
programa *m.* (*coll.*) prospect
prolongado prolonged, continued, extended
prolongar to prolong, protract
promesa promise
promoción group, generation, class; promotion
pronosticar to prognosticate, foretell
pronóstico prognostication
prontitud promptness, speed(iness), abruptness
propenso inclined, disposed
propiedad ownership, proprietorship; property; real estate; quality, characteristic
propina tip
propinar to treat; give
propio private; one's own; proper, suitable; same
proponer to propose, offer
proporcionalidad proportionality
proporcionar to provide, furnish
propósito purpose, aim, intention; **a —**, on purpose, fit for; **a — de** about, in line with, concerning
prórroga respite, extension, renewal
proseguir to continue, keep on, proceed
provecho profit, benefit, advantage
provinciano provincial
provisto provided, stocked
provocar to provoke; incite, anger
proyectado projected, planned
prueba proof, evidence, trial
¡puaf! phooey! pshaw! *expression of disgust*
¡pucha! Holy Mackerel!

puchero cooking pot; stew
pucho cigarette butt; **olor de —,** stale-tobacco smell
pudiente powerful, rich
pudor *m.* decorousness, modesty; honor
pudrir to rot
pueblo town, village; people
puente *m.* bridge
puerco pig
puerto port, harbor
puertorriqueño Puerto Rican
puesto stall, stand; place
pugnacidad pugnacity
pulido polished; neat; refined
pulir to polish, burnish
pulmón *m.* lung
pulpería grocery, general store
pulso pulse, beat; steadiness (*of the hand*)
punta point, tip; **a — de** by dint of
puntapié *m.* kick (*with tip of shoe*)
puntita small point; **de —s** on tiptoe
punto point, dot; period; detail, item; speck; **a — de** on the verge of; **poner — final** to put an end to
puño fist; cuff
pupila pupil (*of the eye*); ward
pureza purity
puro pure, free, clear, clean; chaste
púrpura purple
puta whore, harlot
putería whoring, whoredom
putrefacto putrid, putrescent, rotten

Q

¡qué va! nonsense! don't tell me! you don't say!
quebrado (common) fraction
quedo quiet, soft; *adv.* softly, gently
quehacer *m.* household chore
quejido moan
quelite *m.* (*bot.*) *edible bud of the Mexican chayotera*
quemadura burn, scald
quemar to burn, scald, set on fire
querella complaint; quarrel
querencia love of home
queso cheese
quieto quiet, restful, still
quimérico chimeric, unreal
quincha *wall of clay in caves;* **— de tacuarilla(s)** bamboo wall
quinta villa, manorhouse
quintal *m.* quintal, hundredweight
quiste *m.* cyst; **— sebáceo** sebaceous cyst

R

rabia rabies; rage, fury
rabioso mad, rabid, furious
rabo tail (*of an animal*); **— de hueso** *f.* poisonous rattler
racimo cluster; bunch (*of grapes*)
ración ration, supply; feed
rada bay, roadstead
radioso radiant
raído frayed, threadbare; bald, bare
raigambre *f.* deeprootedness
raíz *f.* root, radix; base, foundation
rajadura cleft, fissure, crack
rajante blistering
rajar to split, rend
ralear to grow thin, sparse
rama branch, sprig, bough
ramaje *m.* bower, branch
ramera prostitute

ramo bouquet, bunch (*of flowers*)
rancho food; hut; hamlet; farm, ranch
rapar to shave, crop (*hair*)
raquítico rachitic, rickety, feeble
ras level, flush; **a —**, afloat
rascar to scratch
rasgar to tear, rend, slit; claw
rasgo stroke; feature, characteristic, trait
rasgón *m.* rent, rip, tear
rasguñar to scratch
rasguño scratch, scar
raso clear, unobstructed; **tabla rasa** tableland; *m.n.* satin
raspar to scrape, rasp
rastras: a — dragging, unwillingly
rastrillo razor; rake
rastro track, scent
rastrojo stubble
rato short time, little while
raudo rapid, swift
raya line, stripe
rayado striped, lined
rayo ray, beam; thunderbolt
razón *f.* reason, right; ratio; **dar la —**, to agree with, approve; **en — de** with regard to
razonar to reason, ratiocinate, argue
realizar to realize, fulfill
reavivar to revivify
rebanada slice
rebelarse to rebel, revolt
rebelde rebel
rebencazo *blow with a whip*
reborde *m.* flank, edge; **— de trensilla** edged, trimmed with braid
rebosado overflowing
rebotar to rebound
rebozo shawl
recadero messenger, errand boy
recámara bedroom
recargado overloaded, overcharged, crammed, full
recargarse to lean, rest against
recelo fear, misgiving
reciedumbre *f.* strength, vigor
recién *adv.* (*contraction of* **reciente**) recent
recinto inclosure, place
recio stout, strong, robust, brawny; loud
recitar to recite
reclinado reclined, at rest, tilted, leaning
recodo bend, angle, corner, turn(ing)
recolectar to gather, collect; hoard
recompensar to compensate, reward
recóndito recondite, hidden, secret
reconfortado comforted, solaced
reconstruir to rebuild, reconstruct
reconvenir to accuse, reproach
recortar to outline, notch; cut out, clip
recorte *m.* cutting, clipping
recostarse to lean back, recline
recto straight, erect; *m.n.* rectum
recuerdo remembrance
recular to fall back, recoil
recurrir to resort, have recourse
recurso recourse, resource, measure
rechazar to repel, repulse; fend off, rebuff, disallow; reject
rechinar to creak, squeak
red *f.* net
redactar to edit; write, draw up
redescubrimiento rediscovery
redondo round
reducir to reduce, convert; *v.r.* to retrench; confine oneself to

refección (refacción) repairs
referir to tell
refilón: de —, obliquely, askance
refinamiento refinement
reflejo glare; reflection
reflotar to refloat
reflujo reflux, ebb
refregar to rub, scrub
refrescante cooling, refreshing
refresquería soft-drink store *or* stall
refugiado refugee
refugio refuge
refulgir to shine
regadera shower; watering can
regalarse to feast sumptuously; spoil oneself
regar to water; irrigate; sprinkle; *v.r.* to be scattered *or* strewn
regla rule, regulation, precept
regocijarse to rejoice, exalt
reguero trickle, rill
rehuir to shun, avoid; reject
rehusar to refuse, decline
reinar to reign, govern, rule, prevail
reino kingdom
reja grating, railing, grill, bar
rejodido *vulg.* all worn out
relación dealing; **tener relaciones con** to have relations with
relajo slackening, loosening; commotion
relámpago (lightning) flash
relato narrative, story, account
relieve *m.* importance; relief
reloj *m.* clock, watch; **— despertador** alarm clock
relumbrar to sparkle, shine
relleno fill(ing), stuffing
remar to row, oar, pull
rematar to dispatch; end, complete
remate *m.* auction, public sale; **de —,** utterly, irremediably
remecer to rock, swing
remedo imitation
remendado patched, mended
remezón *m.* (*Am.*) slight earthquake
remo oar
remolino whirlpool, eddy; crowd; commotion
remontarse to soar, tower
remordimiento remorse
remover to shift, move; stir, disturb
remudar to move; remove; change
renacido reborn, revived
rencilla grudge, pique
rencor *m.* rancor, animosity, gall, venom
rendija crevice, crack
rendir to subject, subdue, overcome; render, yield
renegar to deny, disown; blaspheme, curse
renguear to limp
renovación renovation
renovar to renew
renunciar to renounce, give up
reparo warning, notice; **sin —(s)** without heeding, without objection
repasar to pass again; reexamine, revise, review
repegado clinging
repente *m.* sudden movement *or* impulse; **de —,** suddenly, impromptu, at one blow
repentino sudden
repique *m.* peal, ringing (*of bells*)
replegarse to fall back, retreat in order
repleto replete, full, surfeited
replicar to reply, answer

reponer to replace, put back; reply; *v.r.* to recover (*lost health or property*)
reportar to control, restrain; obtain
reprochar to reproach, rebuke; impute
repuesto recovered; *m.n.* store, stock; **de —**, spare, extra
repugnante repugnant, loathsome; hideous
requerir to summon; need; woo
res *f.* (head of) cattle; beast
resaca surge, surf, undertow
resbalar to slip, slide, glide
rescoldo embers, hot ashes, cinders
resecar(se) to dry out
reseco thoroughly dry, too dry
resentimiento resentment, grudge
resguardar to preserve, defend, protect
resignarse to resign oneself
resobarse to become threadbare
resollar to breathe (noisily)
resonar to (re)sound, ring, echo
resorte *m.* spring, resilience
respetable respectable
respetar to respect, honor
respiración breathing
respirar to breathe
resplandor *m.* radiance, brilliance
responso responsory (*for the dead*)
resquebrajar to crack, split
resquicio chink, slit, crevice, crack
restablecimiento reestablishment, restoration, recovery
restallar to crack (*as a whip*), crackle
restar to deduct; subtract
restaurar to restore, renew, refurbish
restos *m.pl.* remains
restregar to rub, scrub; *v.r.* to scrub oneself
restricción restriction, limitation
restringido restricted
retacado nailed; *m.n.* shorty
retaguardia rear, rear guard
retar to challenge, dare
retirada retreat, withdrawal
retiro espiritual spiritual retreat
retorcerse to writhe, squirm
retorcido twisted, gnarled
retórica rhetoric
retrato picture
retrucar to kiss (*billiards*); shoot back
retumbo resonance, echo, thud
reubicar relocate
reunir to unite, gather, pool
revelar to reveal, lay bare, divulge; discover
reventar to burst, explode, blow; *v.r.* to blow out; **—se los granos** to squeeze one's pimples
reverencia reverence, bow
revés *m.* slap, backhand slap; **al —**, backwards, the wrong way
revista review, magazine
revolcarse to wallow, roll on the ground
revolear to fly around; **— los ojos** to roll one's eyes
revolú (los) revolutionaries
rezongar to grumble, mutter, murmur, growl
rezumar(se) to ooze, exude, seep
riachuelo rivulet; **Riachuelo** *tiny branch of the La Plata River*
ribete *m.* trimming; addition (*to embellish a tale*)
riel *m.* rail
rienda rein (*of a bridle*)
riesgo risk, danger

riflonazo flash *or* bark (*of a rifle*)
rigurosamente rigorously
rincón *m.* corner
riñón *m.* kidney
riqueza riches, wealth, opulence
rito rite, ceremony
Rivera Chica *a street in Montevideo*
rizado frizzled, curled
roble *m.* (*bot.*) oak
rociada sprinkling, spray, splash
rociar to sprinkle, spray; *v.r.* to spray oneself
rocío dew; spray, sprinkle
rodar to roll
rodear to surround, encircle
rodeo detour, roundabout way; **—(s)** beating around the bush
roer to gnaw, eat
rogar to plead, beg
roído gnawed; corroded, eaten away
rojizo reddish
rojo red, ruby, crimson
roldana pulley wheel, caster
romper to break (off), rupture, shatter; **— a hablar** to start talking
ron *m.* rum
roncamente hoarsely, huskily, harshly
roncar to snore, roar; *m.n.* roaring
rondar to patrol; hang about *or* around, haunt, hover about
ronronear to purr
ropa clothing, clothes
ropero closet, wardrobe
rosado rose-colored
rostro face
roto broken; torn
rotoso ragged, in tatters
roturar to break up (*ground*)
rozar to clear (*ground*); to nibble (*grass*), graze
rubio blond; *m.n.* American cigarette
ruborizar(se) to blush, flush
rubro red, rubric
rucio grey, hoary; grey-haired
rueda wheel, caster; **— - —**, *a child's game in which children hold hands in a moving circle and sing*
rugiente bellowing, roaring
rugir to roar
ruido noise, sound
ruin mean, villainous, vile, low
ruiseñor *m.* nightingale
rumbo course, direction, route; **— a** headed toward, in the direction of
rumor *m.* sound, noise,
rutina routine, custom
rutinario routine, conventional

S

sábana sheet
saber to know; **vaya usted a —,** who knows
sabiduría learning, knowledge, wisdom
sabio wise
sabor *m.* taste, flavor
saborear to relish, find delicious
sabroso savory, tasty
saciar to satiate, satisfy, pall, surfeit
saco sack
sacrificio sacrifice, offering
sacristía sacristy
sacudida shake, jerk
sacudir to shake (off)
sagrado sacred, holy
sajar to cut, make an incision in, scarify

sal *f.* salt; humor
sala hall; courtroom
salado salted, salty; witty, graceful, winsome
saldo balance, settlement
salida exit, way out; rising (*of sun, moon*); departure
saliente protruding, jutting; **una —,** an outcropping
salir to go out, depart, leave; **—se con la suya** to have one's own way, accomplish one's end
salitre *m.* saltpeter, niter
salpicado splashed, spattered
saltapericos *m.* noisy firecracker
saltar to leap, spring, jump; be loud
saltimbanque *m.* mountebank, quack
salto leap, jump; **— de cama** bathrobe, morning robe
saltón hopping, leaping, jumping
salvaje savage, wild
salvar to save
salvo saved, safe; excepted, omitted; **a —,** without injury, safely
San Roque *Saint invoked against epidemics*
sandu(n)guero winsome, graceful, fascinating
sangrante bleeding
sangrar to bleed
sangre *f.* blood
sangría bloodletting
sanguinario sanguinary, cruel, bloody
sano sound, healthy, sane
santo holy; **Santa Fe** *capital of the Argentine province of Santa Fe;* **— día,** livelong day; **Santo Tomé** Saint Thomas
sapo toad
sapuqueño native of Sapukai
saqueo *m.* pillage, loot, plunder
sarnoso mangy
sartén *f.* frying pan
satisfecho satisfied; confident; arrogant
saturado saturated, impregnated
seco dry, dried up
secretear to whisper, speak in private
sed *f.* thirst; eagerness, longing
seda silk
sediento thirsty; desirous, eager
seguimiento pursuit, chase
selva forest, wood(land)
selvático wild, rustic; sylvan
sellado sealed, stamped
sello seal, stamp
semanario weekly newspaper
semblanza biographical sketch
sembrío (sembrado) *Am.* sown, grown; *m.n.* cornfield
semejante similar, like, resembling
semicerrado semi-, partly-, half-, closed
semiderruido half-destroyed, half-demolished
semidesnudo half-nude
semienterrado half-buried
semilla seed
semipodrido half-rotten
senadora lady senator
sencillez simplicity, plainness
sencillo simple, unmixed, plain
sendero path, footpath
seno chest, breast, bosom
sentenciar to sentence, pass judgment
sentido sensitive, susceptible; *m.n.* sense; wit; *any one of the five senses*
sentimiento sentiment; perception; sense, feeling, grief, pain

seña sign, mark, token; *pl.* address, whereabouts
señalar to point (out) (to) (toward); indicate, designate
sepulturero gravedigger
sequedad aridity, dryness
sequía drought
ser *m.* existence, life, being
serenado calm, serene
serpentear to meander, wind
serpiente *f.* serpent, snake
servidor *m.* servant; waiter
servilleta (table) napkin
sestear to eat and sleep off, take a nap
severo severe, grave
sideral sidereal
sierra saw; mountain range
siestear to sleep the siesta
sigiloso secret, silent
siglo century
significación meaning
silabeo syllabication; whispering
silbido whistle
similitud similitude
simpatía sympathy, fellow feeling; liking
simulacro simulacrum, sham (battle), pretense
simular to simulate, pretend
sinfín *m.* countless number
sinnúmero endless number, countless number
síntoma *m.* symptom, sign
sirio Syrian; *m.n.* Syrian
sitio site, place
so under, upon, below; — **pena** under pain *or* penalty
sobar to knead; massage, rub
soberano supreme, superior, potent
soberbio fiery, superb; proud, arrogant, haughty
sobrar to exceed, surpass
sobre *m.* envelope
sobrecogedor *inspiring apprehension or fear*
sobremesa after-dinner conversation
sobreponer to lay on top; *v.r.* to control oneself, overcome, overpower
sobresaltado terrified, startled
sobresalto startling surprise, sudden fear *or* dread
sobrevenir to happen, take place
sobreviviente *m.f.* survivor
sobrevivir to survive
socavón *m.* cave, cavern
sociedad anónima corporation
Sochantres *a street in Montevideo renamed Cibils*
sofocar to choke, to suffocate, smother
soga rope
solapa lapel (*of a coat*)
solazar to solace, comfort
soldado de línea front-line soldier, buck private
soleado (asoleado) sunny
soledad loneliness
soler to be wont to, be in the habit of
solícito solicitous, diligent
soliviantar to incite, rouse, instigate
solo alone, single, sole
soltar to untie, unfasten
soltero bachelor
solterona old maid
sombra shadow; shade
sombrear to shade
sombrilla parasol, sunshade
sombrío somber, gloomy, dark
sonaja rattle
sonámbulo somnambulist

sonrojarse to blush
sonrosado pink
sonsacar to elicit
soñoliento sleepy
sopesar to heft, test the weight of (*by lifting*)
soplar to blow; breathe; whisper; gossip
soporífero soporific
soportar to bear, suffer, endure, sustain
sorber to sip, suck
sorbo swallow, sip
sordamente secretly, silently; soundlessly
sordo dull, muffled
sorna sluggishness, laziness; sneer
sorpresa surprise, amazement
sorpresivo surprising
sosiego calm, quiet
soso insipid, tasteless; *m.n.* fool
sospecha suspicion
sostén *m.* support; brassiere
suave smooth, soft, delicate, bland
suavidad softness, smoothness, gentleness
suavizar to soften, smooth; ease
subconsciencia subconsciousness, the subconscious
súbito sudden, hasty, unexpected; **de —**, unexpectedly, suddenly
sublevar to cause a revolt; *v.r.* to rise in rebellion, revolt, rebel, arise
subrutina exaggerated routine
subyugar to subjugate, subdue
sucedáneo substitute
suceder to happen, take place
suciedad nastiness, filthiness, filth
sucio dirty
sudar to sweat, perspire
sudario shroud, winding sheet
sudor *m.* sweat, perspiration
sudoroso sweating, perspiring freely
sueldo wages, salary
suelo ground, soil, earth
sueño sleep, drowsiness
suerte *f.* chance, hazard; luck; **purita —**, sheer luck
sufriente enduring, suffering
sufrimiento suffering; tolerance
sugerir to suggest
suizo Swiss; *m.n.* native of Switzerland
sujetar to subject, subdue, hold down, conquer
sumar to add; recapitulate
sumergirse to submerge, immerge, sink
sumirse to be sunken
suntuoso sumptuous, gorgeous
superar to overcome, conquer; surpass, excel
superficie *f.* surface, area
superponer to superpose
suplir to supply, provide, afford; substitute
surcar to plow, furrow
surgir to spout, spurt; issue; arise
suspensión suspension; detention; hoisting; stop, adjournment
suspirar to sigh
susto fright, fear, scare
susurrar to whisper, murmur, rustle
sutil subtle
suyo: de — propio on his own

T

tabique *m.* thin wall, partition
tabuco hut; narrow room
taburete *m.* stool
taco wad(ding)

tacón *m.* heel
táctica tactics
tacto (sense of) touch *or* feeling; feel, touching; handiness, dexterity; diplomacy, tact
tacuara *bot. a kind of bamboo*
tacuarilla *a combination of bamboo and mud*
tacho pan; *P.* earthen jar
tagua *bot. palm that produces vegetable ivory*
tagüero *laborer on a* **tagua** *plantation*
tajo cut, incision
tala felling (*of trees*)*;* destruction
talla carving, wood carving
tallar to carve, engrave
talle *m.* form, figure; waist
taller *m.* workshop, factory
tallo sprout, shoot; stem, stalk
tamaño so great, enormous; *m.n.* size
tambaleante staggering, tottering
tamborilear to drum
tamizado sifted, screened
tangente *f.* tangent
tanto: por lo —, consequently
tapa lid, cover, cap
tapado covered; veiled
tapar to cover
tapia mud wall
tapizado covered, upholstered
tapón *m.* plug, cork, cap; **— higiénico** sanitary napkin
taponear to plug
taquicárdico fast-beating (*heart*)
taradito "touched"
tarado congenital defect
tararear to hum a tune
tarea task, job
tarima stand, dais, platform
tarraac-tarraac *m.* creaking
tartamudear to stutter, stammer
tartamudo stutterer
tarugo stopper, plug; fool, dope
tatabra *Am. a kind of wild hog* (*half hog, half deer*)
tatarabuelo great-great-grandfather
teatralidad theatricality
tecata crust
techo roof, ceiling; cover
techumbre *f.* ceiling, roof
tediosamente tediously, tiresomely
tejabán *m.* (*Mex.*) *mean, rustic house with tile roof*
tejado roof
tejido weaving, fabric; web
tela cloth, fabric; stuff, material
telegrafista *m.f.* telegrapher
televisor *m.* T.V. set
temático obsessed, moody, pensive
temblar to tremble, quake, shake, shiver
temblequear to tremble, shake
temblor *m.* tremor, shake; earthquake
tembloroso trembling
temeroso fearful
tempestad tempest, storm
templado temperate, moderate; hardened, tempered
temporada season, period
temprano early
tenaza claw; *pl.* tongs
tender to stretch; hang out (*washing*)*;* tend
tendido stretched out; *m.n.* bed (roll)
tenedor *m.* fork; **— de mariscos** oyster fork
tenido held; *f.n.* outfit
tenso tense, tight, stretched, stiff
tentación temptation, enticement, lure
tentáculo tentacle

tentar to tempt, instigate; touch, feel
tentativa attempt
tenue thin, delicate, tenuous
teoría theory
tepetate *m. a yellowish-white stone used in construction*
terciana tertian (fever)
terco obstinate
termas *f.pl.* hot baths
terno suit of clothes; trio
ternura tenderness, softness, delicacy, fondness
terquedad stubborness
terraza terrace
terremoto earthquake
terreno earthly; *m.n.* land, terrain; area
terrón *m.* lump, cube
terroso earth-colored, muddy, earthy, cloddy
terso smooth, polished, glossy
tertulia social gathering, party
tesoro treasure
testigo witness
testimoniar to attest, bear witness to
testimonio testimony
tetilla small nipple (*as man's*)
teyú-ruguai *m.* whip (*from* **teyú,** *chameleon or lizard, and* **ruguai,** *tail*)
tibieza lukewarmness
tibio tepid, lukewarm
tic *m.* tic; nervous tic
tienda store
tierno soft, tender, young; affectionate
tieso stiff, hard
tigre *m.* tiger
tijeras *f.pl.* scissors
timbre *m.* doorbell, buzzer; timbre
timidez timidity, shyness, bashfulness
tinieblas *f.pl.* darkness
tinta ink, tint
tintineante clinking
tira long, narrow strip (*of cloth or paper*)*;* stripe, band; shred
tirante *m.* brace, tie rod, stringer, beam
tirantez tenseness, strain, tightness
tirar to throw, flick; — **de** to pull, pull on
tirifilo dude
tiritar to shiver
tiro team (*of horses*)
tirón *m.* pull, haul, tug; **a tirones** forcibly
titiritero puppeteer
titubeo wavering, hesitation
tobillo ankle
tocado topped off; — **de chistera** wearing a silk hat; *m.n.* headdress
toldo Indian hut; awning, covering
tomar to take; — **el sol** to sun oneself; — **la palabra** to take the floor
tono tone; **a** —, in style, in keeping with
tontería foolishness, nonsense
topacio topaz
toparse to run into
topetón *m.* butt, knock, collision
torbellino whirlwind, vortex, rush
torcer to twist, turn
tordillo (*dim. of* **tordo**) dapple-grey
tormentoso stormy; boisterous
tornar to return; restore; turn; *v.r.* to change, be altered, become
tornasol, *m.* sunflower
torno: en —, roundabout
torpe slow, dull, awkward

torpeza heaviness, dullness, torpor
torturar to torture, torment, rack
torvo fierce, stern
tosca tufa; tuff; *med.* tophus (*a concretion in the body, especially the joints*)
tosco coarse, rough, uncouth
toser to cough
tostado torrid; parched; toasted; tanned
tostón *m.* sop; *Am.* four bits
trabado connected, joined
trabajo: en su —, at work
trabucar to confuse
trabuco blunderbuss
tradición tradition
traficante *m.f.* trafficker
tragar to swallow, down; devour
trágico tragic
trago swallow, drink
traje *m.* suit of clothes, costume, dress
trajinar to travel, transport from place to place
tramar to plot, scheme
tranca bolt *or* bar (*across a door or window*)
trance *m.* peril, danger, critical moment
tranquilizador quieting, soothing
transcurrir to elapse, pass
transitar to travel
tránsito transit, passage, traffic
transpirar to perspire freely
transporte *m.* transport
tranvía *m.* tram, streetcar
traps-traps *m.* flop-flop
trascendentalista transcendentalist
trascendente important; transcendent
trascuarto backroom
trasero coming after, back; *m.n.* buttock, rump
traslúcido transparent, pellucid
trasmitir (transmitir) to transmit, transfer, communicate
traspasar to pass over, go beyond, cross, transpierce
traspatio backyard, back court
traspié *m.* slip, stumble, lapse
traste *m.* small glass (*for tasting wine*); **dar al —,** to spoil, destroy, do away with
tratamiento treatment
trato deal, pact, agreement; treatment, conduct
través *m.* inclination, bias; misfortune, adversity; **a** *or* **al — de** through, across
travieso frolicsome, playful, impish, roguish, wanton, naughty
trazar to design, plan out; trace
tremolina rustling (*of the wind*); bustle, noise
trémulo tremulous, quivering
trenza braid, pigtail
trenzar to braid, plait
trepadora creeper, climber
trepar(se) to climb, mount, clamber
tricota knitted vest
trigueño swarthy, dark, brownish, brunet
trinchera trench
tripa gut, intestine
tripulación crew, company
triquina trichina
triunfante triumphant, victorious
triunfar to triumph, win
trochita (*dim. of* **trocha** path, crossroad) short cut, path
trofeo trophy, spoils
trompada fisticuff
tronco (tree) trunk, stem, stalk
tronchado mutilated, cut (off)
trono throne

tropeloso tumultuous, herdlike
tropezón *m.* tripping; obstacle
tropiezo stumble; obstacle
tropo trope
trote *m.* trot
trozo piece
trueno thunder(clap)
trunco truncated
trusa swimsuit
tubo tube; — **de goma** rubber tube
tufillo (*dim. of* **tufo**) smell
tul *m.* tulle
tullido paralyzed (*partially or totally*)
tumba tomb, grave
tumbar to tumble, fall down
tumbo tumble, fall; **a los —,** stumbling
tuna *bot.* Indian fig
túnel *m.* tunnel
tupido thick, dense, choked
turbación confusion, embarrassment
turbante *m.* turban
turbarse to become upset, disturbed, *or* embarrassed
turbio muddy, turbid
turco Turkish; *m.n.* Turk; Turkish language
turmalina tourmaline
turnar(se) to alternate

U

ubicación *f.* situation, location, position
ubicado situated, located
ubre *f.* udder
último last, latest, latter
ululante howling, hooting, ululating
umbroso shady, umbrageous
uncido yoked
unción unction, anointing
ungüento ointment
únicamente solely, only, exclusively, simply
unidad unity
uniformado in uniform
uniforme de gala *m.* dress uniform
unísono unison(al), sounding alike; **al —,** in unison
¡unjú! Aha!
uña fingernail; toenail
urbanización urbanization; built-up area; new housing development
urgir to be urgent
urinario urinal
Uropas Europe
uruguayo Uruguayan; *m.n.* Uruguayan
útil *m.* utensil, tool
uva grape; **—s playeras** wild grapes

V

vaca cow, beef
vaciar to empty, void
vacío void, empty; vacant
vagabundo vagabond, vagrant, bum
vagar to wander, rove
vago errant, roving; vague, indefinite
vagón *m.* car, wagon
vaho vapor, fume, mist, exhalation
vaina scabbard, sheath
vaivén *m.* fluctuation, sway; **al —,** in time to, in rhythm with
valentía valor, courage
valentón blustering, arrogant; *m.n.* bravo, bully
valerse de to make use of, avail oneself of

valija valise, suitcase
valioso very valuable, substantial
valorar to appraise, value, price
vanguardia vanguard
vapor *m.* steam; steamship
varios *pl.* several, various, diverse
varón *m.* man, real man
vaso vessel (*for liquids*), tumbler, glass
vecindario neighborhood
vecino neighbor
vega open plain, meadow
vegetal vegetal; *m.n.* vegetable
veintena score, twenty
vejez old age
vejiga bladder; blister
vela candle; **en —,** on watch
veladora night stand
velamen *m.* canvas, sails (*in general*)
velar to watch, keep vigil
veleidad(es) *f.* (*pl.*) fickleness
velero sailboat
velo veil; curtain
velorio wake, watch (*over a dead person*)
veloz swift, fleet
vello down; nap; pubescence, hair
vellonera jukebox
velludo downy, hairy
vena vein, blood vessel
venadero deer-hunting; *m.n. a place frequented by deer*
Venado Tuerto *a town in the province of Santa Fe, Argentina*
vendeval *m.* strong wind (*from the sea*)
veneciano Venetian
venenoso venomous, poisonous, toxic
vengarse to take revenge; retaliate
vengativo revengeful, spiteful
ventaja advantage, gain
ventanal *m.* large window
vera side; **a la — de** at the side of
veraniego summer
verdemar sea-green
verdor *m.* verdure, green(ness); foliage
verdoso greenish
vereda footpath, path; **ponerme en —,** to send me packing *or* on my way
vergonzante shameful, bashful
vergüenza shame, shamefulness; modesty, shyness
verídico truthful
verja grate, grating, iron railing
verter to pour, spill, shed
vertiginoso giddy, vertiginous
vértigo giddiness, dizziness, vertigo
vesícula vesicle; gall bladder
vestido dressed; **— de** dressed as; *m.n.* clothing; **— de baño** bathing suit
vestimenta clothes, garments
vestón *vulg.* suitcoat
veta vein, lode
vetusto very old
vía férrea railroad
viable viable, practicable; workable
viacrucis *m.* way of the cross
viandante *m.* traveller, passenger; tramp
viborear to snake, creep along
viche green; too tender
vidrioso glassy, staring
viejucho creaky old man
vientre *m.* belly, abdomen, stomach
Viernes Santo Good Friday
vigilar to watch (over), keep guard

vigor *m.* vigor, strength; **poner en —**, to put into effect
vil vile, mean, base
vilo: en —, in the air, in suspense
vinagre *m.* vinegar
vinagrera vinegar cruet
vínculo tie, bond
Viña del Mar *a resort near Valparaíso, Chile*
violáceo violet-colored
viraje *m.* turn, change; tack
visera visor
vislumbrar to glimpse, have a glimmer of
víspera eve
vista sight; *Am.* movie
vistoso beautiful, showy
vitrina showcase, show window
viuda widow
viudo widower
vivencia spiritual value
víveres *m.pl.* provisions, food, supplies, victuals
vivienda dwelling, house
viviente living, animated
vizcacha viscacha (*a S.A. rodent*)
vizcachera viscacha's hole *or* lair
vocear to vociferate, cry out, clamor; hawk (*newspapers*)
vociferar to vociferate, shout
volanta *Am. two-wheeled, covered vehicle*
volar to fly, take wing, soar
volcar to upset, overturn
voltear to turn, revolve; overturn
voltereta tumble, somersault
voluntad will; goodwill
voluntariamente voluntarily
voluptuosidad voluptuousness
vómito negro yellow fever
vorágine *f.* vortex, whirlpool
voraz voracious, greedy
voz: a — en cuello shouting (it) out
vozarrón *m.* strong, heavy voice
vudú *m.* voodoo
vuelco tumble, overturning
vuelto change

Y

ya already, now, presently; finally, ultimately; **— mismito** right now
yacer to lie; be located
yegüita (*dim. of* **yegua**) little mare
yema yolk (*of an egg*); finger tip
yerba (hierba) herb, grass; **yerba mate** maté
yerbal *m. field of* **yerba mate**
yodo *m.* iodine
yuca *bot.* yucca
yuyal *m. a field of* **yuyos**
yuyo *bot. an edible root*

Z

zafarrancho *coll.* scuffle
zafiedad rusticity, clumsiness
zaguán *m.* entrance, hall, door, entry, vestibule
zalema *sign of courtesy or obedience; coll.* salaam
zambo knock-kneed; *m.n.* Indian and mulatto half-breed
zambullirse to plunge, dive, sink
zancada large stride
zanja ditch, trench
zapallada (dirty) trick
zapatilla slipper
zarandear(se) to move nimbly; strut
zarza bramble; blackberry bush

zarzuela musical comedy
zigzagueante zigzagging
zócalo square
zonzo dull, stupid, silly
zoquete *m.* dope, fool
zozobra worry, anguish, anxiety
zumbar to buzz, hum, drone
zurcir to darn, mend